NVA - Die Armee der Sowjetzone

Thomas M. Forster

NVA

Die Armee der Sowjetzone

1965

MARKUS-VERLAG GMBH · KÖLN

Markus-Verlags-Gesellschaft m.b.H. 1964
2. verbesserte Auflage
Nachdruck, auch auszugsweise, nur mit ausdrücklicher Genehmigung des Verlages.
Printed in Germany
Umschlagentwurf: Hans Sladecek
Gesamtherstellung: Ebner, Ulm/Donau

Fotos: Associated Press 12; Reinhard Bartz 1; Bildstelle (VFWD) 3; Bundesarchiv 1; Conti-Press 1; Deutsche Presse-Agentur 6; Historisches Bildarchiv Handke — Bad Berneck 1; Imperial War Museum — London 1; Interfoto 1; Keystone 3; Robert Lebeck 1; Markus-Verlag 77; Stern — Hamburg 1; Tarantel-Press 4; Ullstein-Bilderdienst 3; United Press 1; Ingeborg Weyrauch 1.

Inhalt

nachgeordneten Führungsorgane – Landstreitkräfte – Luftstreitkräfte/
Luftverteidigung – Seestreitkräfte

Teil III

Der Dienst

Die theoretischen Grundlagen – Planung und Vorbereitung – Der Ausbildungsablauf – Die militärische Grundausbildung – Die Einzelausbildung im 1. und 2. Dienstjahr – Die Ausbildung in der Gruppe bzw. Bedienung oder Besatzung – Die Ausbildung der Züge – Die Kompanie-(Batterie-)Ausbildung – Ausbildung im taktisch/operativen Rahmen – Truppenübungen und „taktische Manöver" — Besonderheiten der Ausbildung der NVA-Grenztruppen – Besondere Ausbildung für Spezialtruppenteile – Die Ausbildung der Soldaten der Luftstreitkräfte/Luftverteidigung – Die Ausbildung der Volksmarine

Verzeichnis der Bildtafeln

Verzeichnis der graphischen Übersichten und Abbildungen

Vorwort

Ein gültiges Bild über Einrichtungen kommunistischer Staaten zu erhalten, scheint zunächst eine sehr schwierige Aufgabe, nachdem die kommunistischen Machthaber gern alles mit dem Schleier des Geheimnisses umgeben. Dieses dem westlichen Beobachter vielfach unverständliche Geheimhaltungsbedürfnis hat verschiedene Ursachen. Einmal wirkt sich hier eine jeder Diktatur eigene Tendenz aus, die im wesenhaften Gegensatz zu der demokratischen Theorie und Praxis steht, bei der auch die Regierten — von denen nach der Verfassung die Regierungsgewalt ausgeht — und damit die Öffentlichkeit das Recht und die Pflicht haben, über alles informiert zu sein. Dazu kommt, daß in jedem kommunistischen Staat der Hang zur Geheimhaltung durch den bolschewistischen, d. h. russisch-kommunistischen Einfluß verstärkt wurde, der zeitweilig vom Standpunkt der „Staatssicherheit" den Privatbesitz eines Fotoapparates mit der Gefährlichkeit einer Maschinenpistole gleichsetzte. Nicht unerheblich für die Informationsfeindlichkeit der kommunistischen Machthaber dürfte auch die ihnen selbst bewußte Tatsache sein, daß die Verhältnisse in einem kommunistisch beherrschten Land sehr weit hinter den Propagandazielen zurückbleiben und sich daher mit der Wirklichkeit nicht viel Staat machen läßt.

Dennoch hat derjenige, der sich von außen daran macht, ein Bild von einer bestimmten Einrichtung des kommunistischen Staates zu entwerfen, auch gewisse Chancen. Selbst dann, wenn es sich — wie hier — um die Streitkräfte handelt, die naturgemäß aus echten Sicherheitsgründen auch in einem demokratischen Lande einen gewissen Geheimhaltungsschutz genießen.

Tatsächlich sind die Kommunisten alles andere als schweigsam. In ihrer unaufhörlichen Agitation und Propaganda nehmen sie zu allem und jedem Stellung, wobei sie auch massenhaft Schriften hervorbringen, da sie schließlich die „Massen" erreichen wollen. Sie wollen aber nicht nur die „Massen" allgemein lenken und leiten, wozu nach kommunistischer Ansicht propagandistische Behauptungen genügen. In unserer hoch technisierten Zeit mit ihren besonderen Ansprüchen an jeden einzelnen müssen auch die Kommunisten versuchen, die sachliche Unterstützung der von ihnen Regierten mit allen Mitteln, auch dem Mittel der Information, anzustreben: Sie müssen ihren eigenen Leuten, in diesem Falle also den Offizieren und Soldaten der NVA, genau sagen, was sie von ihnen wollen. Das um so mehr, als die Kommunisten bekanntlich einer Lehre anhängen oder von ihr herkommen, in der das rationale Element, das „alles erkennende Bewußtsein", die wichtigste Kraft ist.

Wer es also auf sich nimmt, die vielen Selbstäußerungen der sowjetzonalen Machthaber über ihre Armee, sowohl die Propagandaschriften als auch die mehr sachlichen Anweisungen, sorgfältig durchzulesen und zu vergleichen, kann schon zu einigen richtigen Rückschlüssen kommen.

Als ergiebigste Quelle seien hier die periodischen und nichtperiodischen Publikationen des Deutschen Militärverlages in Ost-Berlin genannt, der als eine Abteilung des Ministeriums für Nationale Verteidigung eine Art Monopolstellung auf dem Gebiet des speziellen und allgemeinen Militärschrifttums hat und dessen Bibliographie daher auch im Anhang II dieses Buches wiedergegeben wird. Hier bestand schließlich die Schwierigkeit weit mehr in der Fülle als in dem Mangel an Material.

Nimmt man die zahlreichen Flüchtlingsaussagen, insbesondere ehemaliger Angehöriger der bewaffneten Kräfte der Sowjetzone, hinzu, so war das zur Verfügung stehende Material zu 100 Prozent „offen". Jeder wissenschaftliche Arbeiter kann es sich beschaffen, der die billigen sowjetzonalen Publikationen kaufen und – was nun allerdings kein leichtes Geschäft ist – durchackern will.

Dieses ist also keine „Geheimdienststudie". In diesem Zusammenhang sei – als Trost für den vielleicht enttäuschten Leser – auf eine Erklärung[1] des früheren Direktors des Zentralen Amerikanischen Nachrichtendienstes, des CIA, Allan W. Dulles, hingewiesen: In Friedenszeiten werden „80 Prozent der Informationen, die wir zur Führung unserer Außenpolitik brauchen", auf offenem Wege zusammengetragen. (Die Sowjets können vermutlich 98 Prozent der Informationen, die sie zu brauchen glauben, aus der nichtkommunistischen Welt, in der nahezu alle Dinge offen liegen, offen gewinnen.)

Natürlich wissen die westlichen Geheimdienste über die kommunistischen Armeen und damit auch über die NVA Bescheid. Aber wenn die amtlichen Stellen, deren Aufgabe die Beobachtung der „fremden Streitkräfte" ist, ihre Beurteilung nur einem kleinen Kreis von Politikern und Offizieren fortlaufend auf den Schreibtisch bzw. in die Geheimmappe legen, so ist es notwendig, daß auch eine größere Öffentlichkeit sich informieren kann, nachdem eine

---

1 Harry Howe Ransom, *Central Intelligence and National Security*, Harvard University Press, Cambridge, Massachusetts, 1958, Seite 18—19

bestimmte Stufe der Entwicklung erreicht ist. Dieses Buch kommt zur rechten Zeit, da jetzt der Aufbau der NVA im wesentlichen abgeschlossen ist. Die bisherigen westlichen Veröffentlichungen stellten notwendigerweise nur Zwischenphasen dar. Dennoch wurde der größte Teil der bisherigen hauptsächlichen Veröffentlichungen[2] westdeutscher Provenienz mit Nutzen durchgesehen.

Schwieriger als die Materialbeschaffung war die Auswertung. Mühsam mußten die Tatsachen aus dem Propagandawust herausgearbeitet werden, in den sie von den sowjetzonalen Autoren verpackt waren. In dieser Hinsicht hat der Verfasser vielen sachkundigen Freunden und Bekannten zu danken, die sich ebenfalls Gedanken über diese Armee machen. Dennoch sind Fehler möglich. Daher wird die Bitte und Hoffnung ausgesprochen, daß aus der Leserschaft recht viele Hinweise kommen, wo im einzelnen oder in der Gesamtdarstellung Fehler liegen. In einer eventuellen weiteren Auflage sollen diese Erkenntnisse, zusammen mit den zwangsläufigen Veränderungen in der NVA, berücksichtigt werden.

Bei der Konzeption der Schrift war eine Entscheidung nicht zu umgehen, vor die sich jeder gestellt sieht, der über die Kommunisten berichten will: Die Frage, ob in einem gewissen Maße die kommunistische Terminologie übernommen werden soll oder ob sozusagen für jeden kommunistischen Terminus eine Übersetzung gesucht werden muß. Daß „Deutsche Demokratische Republik" eine sehr wahrheitswidrige Bezeichnung für ein unter kommuni-

---

2 W. Grieneisen, *Die sowjetdeutsche Nationalarmee – Aufbau und Entwicklung von 1948–1952,* Berlin 1955, 88 Seiten; *Die kasernierte Volkspolizei in der sowjetischen Besatzungszone Deutschlands,* herausgegeben vom Bundesministerium für gesamtdeutsche Fragen, Bonn, 1955; Fritz Kopp, *Militärpropaganda in der Sowjetzone,* in „Politische Studien", Heft 63, Juli 1955, München; Helmut Bohn, *Armee gegen die Freiheit – Ideologie und Aufrüstung in der Sowjetzone,* Köln, 1956, 241 Seiten; Helmut Bohn und andere, *Die Aufrüstung in der sowjetischen Besatzungszone Deutschlands,* „Bonner Berichte aus Mittel- und Ostdeutschland", herausgegeben vom Bundesministerium für gesamtdeutsche Fragen, Bonn, 1958, 174 Seiten; Dr. Fritz Kopp, *Chronik der Wiederbewaffnung in Deutschland – Daten über Polizei und Bewaffnung 1945–1958,* Köln, 1958, 160 Seiten; Friedrich P. Martin, *SED-Funktionäre in Offiziersuniform, Wer befiehlt in der „Nationalen Volksarmee"?* Köln 1962, 160 Seiten; Werner Bader und andere, *Kampfgruppen – die Spezialtruppe der SED für den Bürgerkrieg,* Köln, 1963, 128 Seiten; Dr. Heinrich v. zur Mühle mit zahlreichen Aufsätzen und Berichten in „SBZ-Archiv", Bonn, beispielsweise: 15/1955 *Die Grenztruppen der DDR,* 12/1956 *Innere Sicherheit der Sowjetzone,* 1/1958 *Konzentration der Kräfte in der Volkspolizei; Die „Nationale Volksarmee" — Entstehung, Aufbau, Gliederung und Kräfteordnung* in „Soldat und Technik", Februar 1962, Frankfurt/M.; *Die Zonenluftstreitkräfte – Stärke, Ausbildungseinrichtungen und Flugzeugbestand* und *Die Zonen-„Volksmarine" – Spitzengliederung, Organisation, Stärke und Schiffsbestand* in „Soldat und Technik", März 1962.

stischer Diktatur stehendes sowjetisches Satellitengebilde ist, bedarf keiner Erklärung mehr. Schwieriger wird es bei Bezeichnungen, die im Westen weniger geläufig sind. Wäre es vom Standpunkt der sprachlichen Wahrhaftigkeit nicht besser, Bezeichnungen wie „Nationale Volksarmee", „Volkspolizei", „Deutsche Grenzpolizei" überhaupt nicht zu gebrauchen?

Das vorliegende Werk hat es dennoch im wesentlichen bei den sowjetzonalen Bezeichnungen gelassen; sie sind – wenn sie das erste Mal angeführt werden – in Kursiv gesetzt. So kann der Leser – wenn er selbst die sowjetzonalen Quellen studieren will – sich schnell zurechtfinden. Die kommunistischen Bezeichnungen und Wortzusammensetzungen sind zudem allmählich vom ursprünglichen Sprachsinn gelöst – besonders bei den Abkürzungen.

Um Mißverständnisse auszuschließen, wurden auch einige sowjetzonale militärische Bezeichnungen beibehalten, mit denen keine ideologischen Absichten verbunden sind, die sich aber von den im Westen, in der Bundeswehr üblichen Bezeichnungen unterscheiden. So wird von „Nachrichteneinheiten" gesprochen, wo es in der Bundesrepublik „Fernmeldeeinheiten" heißt (um eine Verwechslung mit den „Nachrichtendiensten" für die Feindbeurteilung zu vermeiden). „Granatwerfer" wurde beibehalten, wo die Bundeswehr wieder das alte deutsche Wort „Mörser" übernommen hat (das auch dem Englischen „mortar" ähnlich ist).

Wenn es in diesem Buch hier und da Überschneidungen und Wiederholungen gibt, erklärt sich das daraus, daß hier nicht nur für den militärischen Fachmann geschrieben wurde. Andererseits war unvermeidlich, daß dasselbe Thema nicht bei der ersten Erwähnung zu Ende behandelt werden konnte: Die „Uniform" beispielsweise wird einmal in ihrem ideologischen Zusam-

Bild 1 – Eine Ehrenkompanie der NVA am sowjetischen Ehrenmal in Ost-Berlin

menhang – so wie ihn die Kommunisten sehen oder vorgeblich sehen – erwähnt, an anderer Stelle wird sie in den Einzelheiten abgebildet bzw. beschrieben. Ein Register soll daher dem Leser ermöglichen, sich schnell auch über ein bestimmtes Nebenthema zusammenhängend informieren zu können.

Mancher Leser mag es als Nachteil empfinden, daß – von wenigen Ausnahmen abgesehen – bei den militärischen Einzelheiten keine Vergleiche mit westlichen Verhältnissen gezogen wurden. Wäre es anders gemacht worden, so würde das Buch um ein Mehrfaches umfangreicher sein.

Möge das Buch weit über den militärischen Fachkreis hinaus reges Interesse finden.

Köln, den 1. Juni 1964

Thomas M. Forster

Bild 2 – Sturmgruppe eine Mot.Schtz.-Kp. bei der kriegsnahen Gefechtsausbildung

Teil I

Wesenszüge und Geschichte

1. KAPITEL

Stärken und Schwächen der NVA

Armeen ähneln einander in Organisation und Gliederung, Bewaffnung und Ausrüstung, Taktik und Strategie, Rekrutierung und Logistik, weil die Erfahrungen des letzten Krieges und die Erfordernisse einer möglichen kommenden Auseinandersetzung gewisse Grundvoraussetzungen geben.

Armeen unterscheiden sich voneinander in der Spitzengliederung und Kräfteordnung auf ihrem Territorium, in der Zusammensetzung ihrer Führungskräfte, in der Wahrung von Traditionen, in der Stärke und Bevorzugung gewisser Waffengattungen – teils aus historischen Gründen, teils aus wehrpolitischen oder rein politischen Auffassungen.

Armeen sind höchstens soviel wert, wie die völkische Substanz, aus der sie sich ergänzen können, an kämpferischen Werten beinhaltet. Sie sind aber auch nach ihrem Koalitionswert zu beurteilen, den sie im Rahmen eingegangener Bündnisse darstellen. Ihr Ausbildungsstand, ihre Verwendbarkeit in den unterschiedlichsten Formen des Krieges, ihre Anpassungsfähigkeit, ihre Beherrschung der Technik und ihre Belastbarkeit auch in Krisenphasen sind wesentliche Faktoren.

Armeen müssen darauf sehen, ihre Soldaten fest in die Hand zu bekommen. Dazu dienen die Gewaltmittel – Befehl und Gehorsamspflicht, Disziplinar- und Militärgerichtswesen – nur bedingt. Erstrebenswert für alle Armeen müssen die innere Bindung der Soldaten an die Grundsätze der politischen und militärischen Führung ihres Staates und eine irrationale Verankerung des Soldaten (Psychologische Rüstung) sein.

Diese Grundsätze gelten für alle Armeen, wobei im Verteidigungsfall eine zusätzliche Kraft die Armee stützt: das Bestreben, den Heimatboden vor dem Aggressor zu schützen und zu wahren.

Der Grundsatz der politischen Bindung des Soldaten gilt aber in noch stärkerem Maße für Armeen der Staaten, deren politische Führung eine dynamische Kraft darstellt. Die politische Heilsbotschaft des Regimes soll auch auf die Soldaten übertragen werden, teils um sie expansiv zu verwenden, teils um sie einer nicht linientreuen Bevölkerung gegenüber als Machtfaktor zur Wirkung kommen zu lassen. So spielt die politische Schulung und Erziehung in den Armeen autoritärer Staaten eine besondere Rolle. Auch die *Nationale Volksarmee* (NVA) – d. h. die Streitkräfte der Sowjetzone Deutschlands – ist unter diesen Wertungsmaßstäben zu betrachten.

Was soll die NVA sein?

Als am 18. 1. 1956 das Sowjetzonenregime den Schleier fallen ließ und aus der als *Kasernierten Volkspolizei* getarnten Armee die *Nationale Volksarmee* entstand, sollte sie – nach den Worten ihrer Schöpfer –

> zum Schutz des Territoriums, der Unabhängigkeit und der Zivilbevölkerung der Republik ... den Interessen des ganzen deutschen Volkes dienen ... (und) deutsche Uniformen tragen, die den nationalen Traditionen unseres Volkes entsprechen.[1]

Nach außen hin soll die NVA also als ein Symbol der Souveränität des Sowjetzonenstaates wirken, gleichzeitig jedoch das Gegengewicht zu der im Aufbau befindlichen Bundeswehr darstellen. Innerhalb der Sowjetzone soll sie durch ihr traditionsverbunden wirkendes Erscheinungsbild von der Bevölkerung anerkannt, eine vertrauenswürdige Stütze der kommunistischen Machthaber sein. Mit anderen Worten: Die NVA soll – nach dem Willen derer, die sie geschaffen haben und führen –

1. die Diktatur der kommunistischen Partei in der Sowjetzone Deutschlands sichern, denn die Begriffe *Deutsche Demokratische Republik* und *Arbeiter- und-Bauern-Regierung* sind unveräußerlicher Bestandteil des kommunistischen Regimes auf deutschem Boden;

2. alles zur Ausbreitung des internationalen Kommunismus beitragen, denn der Sozialismus wird – nach eigener Lehre – nur als eine Übergangsform zum Kommunismus sowjetischer Prägung verstanden. Es geht nicht nur um die *Verteidigung des Sozialismus,* sondern um die *Erringung des Sieges.* Das kann für den Soldaten der NVA auch die Teilnahme an jedem kommunistischen Angriffskrieg bedeuten, gleichgültig, in welchen Teilen der Welt.

---

1 *Rede des Genossen Willi Stoph, Stellvertreter des Vorsitzenden des Ministerrats der DDR, in der Volkskammer zur Begründung des Gesetzentwurfes über die Schaffung einer Nationalen Volksarmee und eines Ministeriums für Nationale Verteidigung,* „Neues Deutschland", Organ des Zentralkomitees der Sozialistischen Einheitspartei Deutschlands, Ost-Berlin, 19. Januar 1956

3. Damit der zum Soldaten der Weltrevolution gewordene Angehörige der NVA nicht glaubt, er könne nach eigenen Überlegungen und eigenem Gewissen entscheiden, was der *Sozialismus* ist und was er nicht ist, wird der persönliche Einsatz auf alle Fälle an den unbedingten Gehorsam gegenüber den militärischen Vorgesetzten gebunden, die letztlich dem Zentralkomitee (ZK) der Partei verantwortlich sind.

Im *Fahneneid* der NVA, wie er nach einigen Änderungen schließlich 1962 formuliert wurde, liest sich das so:

Ich schwöre:
Der Deutschen Demokratischen Republik, meinem Vaterland, allzeit treu zu dienen und sie auf Befehl der Arbeiter-und-Bauern-Regierung gegen jeden Feind zu schützen.

Ich schwöre:
An der Seite der Sowjetarmee und der Armeen der mit uns verbündeten sozialistischen Länder als Soldat der Nationalen Volksarmee jederzeit bereit zu sein, den Sozialismus gegen alle Feinde zu verteidigen und mein Leben zur Erringung des Sieges einzusetzen.

Ich schwöre:
Ein ehrlicher, tapferer, disziplinierter und wachsamer Soldat zu sein, den militärischen Vorgesetzten unbedingten Gehorsam zu leisten, die Befehle mit aller Entschlossenheit zu erfüllen und die militärischen und staatlichen Geheimnisse immer streng zu wahren.

Ich schwöre:
Die militärischen Kenntnisse gewissenhaft zu erwerben, die militärischen Vorschriften zu erfüllen und immer und überall die Ehre unserer Republik und ihrer Nationalen Volksarmee zu wahren.

Sollte ich jemals diesen meinen feierlichen Fahneneid verletzen, so möge mich die harte Strafe der Gesetze unserer Republik und die Verachtung des werktätigen Volkes treffen.[2]

Der Name dieser Streitmacht ist bereits eine Fälschung. Ulbricht behauptete zwar, das Wort *Nationale Volksarmee* bringe zum Ausdruck, „daß unsere Armee konsequent im Sinne der nationalen Interessen des deutschen Volkes handelt"[3]. In Wirklichkeit bedeutet *national* hier bestenfalls, daß es sich nicht um eine aus Angehörigen verschiedener Nationen zusammengesetzte Truppe handelt.

2 *Erlaß des Staatsrates der DDR über den aktiven Wehrdienst in der Nationalen Volksarmee (Dienstlaufbahnordnung) vom 24. 1. 1962*, zitiert nach „Volksarmee", Wochenzeitung der Nationalen Volksarmee, Ost-Berlin, Beilage 3/1962, Seite 4

3 Walter Ulbricht in der Eröffnungsvorlesung an der Militärakademie „Friedrich Engels" Hier zitiert nach „Volksarmee", Sonderdruck 1963/5 — 23. 8., Seite 11

Einige höhere Offiziere der NVA haben allerdings gleichzeitig die sowjetische Staatsbürgerschaft. Ulbricht[4], der als *Oberkommandierender* bezeichnet wird, ist sogar *Held der Sowjetunion*. Manche tragen, zusammen mit sowjetischen Auszeichnungen, auch den ausländischen Orden *Sieg über Deutschland*. Das ist eine sehr passende Devise für eine Armee, die nichts anderes ist als das deutsche Kontingent der imperialistischen Sowjetunion.

Die Bezeichnung *Volksarmee* ist nur insofern berechtigt, als – vor allem nach Einführung der allgemeinen Wehrpflicht im Januar 1962 – alle im sowjetzonalen Herrschaftsbereich lebenden Männer zu ihr herangezogen werden können.

Wie das sowjetzonale Regime allgemein immer mehr – besonders seit der Absperrung gegenüber West-Berlin im August 1961 – sein wahres Wesen enthüllt, so auch die NVA. Daß in ihr gewisse militärische Formen – so auch die Uniformen – aus der deutschen Vergangenheit übernommen wurden, darf nicht allein als eine Spekulation der sowjetzonalen Machthaber auf etwaige noch im Volk vorhandene positive militärische Erinnerungen genommen werden. Durch die Übernahme bewährter straffer Formen und ein äußerlich diszipliniertes Bild glaubt die NVA eine erzieherische Wirkung sowohl auf die eigenen Soldaten als auch auf die gesamte Bevölkerung ausüben zu können.

Entwicklung

Von vornherein war die NVA mit Hypotheken belastet, die ihrem Aufbau Grenzen setzten. Die Sowjets hatten keineswegs vor, der Sowjetzone die volle Entfaltung militärischer Macht zu genehmigen. Das liegt weder in der sowjetischen politischen Zielsetzung, noch dürften ihnen die 17 Millionen Mitteldeutschen zuverlässig genug erscheinen.

Die der Sowjetzone bewilligten Streitkräfte sind daher weder in sich ausgewogen, noch stehen sie zahlenmäßig in einem angemessenen Verhältnis zu denen anderer Sowjetblockstaaten. Auch die Begrenzung auf 6 Heeresdivisionen[5] ohne ausreichende Heerestruppen, schwache Marine-, Luftstreit- und Luftverteidigungskräfte hat keinesfalls potentielle Gründe. Die sehr viel stärkere Bindung der NVA an das sowjetisch beherrschte *Vereinte Kommando* der Warschauer Pakt-Staaten als die der Streitkräfte irgendeines anderen Partnerstaates schließt letztlich die Beweiskette, daß politisches Kalkül

---

4 Siehe Anhang I, Biographische Notizen

5 Polen hat 20 (bzw. 15) Heeresdivisionen bei einer Bevölkerung von rd. 30 Mill.; Rumänien 10 Divisionen bei einer Bevölkerung von rd. 18 Mill.; die CSSR 15 Divisionen bei einer Bevölkerung von rd. 14 Mill.; die ungarische Armee zählt 80 000 Mann bei einer Bevölkerung von rd. 10 Mill.; Bulgarien hat 11 Divisionen bei einer Bevölkerung von rd. 8 Mill.; selbst Albanien hat 3 Heeresdivisionen bei einer Bevölkerung von rd. 1,7 Mill.

und Sicherheitsdenken die Grenzen einer überlegten Dosierung militärischer Machtentfaltung der Sowjetzone festgelegt haben. Es soll hier nicht untersucht werden, inwieweit die NVA politisch als Tauschobjekt gedacht war oder vielleicht auch noch ist. Wichtiger ist schon, warum man sie weitere 6 Jahre als einzige „Freiwilligen-Armee" des Ostblocks existieren ließ, ehe die „Allgemeine Wehrpflicht" eingeführt wurde.

Kader

Es kann kein Zweifel darüber bestehen, daß bei allen Erfolgen im organisatorischen Aufbau, in der Ausbildung und Einsatzbereitschaft *ein* Ziel auch nicht annähernd erreicht wurde: mit der NVA eine wirklich verläßliche Stütze des kommunistischen Systems zu schaffen.

Wenn die Zonenmachthaber glaubten, dieses Ziel sei mit Freiwilligen schneller zu erreichen als mit Dienstpflichtigen, so haben sie sich erheblich getäuscht. Dafür sprechen nicht nur die in Divisionsstärke während der letzten Jahre in die Bundesrepublik geflüchteten NVA-Soldaten, sondern auch entsprechende Eingeständnisse militärischer Spitzenfunktionäre der Sowjetzone.

Zu keinem Zeitpunkt hat die NVA bisher eine solche Anziehungskraft zu entwickeln vermocht, daß die Zahl der erforderlichen Freiwilligen auch nur annähernd ausgereicht hätte, den Personalbedarf der bewaffneten Kräfte zu decken. Die Folge war, daß Werbemethoden angewendet wurden, die von Zwang und kollektivem Terror nicht mehr zu unterscheiden waren. Die „Abordnung" junger Männer durch die Betriebe in die NVA war eine der wirksamsten Rekrutierungsmaßnahmen, nachdem alles andere mehr und mehr versagte. Die Betriebe dachten aber bei ihren „Abordnungen" weniger an das Wohl der NVA als an die Leistungsforderungen, denen sie sich selbst ausgesetzt sahen und zu deren Erfüllung sie jeden guten Mann und Spezialisten brauchten. Es waren daher wohl nicht immer die besten Männer, die zum „Ehrendienst" delegiert wurden.

Die im Januar 1962 gegebene Begründung der allgemeinen Wehrpflicht – „Die Imperialisten zwingen uns dazu!" – wurde inzwischen durch den Verteidigungsminister Hoffmann persönlich ad absurdum geführt. Auf dem VI. Parteitag der SED erklärte er:

> Bekanntlich ging es bei der Einführung der Allgemeinen Wehrpflicht nicht um die Erhöhung der Stärke der NVA, sondern vor allem um die systematische Auffüllung der Nationalen Volksarmee mit Soldaten, Unteroffizieren und Offizieren, die sowohl von ihrem Klassenbewußtsein wie auch von ihrer allgemeinen und beruflichen Bildung her allen Anforderungen des modernen Militärwesens

voll gerecht werden. So stieg der Anteil der Soldaten und Unteroffiziere mit Facharbeiterausbildung von 65,8 Prozent im Jahre 1961 auf 79,9 Prozent im Jahre 1962.[6]

Zwischen den Zeilen und aus den Zahlen lassen sich deutlich die Mängel und Nöte, unter denen diese Armee leidet, herauslesen.

Ob die allgemeine Wehrpflicht eine Abhilfe für mangelnde Eignung des Personals, geringe Dienstwilligkeit und Verläßlichkeit ist, wird sich erweisen. Der hohe Anteil der Wehrdienstpflichtigen an den 1962/63 geflohenen Soldaten – trotz sich laufend verschlechternder Fluchtchancen – spricht für das Gegenteil.

Disziplin

Die harte Ausbildung führt zwangsläufig zu einem besseren Funktionieren und einem Steigen des Leistungsniveaus. Wenn die jungen Deutschen in der Zone als Dienstpflichtige in die NVA gezwungen werden und damit alle das gleiche Geschick teilen müssen, sind die meisten schließlich bemüht, sich in Ausübung scheinbar unausweichlicher Pflichten nichts zuschulden kommen zu lassen. Der Soldat, der sich mit dem politischen Zwang zunächst abfinden muß und an dessen Leistungswillen mit Nachdruck appelliert wird, entwickelt eine Art Waffenstolz – auch dann, wenn er nicht immer daran denkt, daß ein „schlechter Soldat" auch im späteren zivilen Leben Schwierigkeiten haben wird. Die Gemeinschaft junger Menschen schafft trotz allem – d. h. auch trotz des Spitzelwesens – ein Zusammengehörigkeitsgefühl, das der Aufrechterhaltung der Ordnung in der Einheit zugute kommt.

Auch die neue Disziplinarvorschrift und die seit Jahren geforderte Einheit von militärischer und politischer Führung, d. h. die Betonung der unbedingten Befehlsgewalt des militärischen Vorgesetzten, tragen zu einer Verbesserung des äußeren Bildes der NVA bei.

Welcher Art die „ausgezeichnete militärische Disziplin" in der NVA im gegenwärtigen Zeitpunkt aber nur sein kann, zeigen die kritischen Äußerungen des Ministers für Nationale Verteidigung, Armeegeneral Hoffmann, auf einer Dienstversammlung der Kommandeure eines Verbandes bei der „Auswertung der disziplinaren Praxis im I. Quartal 1963"[7]. Hoffmann forderte

eine solche militärische Ordnung, wo es gar nicht möglich ist, einen Befehl nicht widerspruchslos, exakt und in der befohlenen Zeit durchzuführen.

6 „Neues Deutschland", 19. 1. 1963

7 „Volksarmee", Nr. 20/63 Seite 7

8 Siehe Anhang I, Biographische Notizen

Der Politgeneral Hoffmann[8] war sich dabei klar, daß die Forderung nach einem solchen automatischen Funktionieren ein Widerspruch zu der Forderung nach der „Bewußtseinsbildung" sein könnte. Er meinte, „aber bei aller Bedeutung des Bewußtseins" sei die „militärische Ordnung" die „Hauptfrage für die Durchführung der Befehle". „Nur auf der Basis einer ausgezeichneten Ordnung in der Kompanie" könne man auch eine „gute politische Arbeit leisten". Der General empfahl daher den Parteiorganisationen, „ihre gesamte Arbeit auf die militärische Pflichterfüllung auszurichten". (Er hätte noch hinzufügen können: Denn auch das „politische Bewußtsein" des NVA-Soldaten soll nicht eigenwillige Gedanken und Absichten hervorbringen, sondern nur nach den Gesetzen einer „eisernen Disziplin" im Sinne der Partei funktionieren.)

Diese Richtlinien wurden vor einem Truppenteil der Grenztruppen verkündet, also der Truppen, die eine „Elite" bilden sollen, die aber – durch die Gegebenheit ihres Dienstes an der Zonengrenze – ein besonders starkes Kontingent unter den NVA-Flüchtlingen stellen.

Im übrigen – d. h. unberücksichtigt der Belastungen im Grenzdienst und auch bei allen anderen Einsatzfällen – ist die formale Disziplin der NVA gut. Das erklärt sich z. T. daraus, daß die Bevölkerung der Sowjetzone allgemein mehr und mehr durch die jahrelange Unterdrückung daran gewöhnt ist, Anordnungen von oben befolgen zu müssen.

Der militärische Leistungsstand

Hinsichtlich des Ausbildungs- und Ausrüstungsstandes wird der Kampfwert der NVA von Jahr zu Jahr höher.

Die Einführung der allgemeinen Wehrpflicht hat dazu geführt, daß die NVA von den Betrieben nicht mehr nur diejenigen als „Freiwillige" zugewiesen bekommt, die man im zivilen Sektor los sein wollte. Die NVA kann jetzt selbst auswählen. Die NVA kann natürlich nicht grenzenlos Facharbeiter aus den Betrieben einziehen, da die Wirtschaft der Zone selbst einen erheblichen Facharbeitermangel hat.

Durch die Wehrpflicht dürften aber nicht nur die allgemeine berufliche Bildung der Soldaten und damit ihre Verwendungsmöglichkeit in der NVA wachsen. Ganz allgemein bringen die Wehrpflichtigen gegenüber den bisherigen „Freiwilligen" eine qualitative Besserung im Personalbestand der NVA, jedoch nicht im Hinblick auf das von Hoffmann angeführte „Klassenbewußtsein", das ja als die bedingungslose innere Unterwerfung unter das ZK der SED zu verstehen ist. Im Gegenteil: Mit den Wehrpflichtigen kommt noch stärker als bisher ein Element in die NVA, das zwar für den Politoffizier schwieriger, für den militärischen Ausbilder und Menschenführer – soweit er etwas vom Menschen versteht – leichter zu behandeln ist.

Im Laufe der langen Jahre sind auch die Kader der Berufssoldaten fachlich und allgemein besser geworden.

Die NVA im Warschauer Pakt[9]

Die guten soldatischen Grundvoraussetzungen, die die jungen Soldaten von Haus aus mitbringen, eine harte gründliche Ausbildung und eine relativ gute Bewaffnung werden – auf die Dauer gesehen – die NVA in enger Verzahnung mit den sowjetischen Streitkräften zu einem noch bemerkenswerteren militärischen Faktor werden lassen, als das bisher schon der Fall ist.

Daß die NVA nicht selbständig im größeren Rahmen operieren kann, wissen die sowjetzonalen Machthaber selbst und geben es auch öffentlich zu:

> Ähnlich unserer ökonomischen Entwicklung kann es auch auf militärischem Gebiet nicht den Aspekt der Universalität geben. Admiral Verner schrieb dazu: „Von der ökonomischen, wissenschaftlich-technischen und finanziellen Unmöglichkeit abgesehen, liegt infolgedessen absolut keine Notwendigkeit vor, alle für die Erringung des Sieges über den Aggressor erforderlichen Waffen und Ausrüstungen selbst zu produzieren bzw. in die Struktur und Bewaffnung der Nationalen Volksarmee aufzunehmen. Als Beispiel mögen die Raketentruppen der Sowjetarmee dienen, die – zur Verteidigung des sozialistischen Lagers gegen imperialistische Aggressoren unerläßlich – auch im Interesse der Landesverteidigung der DDR wirksam sind."[10]

Im Vergleich etwa mit der Armee der CSSR, die alle Waffen, die „modernsten Düsenflugzeuge", die „modernsten Raketengeschütze", die „modernsten Maschinen der Pioniereinheiten", die „neuesten Schnellfeuergewehre"[11] aus eigener Produktion erhält, darf die Sowjetzone – bis auf ein paar kleine Schnellboote und Kraftfahrzeuge – auch so gut wie nichts selbst produzieren.

Wie wenig die Sowjetzone Deutschlands mit den anderen Satelliten, geschweige denn mit der SU, „gleichberechtigt" ist, zeigt auch ein Vergleich des sowjetisch-polnischen Truppenvertrages mit dem Vertrag, der in dieser Hinsicht zwischen Moskau und Ost-Berlin geschlossen wurde.

9 Dem am 14. Mai 1955 in Warschau geschlossenen *Vertrag über Freundschaft, Zusammenarbeit und gegenseitigen Beistand* gehören 8 Staaten an: Albanien (das wegen der Moskauer-Pekinger Spannungen seit einiger Zeit nicht mehr an den Sitzungen der Warschauer Pakt-Staaten teilnimmt), Bulgarien, CSSR, Polen, Rumänien, Ungarn, SU, Sowjetzone. Die NVA, die formal durch das Gesetz vom 18. 1. 1956 ins Leben gerufen wurde, trat Ende Januar 1956 den *Vereinten Streitkräften* bei.

10 Major H. Spies: *Unsere machtvolle Militärkoalition – Zu einigen Problemen der Rolle und Wirksamkeit des Warschauer Vertrages,* „Volksarmee", Sonderdruck 1963/5, 23. August, Seite 15

11 Kapitän Jaroslav Homuta: *In fester Waffenbrüderschaft,* „Die Volksarmee", Nr. 11/1956

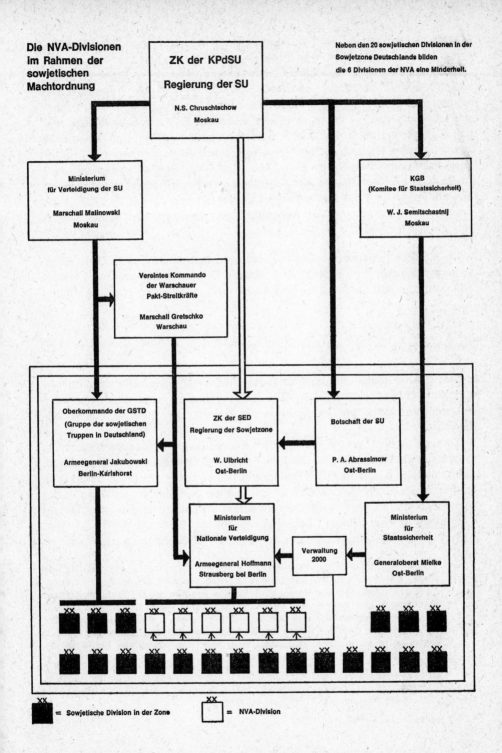

Die NVA-Divisionen im Rahmen der sowjetischen Machtordnung

Neben den 20 sowjetischen Divisionen in der Sowjetzone Deutschlands bilden die 6 Divisionen der NVA eine Minderheit.

ZK der KPdSU
Regierung der SU
N.S. Chruschtschow
Moskau

Ministerium
für Verteidigung der SU
Marschall Malinowski
Moskau

KGB
(Komitee für Staatssicherheit)
W. J. Semitschastnij
Moskau

Vereintes Kommando
der Warschauer
Pakt-Streitkräfte
Marschall Gretschko
Warschau

Oberkommando der GSTD
(Gruppe der sowjetischen
Truppen in Deutschland)
Armeegeneral Jakubowski
Berlin-Karlshorst

ZK der SED
Regierung der Sowjetzone
W. Ulbricht
Ost-Berlin

Botschaft der SU
P. A. Abrassimow
Ost-Berlin

Ministerium
für
Nationale Verteidigung
Armeegeneral Hoffmann
Strausberg bei Berlin

Verwaltung
2000

Ministerium
für
Staatssicherheit
Generaloberst Mielke
Ost-Berlin

XX = Sowjetische Division in der Zone   XX = NVA-Division

Allgemein spricht der Warschauer Vertrag[12] in der Frage der „Standort-verteilung der Vereinten Streitkräfte auf dem Territorium der Teilnehmer-staaten des Vertrages" von der Notwendigkeit zu „Vereinbarungen zwischen diesen Staaten". Während aber der sowjetisch-polnische Truppenvertrag festlegt, daß die Bewegung von sowjetischen Truppen außerhalb ihrer Stand-orte auf polnischem Gebiet in jedem einzelnen Fall der Zustimmung der polnischen Behörden bedarf, fehlt in dem am 12. 3. 1957 mit der Sowjetzone geschlossenen Truppenvertrag[13] eine solche klare Bestimmung. Heißt es im sowjetisch-polnischen Vertrag, daß die Stärke der Sowjettruppen und ihre Dislozierung auf der „Grundlage besonderer Vereinbarungen" bestimmt wer-den soll, dann sagt der Vertrag zwischen der SU und der „DDR", daß diese Fragen nur „Gegenstand von Konsultationen" zwischen den beiden Regie-rungen sein sollen.

Ob die NVA jemals zu einem zuverlässigen Instrument des SED-Regimes, zu einem loyalen Verbündeten der anderen Sowjetblockstaaten wird, hängt von ganz anderen Faktoren als von Ausbildung, Ausrüstung und Bewaffnung ab.

Wert der NVA

Das innere Gefüge und der geistig-moralische Kampfwert der NVA, der auf der politisch-weltanschaulichen Überzeugung basiert, sind allein abhängig von dem Verhältnis der Deutschen in der Zone zu dem Regime, das sie be-herrscht.

Solange es dem Westen gelingt, dem Expansionsdrang des Kommunismus Einhalt zu gebieten, die militärischen Kräfte des Ostblocks zu neutralisieren, die materielle und moralische Erstarkung des Westens glaubhaft darzulegen und wenigstens ein Mindestmaß an Information und Meinungsbildung in der Zone zu erhalten, wird auch die raffinierteste Politschulung unglaubwürdig und bleibt in ihrer Wirkung begrenzt.

Wenn Armeegeneral Hoffmann auf dem VI. SED-Parteitag sagt:

> Im Mittelpunkt unseres gesamten militärischen Lebens steht die Gefechtsbereit-schaft, deren Niveau wir seit dem V. Parteitag wesentlich erhöhen konnten. Dank der auf diesem Gebiet erzielten Erfolge konnten unsere Truppenteile und Verbände in den Wochen der Krise im karibischen Raum erneut ihre Bewäh-rungsprobe bestehen. Unsere Soldaten, Unteroffiziere und Offiziere haben rich-tig verstanden, daß der Erfolg der konsequenten Friedenspolitik der Sowjet-regierung unter der Leitung unseres verehrten Genossen Nikita Sergejewitsch

---

12 Text des Vertrages bei Boris Meissner: *Das Ostpakt-System,* Dokumente, Heft XVII, herausgegeben von der Forschungsstelle für Völkerrecht und ausländisches öffentliches Recht der Universität Hamburg, Frankfurt / M., 1955

13 „Neues Deutschland", 14. 3. 1957

Chruschtschow auch von dem Niveau der Gefechtsbereitschaft ihres Truppenteils oder Verbandes abhängig ist und deshalb keine Anstrengungen bei der Erfüllung ihrer militärischen Pflichten scheuen.[14]

– dann bewirken solche Ausführungen das Gegenteil dessen, was er damit bei seinen Soldaten erreichen will. Heuchelei und Unaufrichtigkeit traten angesichts der wirklichen Lage klar zutage. Im ganzen Satellitenbereich, besonders aber in der Sowjetzone, wurde das sowjetische Kuba-Abenteuer als eine Niederlage des Ostblocks empfunden und die Grenze einer so öffentlich militärischen Pression erkannt. Jedermann in der Zone wußte das, und niemals war das Ansehen der von dem überwältigenden Teil der Sowjetzonenbevölkerung abgelehnten, verhaßten und verwünschten kommunistischen Machthaber so niedrig wie nach der Kuba-Krise.

Der wahre Wert einer Armee ist entscheidend abhängig vom Geist, von den politischen Ansichten, Wünschen und Erwartungen der Bevölkerung, aus der ihre Soldaten stammen.

Schluß

Es wäre ein entscheidender Fehler, aus den angeführten Gründen die Nationale Volksarmee als unzuverlässig und ohne jeden Kampfwert anzusehen. In einer totalen Diktatur wie der des Ulbricht-Regimes werden auch weiterhin Zwang, Gewöhnung und die Hoffnungslosigkeit in bezug auf eine Änderung der politischen Verhältnisse die Haltung der Masse der Soldaten entscheidend bestimmen. Hinzu kommt, daß der größte Teil des Offizierskorps und ein erheblicher Teil des Unteroffizierskorps überzeugte Anhänger des SED-Regimes sind, die entsprechend ihrem Führungsauftrag und der ihnen dabei zugebilligten Befehlsgewalt die Truppe zur Zeit fest in der Hand haben.

Alle diese Komponenten tragen zusätzlich dazu bei, daß der Soldat der NVA, der sich mit den politischen Realitäten der Sowjetzone abfinden muß, aus der Not geboren, eine Art Waffenstolz entwickelt. Als Spezialist, als perfekter Beherrscher des Soldatenhandwerks erträgt er auch das politische System und seine Auswirkungen. Die Gemeinschaft junger Menschen schafft darüber hinaus ein Zusammengehörigkeitsgefühl.

So gesehen, ist zusammenfassend von der NVA zu sagen, daß hinsichtlich Ausbildungs- und Ausrüstungsstand der materielle Kampfwert der NVA von Jahr zu Jahr steigt. Den Vergleich mit westlichen Armeen braucht sie nicht zu scheuen. Betrachtet man jedoch Geist und Moral als ausschlaggebenden Einzelfaktor, sieht das Bild wesentlich anders aus. Hier gilt bis heute unverändert, was der deutsche Philosoph Karl Jaspers im Hinblick auf das Buch

14   Zitiert nach „Volksarmee", 1963/4

von Czeslaw Milos „Verführtes Denken" zum Ausdruck brachte:

> ... doch wie total auch die Herrschaft des kommunistischen Glaubens über den Geist des Menschen sein mag, immer bleibt ein unüberwindlicher Rest von Widerstandskraft, der eine bedingungslose Kapitulation verhindert.

Das bedeutet, übertragen auf die NVA, daß die Masse der Soldaten in absehbarer Zeit nicht zuverlässig im Sinne der SED sein wird. Dem wird jedoch erst dann entscheidende, umweltverändernde Bedeutung zukommen, wenn die Soldaten der NVA fühlen und die Gewißheit spüren, daß der Freie Westen in der Auseinandersetzung mit dem totalitären System des Ostens das Gesetz des Handelns politisch an sich reißt. Dies gilt in verstärktem Maße für die Angehörigen der „Kampfgruppen der Arbeiterklasse", die zugleich einen repräsentativen Querschnitt der arbeitenden Bevölkerung Mitteldeutschlands darstellen, wenn man ihre Funktionäre unberücksichtigt läßt. Es gilt in abgeschwächter Form auch für die Angehörigen der paramilitärischen Polizeiverbände, in denen die SED versucht, eine noch strengere Kaderauslese durchzuführen.

Nur wer selbst unter einem System der kommunistischen Diktatur gelebt hat oder leben muß, vermag zu erfassen und zu verstehen, daß sich der Mensch unter einem geistigen, moralischen und materiellen Druck der Diktatur zwei Gesichter zulegen muß. Das eine ist ein offizielles, das so oft von oberflächlichen Beobachtern als das wahre Gesicht hingenommen wird. Das zweite ist das wirkliche, das wahre Gesicht. Es wird sich jedoch nur dem offenbaren, der das Wesen der Diktatur kennt, sich von ihrer Propaganda nicht täuschen läßt und der nicht aus dem sicheren Hort der Freiheit leichtfertig über den Menschen hinter dem Eisernen Vorhang urteilt.

Bild 3 — Weibliche Angehörige der Gesellschaft für Sport und Technik mit Luftgewehren bei einer Parteiveranstaltung auf dem Zentralfriedhof Berlin-Lichtenberg im Januar 1956.

Bild 4 — Kinder lernen in der Jugendorganisation „Junge Pioniere" schießen.

Bild 5 — Die kommunistischen Machthaber, die freie Wahlen nicht überstehen würden, versuchen, sich selbst als bloße Vollstrecker des „Volkswillens" hinzustellen. So mußten die „Werktätigen" auch schon früh die „Schaffung einer Volksarmee" fordern.

Bild 6 — Die NVA, die aus der Volkspolizei hervorgegangen ist, macht — nach mehr als 15jährigem Aufbau — in der Öffentlichkeit den Eindruck einer disziplinierten Truppe: ein Musikkorps am Alexanderplatz in Ost-Berlin auf dem Marsch zu einer Parade.

2. KAPITEL

Die Entwicklung der militärischen Verbände von 1945 bis 1962

Einen Monat nach der bedingungslosen Kapitulation Deutschlands am Ende des Zweiten Weltkrieges übernahmen die vier alliierten Großmächte – die Vereinigten Staaten, Großbritannien, Frankreich und die Sowjetunion – am 5. 6. 1945 die Regierungsgewalt. Die Oberbefehlshaber ihrer Armeen in dem von ihnen besetzten Land unterzeichneten an diesem Tag die „Feststellung über das Kontrollverfahren in Deutschland". In Berlin wurde ein *Alliierter Kontrollrat* aus Vertretern der vier Mächte gebildet, der nur einstimmig Entscheidungen treffen konnte.

Deutschland wurde in Besatzungszonen aufgeteilt. Durch das *Potsdamer Abkommen*[1] vom 2. 8. 1945 wurden rund 25% seines Staatsgebietes in den Grenzen von 1937 polnischer bzw. sowjetischer Verwaltung unterstellt: die östlich der Oder-Neiße-Linie gelegenen Provinzen Schlesien, Ost-Brandenburg, Pommern und der größte Teil Ostpreußens polnischer, der nördliche Teil Ostpreußens sowjetischer Verwaltung. Die Festlegung der endgültigen deutschen Ostgrenze sollte nach diesem Abkommen einer Friedenskonferenz vorbehalten bleiben. Gleichzeitig wurden die völlige Entwaffnung, Entnazifizierung und Demokratisierung des deutschen Volkes angeordnet.

Es ist eine auch von neutralen Historikern nicht bezweifelte Tatsache, daß sich die drei westlichen Siegermächte in den folgenden Jahren bei ihren politischen Maßnahmen an die Bestimmungen des Potsdamer Abkommens gebunden fühlten. Es sah neben der Errichtung zentraler Verwaltungsbehör-

---

1 Ernst Deuerlein, *Die Einheit Deutschlands, Band I, Die Erörterungen und Entscheidungen der Kriegs- und Nachkriegskonferenzen 1941–1949*, Frankfurt am Main, 1961, S. 347 ff.

den auf den Gebieten Finanzen, Transport, Verkehr, Außenhandel und Industrie für das gesamte deutsche Staatsgebiet auch für die jeweiligen Besatzungszonen die Schaffung von Verwaltungen auf der Grundlage einer „freiheitlichen, demokratischen Rechtsordnung" vor.

Im Gegensatz dazu hat die Sowjetunion vom Tage der Unterzeichnung des Abkommens an die darin festgelegten Bestimmungen ebenso wie die Direktiven des Kontrollrates ihren eigenen machtpolitischen Zielen in Deutschland dienstbar gemacht. Die Sowjets legten den Begriff „freiheitliche, demokratische Rechtsordnung" völlig anders aus als die Westmächte. Für die Sowjets bedeutete „Demokratisierung" lediglich die Schaffung einer formalen demokratischen Fassade, hinter der sie zielstrebig die Sowjetisierung ihres Besatzungsgebietes in Etappen vollziehen konnten. Die am 9. 6. 1945 gegründete *Sowjetische Militäradministration in Deutschland* (SMAD) mit Sitz in dem Berliner Vorort Karlshorst erließ – ohne Rücksicht auf die Zuständigkeit des Alliierten Kontrollrates für das ganze deutsche Staatsgebiet – eigenmächtig für die sowjetische Besatzungszone Befehle mit Gesetzeskraft. Damit verstieß sie eindeutig gegen die Bestimmung des Potsdamer Abkommens.
Dieses Vorgehen der Sowjetunion überrascht nicht angesichts der Haltung Stalins auf den Konferenzen mit den Staatsmännern der USA und Großbritanniens in Teheran (November 1943) und Jalta (Februar 1945). Beim Studium dieser Konferenzprotokolle wird es bereits zur Gewißheit, daß es der Sowjetunion – im Gegensatz zu den Westmächten – nicht nur um die Zerschlagung Hitlerdeutschlands, sondern vor allem um die sowjetischen Machtpositionen für die Zeit nach dem gemeinsam geführten Krieg ging.

Selbst das Zugeständnis einer deutschen Wiederbewaffnung haben die Sowjets – bei einer in ihrem Sinne verlaufenden politischen Entwicklung – schon früh ins Auge gefaßt. Am 6. 11. 1942, mitten im Krieg, erklärte Stalin:

> Eine solche Aufgabe, wie die Vernichtung jeder organisierten militärischen Kraft in Deutschland, haben wir nicht, denn jeder einigermaßen Gebildete wird verstehen, daß das in bezug auf Deutschland ebenso wie in bezug auf Rußland nicht nur unmöglich, sondern auch vom Standpunkt des Siegers unzweckmäßig ist. Aber die Hitlerarmee vernichten – das kann man und muß man.[2]

Der Gedanke, ein deutsches militärisches Potential zum sowjetischen Nutzen zur Verfügung zu haben, wurde verwirklicht, als die Sowjets am 12./13. 7. 1943 unter den deutschen Kriegsgefangenen in der Sowjetunion mit Hilfe deutscher kommunistischer Emigranten das *Nationalkomitee „Freies Deutschland"* und am 11./12. 9. 1943 den *Bund Deutscher Offiziere* gründeten. Zwar entstanden aus dem Nationalkomitee keine geschlossenen militärischen Ein-

---

2 J. W. Stalin, *Über den großen Vaterländischen Krieg der Sowjetunion*, Verlag der Sowjetischen Militärverwaltung in Deutschland, Berlin 1945, S. 59

heiten, doch wurden einzelne Mitglieder von der Roten Armee im Kampf gegen die deutsche Wehrmacht eingesetzt. Außerdem konnten die Sowjets durch diese Organisationen nicht nur Kenntnisse deutscher militärischer Fachleute für ihre eigene Armee auswerten, sondern sie fanden hier auch Helfer für den späteren Aufbau einer kommunistischen deutschen Armee in ihrer Besatzungszone. Das gilt beispielsweise für die ehemaligen Generale der deutschen Wehrmacht Vincenz Müller[3], Arno von Lenski[4], Dr. Otto Korfes[5] und Hans Wulz, die später beim Aufbau der bewaffneten Verbände der Sowjetzone mitwirkten. Im Herbst 1945 lösten zwar die Sowjets das Nationalkomitee und den Bund Deutscher Offiziere auf, betrieben aber unter den deutschen Kriegsgefangenen eine um so intensivere politische Umerziehung im Sinne des Marxismus-Leninismus, an die sich später vielfach eine militärische Ausbildung unmittelbar anschloß.

Auf dem Umweg über die Polizei

Unmittelbar nach dem Krieg gingen die Sowjets in der von ihnen besetzten Zone konsequent daran, auf dem verschleiernden Umweg über die Schaffung einer Polizei kommunistische deutsche militärische Verbände aufzubauen. Der bis 1960 als Chef der Präsidialkanzlei beim Staatspräsidenten der „Deutschen Demokratischen Republik" amtierende Staatssekretär und Altkommunist Max Opitz bestätigte im Oktober 1959 in einem für die SED-Parteischulen bestimmten Bericht des Instituts für Marxismus-Leninismus, daß die „Geburtsstunde der bewaffneten Kräfte der deutschen Arbeiterklasse" bereits im Oktober 1945 war:

> Am 31. 10. 1945 wurde von der SMAD die Bewaffnung der Volkspolizei genehmigt. Das wurde die Geburtsstunde der bewaffneten Kräfte der deutschen Arbeiterklasse, die Geburtsstunde der bewaffneten Kräfte der ersten Arbeiter-und-Bauern-Macht in Deutschland ...
> Die neue Polizei, die wir[6] in Dresden aufstellten, mußte zu einem zuverlässigen Instrument der neuen antifaschistischen Ordnung ausgebaut werden. Deshalb war die Kaderauslese[7] die bedeutungsvollste und verantwortungsvollste Aufgabe. Daß sich aus dieser Kaderauswahl die bewaffneten Organe zu einem zuverlässigen Instrument der Arbeiterklasse entwickelt haben, braucht heute nicht mehr bewiesen zu werden.

Während im Mai und Juni 1945 in den 3 westlichen Besatzungszonen – gemäß der Beschlüsse der Konferenz von Jalta im Februar 1945 – nichtmilitärische Polizeikräfte streng dezentralisiert, im wesentlichen nur auf kommunaler Basis, aufgebaut wurden, gab die Anordnung der SMAD von

3–5 Siehe Anhang I: Biographische Notizen

6 Opitz war dort von 1945 bis 1949 Polizeipräsident.

7 Mit den „Kadern" sind im wesentlichen die Offiziere gemeint.

Ende Oktober 1945 den Verwaltungen der damals bestehenden 5 Länder der Sowjetzone – Brandenburg, Sachsen, Sachsen-Anhalt, Thüringen und Mecklenburg-Vorpommern – Vollmachten, die kommunalen Polizeikräfte zusammenzufassen und in den Ländern zu zentralisieren. Schon 2 Monate später, im Dezember 1945, wurden die jeweiligen Länderpolizeien den Innenministern, die Mitglieder der kommunistischen Partei waren, unterstellt. Damit gab es in den 5 Ländern der sowjetischen Besatzungszone ein halbes Jahr nach Kriegsende eine Spitzenorganisation der Polizeikräfte, die *Landespolizeibehörde (LPB)*. Das war ein glatter Bruch der interalliierten Abkommen.

Mit Beginn des Jahres 1946 setzten die Sowjets den Aufbau bewaffneter Kräfte zielbewußt fort. Anfang Januar verwendete das „Neue Deutschland", das Zentralorgan der *Sozialistischen Einheitspartei Deutschlands (SED)*[8], zum erstenmal den Begriff *Volkspolizei.*

Ein neuer Abschnitt der Entwicklung begann mit der im August 1946 auf Befehl der SMAD unter Leitung des Altkommunisten Erich Reschke errichteten zentralen *Deutschen Verwaltung des Innern (DVdI)* in Ost-Berlin. Diese Verwaltung erhielt Weisungsbefugnisse gegenüber den Innenministern der Länder und war damit zugleich oberste Kommandobehörde für alle Verbände der Volkspolizei in der sowjetischen Besatzungszone. Die Schlüsselstellungen der DVdI wurden mit bewährten Kommunisten besetzt, die ihre Anordnungen vielfach unmittelbar von der SMAD aus Berlin-Karlshorst erhielten.

Diese zentral gelenkte Volkspolizei zählte Ende November 1946 bereits 45 000 Mann.

Am 28. 11. 1946 erteilte die SMAD der Deutschen Verwaltung des Innern einen weiteren militärpolitisch wichtigen Auftrag: die Weisung an die Landespolizeibehörden, eine kasernierte *Deutsche Grenzpolizei (DGP)* aufzustellen. Bis Dezember 1946 waren 3000 Grenzpolizisten in die Kasernen eingerückt; sie wurden im ersten Halbjahr 1947 ausgebildet und in den 5 Ländern gleichmäßig gegliedert.

Im September 1947 standen 4000 Mann, ausgerüstet mit dem Karabiner 98k und mit Pistolen der ehemaligen deutschen Wehrmacht, bereit.

Sowohl die Aufstellung als auch die Aufgabenstellung der Deutschen Grenzpolizei standen im klaren Widerspruch zu der Direktive des Alliierten Kontrollrates, derzufolge die Bewachung der Demarkationslinien und Grenzen bis zum Abschluß eines deutschen Friedensvertrages ausschließlich alliiertem Militärpersonal obliegen sollte. Auch wenn die Sowjets solchen Direktiven im Kontrollrat zustimmten, dachten sie nicht daran, sie im eigenen Besatzungsgebiet zu beachten.

---

8 SED – Die von den Sowjets in ihrer Besatzungszone befohlene Zwangsvereinigung der Sozialdemokratischen mit der Kommunistischen Partei Deutschlands

So nimmt es nicht wunder, daß trotz der in den Kontrollratsdirektiven enthaltenen detaillierten Maßnahmen zur Entmilitarisierung Deutschlands im April 1948 in der Sowjetzone folgende zentral gesteuerte bewaffnete Organisationen bestanden: Die Volkspolizei mit 60 000 Mann und die Deutsche Grenzpolizei mit 10 000 Mann. Außerdem war bereits der Befehl Nr. 60 der SMAD erlassen, die Stärke der *Eisenbahnpolizei* (Transportpolizei) auf 7400 Mann zu erhöhen.

Ab 1948: Aufbau regulärer militärischer Verbände

Den entscheidenden Schritt aber taten die Sowjets im Sommer 1948, als mit dem kommunistischen Staatsstreich in Prag, der verstärkten Aufrüstung in der Sowjetunion und der Berliner Blockade ein schärferer außenpolitischer Kurs begann. Der SMAD-Befehl vom 3. 6. 1948 leitete die entscheidende Phase im Aufbau regulärer militärischer Verbände ein. Die Deutsche Verwaltung des Innern erhielt den Befehl, Ausbildungseinrichtungen und -einheiten für die Aufstellung von militärischen Kaderverbänden zu bilden.

Die notwendigen personellen Vorbereitungen waren zu diesem Zeitpunkt bereits eingeleitet worden. Sie bestanden darin, etwa 1000 Offiziere der ehemaligen deutschen Wehrmacht, die sich noch in sowjetischer Kriegsgefangenschaft befanden, für den Dienst in den neuen militärischen Verbänden der Sowjetzone zu gewinnen.

Somit existierten im Sommer 1948 drei verschiedene Arten von bewaffneten Kräften:
– Die (allgemeine) Volkspolizei,
– die Deutsche Grenzpolizei und
– die kasernierten Bereitschaften.

Alle diese Verbände unterstanden der *Hauptabteilung Grenzpolizei und Bereitschaften,* einer neugebildeten Abteilung in der DVdI. In den Ländern – Landespolizeibehörden – wurden entsprechende *Abteilungen Grenzpolizei und Bereitschaften* gebildet.

Die Bereitschaften wurden bald, wenn auch amtlich erst ab 1952, als *Kasernierte Volkspolizei (KVP)* bezeichnet. Sie bildeten die Kaderverbände für die zukünftigen Land-, Luft- und Seestreitkräfte. Ihr erster Befehlshaber und Chefinspekteur im Rang eines Generalmajors wurde Hermann Rentzsch[9], ein 1943 in sowjetischer Kriegsgefangenschaft umgeschulter Oberleutnant der früheren deutschen Wehrmacht.

Im August 1948 standen schon 10 Bereitschaften zu je 250 Mann, also insgesamt 2500 Mann, deren Kader ehemalige Wehrmachtsoffiziere und -unteroffiziere bildeten.

9 Siehe Anhang I: Biographische Notizen

Die gleiche Taktik, mit der die Sowjets die Remilitarisierung bereits unmittelbar nach der bedingungslosen Kapitulation Deutschlands am 8. Mai 1945 mit einer schrittweisen Zentralisierung der Polizei begonnen hatten, setzten sie nun bei der Schaffung von militärischen Kadern als dem Kern einer zukünftigen Armee konsequent fort.

Der damalige brandenburgische Innenminister und ehemalige Major der deutschen Wehrmacht, Bernhard Bechler[10], hat darüber am 6. 8. 1948 auf einer Tagung der Personalreferenten der Deutschen Verwaltung des Innern (DVdI) offen gesprochen:

> ...eine straffe Zentralisierung des Polizeiapparates ist erforderlich... Eine kommunale Polizei wäre eine Gefahr für die demokratische Entwicklung... Weder Landräten noch Bürgermeistern ist daher gestattet, der Polizei Weisungen zu geben...

Im Oktober 1948 gliederte die DVdI die Abteilungen Grenzpolizei und Bereitschaften (GP/B) der einzelnen Länder aus dem Verfügungsbereich der Landespolizeibehörden aus und unterstellte sie unmittelbar der eigenen Hauptabteilung GP/B.

Parallel dazu vollzog sich die Schaffung einer *Transportpolizei (Trapo)* aus einer bereits bestehenden „Eisenbahnpolizei". Diese sollte angeblich nur den Schutz der Bahnanlagen und der Güter- und der Reparationstransporte in die Sowjetunion übernehmen, wurde aber als Polizeitruppe mit wesentlich erweiterten Befugnissen aufgebaut.

Gegen Ende 1948 hatten die kasernierten Bereitschaften der KVP einen Personalbestand von 8000 Mann. In allen Einheiten waren sowjetische Offiziere als militärische Berater tätig. Chef dieser Berater war General Petrakowski. Gerade der Einsatz sowjetischer *Militärberater* zeigt, mit welcher Konsequenz die Sowjetunion den Aufbau schlagkräftiger militärischer Kräfte in Mitteldeutschland vorangetrieben hat; denn von polizeilichen Aufgaben dürften die Militärs wohl kaum etwas verstanden haben.

Im Frühjahr 1949 war ein Stadium erreicht, das weitere Schritte beim Aufbau der Streitkräfte zuließ. Auf Befehl der SMAD wurden die kasernierten Bereitschaften (KVP) aus der Hauptabteilung GP/B herausgelöst und in der neugebildeten *Hauptverwaltung für Schulung* zusammengefaßt. Die Grenzpolizei blieb der umgegliederten *Hauptverwaltung Grenzpolizei* unterstellt.

In diesen Wochen erließ die SMAD den ersten „Säuberungsbefehl" (Nr. 204/2). Er legte fest, daß aus sämtlichen bewaffneten Kräften alle Personen zu entlassen sind, die Verwandte ersten Grades in Westdeutschland haben, längere Zeit in westlicher Kriegsgefangenschaft waren, Ostvertriebene sind, politisch als unzuverlässig gelten und/oder vor 1945 der deutschen Polizei

---

10 Siehe Anhang I: Biographische Notizen

angehörten. Bei dieser Säuberung schied ein großer Teil ehemaliger Berufsoffiziere und -unteroffiziere, die für den Aufbau nahezu unentbehrlich waren,
aber auf die Dauer für das System untragbar schienen, aus dem Dienst aus.

Die Führung der unter der Hauptverwaltung für Schulung stehenden getarnten militärischen Verbände übernahm im September 1949 Wilhelm Zaisser[11], der in der Sowjetunion ausgebildete Bürgerkriegsspezialist, welcher
im spanischen Bürgerkrieg als „General Gomez" von sich reden gemacht
hatte und nach 1945 vorübergehend Innenminister in Sachsen gewesen war.
Sein Stellvertreter wurde Heinz Hoffmann[12], wie Zaisser in der Sowjetunion
– auf der Frunse-Akademie – ausgebildet und ehemaliger Funktionär in den
Internationalen Brigaden des spanischen Bürgerkrieges.

In zunehmendem Maße wurde nun die Ausbildung der Führungskader verstärkt; die ersten 12-Monats-Lehrgänge für höhere Offiziere der KVP begannen im Herbst 1949 auf der sowjetischen Militärakademie in Priwolsk bei
Saratow an der Wolga.

1949: Aufteilung nach Waffengattungen

Ein neuer Entwicklungsabschnitt bei dem Aufbau militärischer Kräfte in
Mitteldeutschland begann mit der auf sowjetische Anweisung hin im Oktober
1949 erfolgten Bildung der *Deutschen Demokratischen Republik*. Die Sowje-
tische Militäradministration in Deutschland (SMAD) wurde aufgelöst. An ihre
Stelle trat die *Sowjetische Kontrollkommission (SKK),* die von nun an die
Oberaufsicht über alle militärischen und polizeilichen Verbände ausübte.

Aus der Deutschen Verwaltung des Innern (DVdI) entstand das *Ministerium
des Innern (MdI)* mit einer *Hauptverwaltung der Deutschen Volkspolizei
(HVdVP),* der die allgemeine *Deutsche Volkspolizei (DVP)* und die *Deutsche
Grenzpolizei (DGP)* unterstellt wurden. Die kasernierten Bereitschaften der
KVP blieben der *Hauptverwaltung für Schulung (HVS)* unterstellt, die sich
mehr und mehr zu einem selbständigen Oberkommando entwickelte. Wenige
Wochen später erfolgte die Aufteilung der Einheiten in Verbände der ver-
schiedenen Waffengattungen.

Ende des Jahres 1949 verfügte die Hauptverwaltung für Schulung (HVS)
über:
- 39 *Bereitschaften* mit einer Gesamtstärke von 50 000 Mann, davon
- 24 Bereitschaften Infanterie,
- 7 Bereitschaften Artillerie,
- 3 Bereitschaften Panzer,
- 3 Bereitschaften Nachrichtentruppe und
- 2 Bereitschaften Pioniere.

Die Grenzpolizei verfügte zu diesem Zeitpunkt über 20 000 Mann.

11–12 Siehe Anhang I: Biographische Notizen

Zu dieser Zeit gab es in der aus den drei westlichen Besatzungszonen entstandenen *Bundesrepublik Deutschland* keine kasernierte Polizei, ganz zu schweigen von militärischen Einheiten. Die Polizei war nicht einmal auf Länderebene zentralisiert.

Unter dem Eindruck der in der Sowjetzone geschaffenen Situation erließ die *Hohe Alliierte Kommission* der drei Westmächte nunmehr Anordnungen, nach denen die Bundesländer befugt waren, ihre jeweiligen Polizeikörperschaften – vorbehaltlich der Bestimmungen des Besatzungsstatuts – zu organisieren. Danach durften Städte ihre Polizeieinheiten mit denen anderer Gemeinden zusammenlegen, „vorausgesetzt, daß keine derartige Polizeieinheit mehr als 2000 Angehörige zählt und ... daß kein derart zusammengeschlossenes Gebiet größer ist als ein Regierungsbezirk".

Noch bezeichnender für die damalige Situation in Westdeutschland war das im Dezember 1949 erlassene Gesetz Nr. 16 der Hohen Kommission, das unter Androhung schwerer Strafen jede Tätigkeit verbot, „die sich unmittelbar oder mittelbar damit befaßt, die Theorie, die Grundgesetze oder die Technik des Krieges zu lehren, oder die darauf abzielt, irgendwelche kriegerische Betätigung vorzubereiten oder das Wiederaufleben des Militarismus zu fördern".

In der Sowjetzone wurde am 3. 2. 1950 die Hauptverwaltung für Schulung (HVS) in *Hauptverwaltung für Ausbildung (HVA)* umbenannt und der Oberbefehl Generalinspekteur Heinz Hoffmann als Nachfolger von Wilhelm Zaisser übertragen. Zaisser übernahm die Leitung des auf Grund eines Gesetzes vom 8. 2. 1950 geschaffenen *Ministeriums für Staatssicherheit (MfS)* und begann, aus politisch absolut zuverlässigen Männern das *Wachregiment MfS* in Stärke von 5000 Mann als einen militärischen Sonderverband aufzustellen.

Neben der Hauptverwaltung für Ausbildung (HVA) entstand am 15. 6. 1950 aus einem schon länger bestehenden Tarnreferat „ZBV" die *Hauptverwaltung Seepolizei (HVS)*, deren erste Verbände – die 1. Flottille Zinnowitz (Schnellboote) und die 2. Flottille (Minensuchboote) – schon einen Monat zuvor in Dienst gestellt worden waren. Offiziell wurden die Aufgaben der HVS mit „Schutz der Küste gegen Schmuggler und Schutz der eigenen Fischerei" angegeben.

Im Dezember 1950 entstand in dem innerhalb der HVA ebenfalls neu geschaffenen Referat „ZBV₂" die Keimzelle der Kommandobehörde der noch fehlenden Teilstreitkraft, der Luftwaffe.

Die Schulung von Offizieren der KVP in der Sowjetunion wurde weiter wesentlich verstärkt. In den letzten Monaten 1950 gingen mehr als 500 jüngere Offiziere zu Stabsoffizierslehrgängen in die SU.

Ende 1950 hatte die Rüstung der Sowjetzone folgenden Stand erreicht:
1. Die kasernierten Bereitschaften (KVP) der Hauptverwaltung für Ausbildung und die Verbände der Hauptverwaltung Seepolizei umfaßten:
- 39 Bereitschaften,
- 12 Waffenschulen,
- 12 Offiziersschulen,
- 5 Sonderschulen;
Gesamtpersonalstärke: 70 000 Mann.
2. Die Deutsche Grenzpolizei der Hauptabteilung Grenzpolizei hatte einen Personalbestand von 18 000 Mann.
3. Die Transportpolizei bestand aus 11 500 Mann.
4. Der dem Ministerium für Staatssicherheit unterstehende Wachverband war 5000 Mann stark.

Hinzu kam der nichtmilitärische Teil der Volkspolizei, deren 80 000 Mann sich aus der Kriminalpolizei, der Verkehrspolizei, der Schutz- und der Verwaltungspolizei zusammensetzten.

Erst zu diesem Zeitpunkt setzten im Westen die ersten Überlegungen ein, ob die Bundesrepublik Deutschland auch wieder militärisch bewaffnet werden sollte. Nach dem kommunistischen Überfall in Korea am 25. 6. 1950 und angesichts der fortschreitenden Aufrüstung in der Sowjetzone stimmte die *New Yorker Außenministerkonferenz* im September 1950 einem Beschluß zu, der die Aufstellung kasernierter Polizeikräfte mit einer Gesamtstärke von 30 000 Mann vorsah. Am 16. 3. 1951 verkündete der Bundespräsident das Gesetz über die Errichtung eines kasernierten und motorisierten *Bundesgrenzschutzes* in Stärke von 10 000 Mann; die Länder stimmten nur zögernd der Aufstellung einer ländereigenen *Bereitschaftspolizei*, insgesamt 10 000 Mann, zu.

In der Sowjetzone ging indessen der systematische Aufbau der Streitkräfte weiter:
Die kasernierten Bereitschaften wurden von neuem umgebildet und in *Volkspolizeidienststellen (VPD)* zusammengefaßt, die jeweils einem verstärkten Regiment[13] entsprachen. So entstanden 24 gleich gegliederte Kaderverbände gemischter Waffen mit einer Sollstärke von insgesamt 60 000 Mann. In allen Einheiten waren weiterhin sowjetische Berater tätig. Sie überwachten die Ausbildung, die sich mehr und mehr nach sowjetischen Vorschriften vollzog. Als Chef der sowjetischen Beratergruppe löste Generalmajor Makarow Generalmajor Petrakowski ab.
Im Frühjahr 1951 wurden die ersten Verbände der „Luftpolizei" aufgestellt. Aus dem Tarnreferat „ZBV₂" entstand 1¹/₂ Jahre später, im Juli 1952, die

---

13 Militärischer Begriff, umfaßt im allgemeinen 1 Regiment Infanterie; 1 Abteilung Artillerie; Panzer-, Pionier-, Aufklärungs-, Fernmelde- und Transport-Einheiten.

Hauptverwaltung Luftpolizei (HVL). Die Führung übernahm der inzwischen zum Generalmajor beförderte leitende Funktionär der kommunistischen *Freien Deutschen Jugend (FDJ)*, Heinz Kessler[14], der 1941 als Soldat an der Ostfront zur Roten Armee übergelaufen war.

Im Sommer 1952 gab es 3 Hauptverwaltungen:
- Hauptverwaltung Ausbildung (HVA), Kommandobehörde für die Landstreitkräfte,
- Hauptverwaltung Seepolizei (HVS), Kommandobehörde für die Seestreitkräfte,
- Hauptverwaltung Luftpolizei (HVL), Kommandobehörde für die Luftstreitkräfte.

Insgesamt 15 000 Offiziere und 30 000 Unteroffiziere standen als Führungskader für den endgültigen Ausbau der Streitkräfte zur Verfügung.

Ab 1952: Sowjetische Waffen

Das Jahr begann damit, daß die bisher bei der Ausbildung verwandten Waffen der ehemaligen deutschen Wehrmacht auf Anordnung der Sowjetischen Kontrollkommission durch sowjetische Waffen ersetzt wurden.

Nachdem die sowjetische Note vom 10. März 1952 angeblich einem wiedervereinigten Deutschland „eigene nationale Streitkräfte" zugestehen wollte, begann in der Sowjetzone eine tiefgreifende kommunistische Militärpropaganda.

Die HVA wurde offiziell in *Hauptverwaltung Kasernierte Volkspolizei (HVKVP)* umbenannt. Zugleich wurden die HVKVP, die HVS und HVL als selbständige Teilstreitkräfte dem Innenminister Willi Stoph[15] unterstellt. Der bisherige Generalinspekteur, Heinz Hoffmann, wurde zum Generalleutnant befördert und zum Chef der KVP ernannt. In den Verbänden wurden an Stelle der Polizeidienstgrade militärische Ränge und, statt der bisherigen blauen, eine neue, olivbraune Uniform eingeführt, die in Schnitt und Farbe der sowjetischen entsprach.

Am 5. 7. 1952 beschloß der Ministerrat der „DDR" auf Weisung des Zentralkomitees der SED die Aufstellung von 4 Armeegruppen. Die Armeegruppe Nord, bestehend aus 3 Divisionen (Eggesin, Prora auf Rügen und Prenzlau) sowie den entsprechenden Armeetruppen, war bereits im Spätsommer 1952 aufgestellt.

Zuvor waren die Verbände der Deutschen Grenzpolizei aus dem Unterstellungsverhältnis des Ministeriums des Innern (MdI) ausgegliedert und dem Ministerium für Staatssicherheit (MfS) unterstellt worden.

14–15 Siehe Anhang I, Biographische Notizen

Während des Aufbaus der Land-, Luft- und Seestreitkräfte waren gleichzeitig im Rahmen der Deutschen Volkspolizei kasernierte *Technische Bereitschaftskommandos* aufgestellt worden, die Ende Dezember 1952 in den 14 Bezirken der Sowjetzone – die Länder waren inzwischen aufgelöst worden – und dem Sowjetsektor von Berlin eine Stärke von 13 000 erreicht hatten.

Bis zum Ende des Jahres 1952 wurde auch der Aufbau der Wehrersatzorganisation im wesentlichen abgeschlossen. Nach dreijähriger Dienstzeit wurden die ersten Entlassungen vorgenommen. Damit entstanden erste Personalreserven für die Streitkräfte.

Am 19. 2. 1953 bildete der Ministerrat zur „weiteren Festigung der Staatsmacht" innerhalb des Innenministeriums ein *Staatssekretariat für innere Angelegenheiten,* das die Obliegenheiten eines Ministeriums des Innern im überlieferten Sinne erfüllen sollte, während das übrige Ministerium des Innern immer mehr die Aufgaben eines Wehrministeriums wahrnahm.

Nunmehr wurden sogenannte *Territorialverwaltungen*[16] neu gebildet und zwar:
– Territorialverwaltung 4000 (Pasewalk),
– Territorialverwaltung 3000 (Dresden),
– Territorialverwaltung 5000 (Schwerin),
– Territorialverwaltung 6000 (Leipzig).

Nur die Territorialverwaltung 4000 (sie entsprach der Armeegruppe Nord) verfügte über 3 Divisionen. Die Territorialverwaltungen 3000, 5000 und 6000 bestanden aus je 3 Truppenteilen Infanterie in Regimentsstärke, 1 Panzerregiment, 1 Artillerieregiment und später 1 Fla-Regiment sowie aus den entsprechenden Führungs- und Versorgungstruppen.

Nach dem Volksaufstand vom 17. Juni 1953 wurden in einer zweiten großen Säuberungsaktion 12 000 Mann aller Dienstgrade als „unzuverlässige Elemente" entlassen.

Der nächste organisatorische Schritt erfolgte im September 1953. Aus der HVKVP, der HVS und der HVL wurde eine zentrale Kommandobehörde im Rahmen des Ministeriums des Innern mit der Bezeichnung *Ministerium des Innern/Kasernierte Volkspolizei (MdI/KVP).* Die Territorialen Verwaltungen 3000 und 5000 wurden aufgelöst und im Rahmen der Territorialen Verwaltung 6000 die Armeegruppe Süd (Leipzig), bestehend aus den 3 Divisionen Dresden, Halle und Erfurt und 1 zusätzlichen Division als Eingreifreserve des MdI/ KVP in Potsdam, aufgestellt.

Ende 1953 verfügte das MdI/KVP an Landstreitkräften über 7 Divisionen.

Im Juni 1954 wurde das Oberkommando der KVP (MdI/KVP) auch räumlich vom Ministerium des Innern getrennt und von Ost-Berlin nach Strausberg

16 Neuer Tarnbegriff für eine militärische Kommandobehörde

verlegt, wo gleichzeitig Fla-Einheiten entstanden, die den Kern der späteren 1. Fla-Division bildeten.

Als der Minister des Innern, Willi Stoph, am 30. 6. 1955 sein Amt an den bisherigen Chef der HVDVP, Generalinspekteur Karl Maron[17], abgab, wurde der gesamte Apparat der KVP endgültig aus dem MdI herausgelöst und von Stoph in seiner Eigenschaft als Stellvertreter des Ministerpräsidenten geleitet. Stoph, der im Sommer 1955 zum ersten Male bei einer Truppenbesichtigung in der Uniform eines Generalobersten der KVP auftrat, übernahm als ranghöchster Offizier den militärischen Oberbefehl über die KVP. Der bisherige Chef der KVP, Generalleutnant Heinz Hoffmann, ging (bis Ende 1957) auf einen Lehrgang in die Sowjetunion. Schon im Herbst 1954 waren Lehrgänge bis zu fünfjähriger Dauer für Truppen- und Stabsoffiziere der KVP in der Sowjetunion eingerichtet worden.

Das Jahr 1955 war im übrigen gekennzeichnet durch eine ständige Verbesserung der Ausbildung und der technischen Ausrüstung der Einheiten. Die Truppenübungsplätze wurden weiter ausgebaut. Im Oktober des Jahres fand die erste große Herbstübung unter Beteiligung mehrerer Divisionen statt.

Außer diesen KVP-Verbänden gab es, jetzt unter dem *Ministerium für Staatssicherheit (MfS)*[18], 1955 folgende militärisch bewaffnete Einheiten in Stärke von über 60 000 Mann: Das Wachregiment Berlin mit 1500, die Deutsche Grenzpolizei mit 35 000, die Transportpolizei mit 10 000 und die Bereitschaftspolizei mit 15 000 Mann.

1956: Das Gesetz über die Schaffung der NVA

Anfang 1956 war die erste große Aufbauperiode der Streitkräfte der Sowjetzone abgeschlossen und die *Volkskammer,* das Scheinparlament der Sowjetzone, verabschiedete am 18. 1. 1956 das *Gesetz über die Schaffung der Nationalen Volksarmee und des Ministeriums für Nationale Verteidigung.* Damit wurde nur ein schon längst bestehender Zustand förmlich legalisiert, denn die Streitkräfte, die nach diesem Gesetz geschaffen werden sollten, waren bereits in einer Gesamtstärke von 120 000 Mann vorhanden. (In der Bundesrepublik Deutschland begann man zur gleichen Zeit damit, die ersten 1000 Freiwilligen für die Aufstellung der Bundeswehr einzuberufen.)

Das bisherige Oberkommando der KVP erhielt den Namen *Ministerium für Nationale Verteidigung (MfNV).* Seine Leitung übernahm nun auch formell der stellvertretende Vorsitzende des Ministerrates (stellvertretender Minister-

---

17 Siehe Anhang I, Biographische Notizen

18 Das Ministerium für Staatssicherheit (MfS) war 1953, nach dem Volksaufstand vom 17. Juni, für 2 Jahre als Staatssekretariat für Staatssicherheit (SfS) dem MdI unterstellt worden. An die Stelle des abgesetzten Ministers Zaisser trat der Sabotagespezialist Wollweber.

präsident) Generaloberst Willi Stoph, dem (wie bisher in der KVP) als Chef des *Hauptstabes des Ministeriums für Nationale Verteidigung* Generalleutnant Vincenz Müller (ehemaliger Generalleutnant der deutschen Wehrmacht und Mitglied des Nationalkomitees „Freies Deutschland") und als stellvertretender Stabschef Generalmajor Bernhard Bechler (ehemaliger Major der deutschen Wehrmacht und Mitglied des Nationalkomitees „Freies Deutschland") zur Seite standen.

Als Uniform wurde die traditionelle deutsche Uniform eingeführt, wobei man auf diese Weise die Zustimmung der Bevölkerung zur NVA insgesamt zu erhalten hoffte.

Die Überführung der Verbände der KVP in die Nationale Volksarmee (NVA) begann mit der Vereidigung des 1. Mechanisierten Regiments der Division Potsdam auf dem Marx-Engels-Platz, dem früheren Lustgarten, in Berlin am 30. 4. 1956 durch den Verteidigungsminister Stoph. Am gleichen Tage wurden in Strausberg die dort stationierten Verfügungstruppen des Ministeriums durch Generalleutnant Vincenz Müller vereidigt. Nach einigen Monaten waren alle Einheiten der KVP in die NVA übernommen. In einem Tagesbefehl am 7. 10. 1956, zum „7. Jahrestag der DDR", stellte Stoph fest, daß die Nationale Volksarmee jetzt aufgestellt sei. Die Verbände wurden weiter modernisiert und hatten bald einen Ausbildungsstand erreicht, der es den Sowjets ermöglichte, ihre Berater nach und nach zurückzuziehen.

Auch die militärischen Verbände der Bereitschafts-, Grenz- und Transportpolizei wurden, bei wechselnder Unterstellung unter das Ministerium für Staatssicherheit und das Ministerium des Innern, weiter verstärkt.

Im Sommer 1957 wurde die Bereitschaftspolizei in 10 Bereitschaften und 1 Lehrbereitschaft gegliedert, während die kasernierten Bereitschaften der (allgemeinen) Volkspolizei aufgelöst und personell in die Bereitschaftspolizei eingegliedert wurden.

Im Herbst 1957 erhielt die Deutsche Grenzpolizei (DGP) eine militärische Gliederung. Es entstanden *Grenzbrigaden* (Divisionen), *Grenzbereitschaften* (Regimenter), *Grenzabteilungen* (Bataillone). Schließlich wurde die DGP am 15. 9. 1961 aus dem Unterstellungsverhältnis des MdI herausgelöst und als standortgebundene Grenztruppe mit der Bezeichnung *Nationale Volksarmee/Kommando Grenze* von der Nationalen Volksarmee übernommen. Ihre Einheiten tragen seit April 1962 militärische Bezeichnungen.

Auch die Bereitschaftspolizei wurde in den Jahren von 1958 bis 1961 besser ausgebildet, ausgerüstet und organisiert. 1962 erfolgte ihre Dezentralisierung mit dem Zweck, sie als militärische Sicherheitstruppe in den einzelnen Bezirken der Sowjetzone schnell einsetzen zu können. Die Verbände der Transportpolizei blieben im Rahmen der HVDVP auch weiterhin im Zuständigkeitsbereich des MdI.

In enger Verbindung zu der Aufstellung der militärischen Verbände verlief auch die Entwicklung der paramilitärischen *Kampfgruppen*[19] und der vormilitärischen *Gesellschaft für Sport und Technik*[20].

Ende 1962 ergab sich folgendes Bild der Friedensstärke der bewaffneten Kräfte der Sowjetzone:

– Landstreitkräfte (einschließlich Grenztruppe)	140 000
– Luftstreitkräfte und Luftverteidigung	31 000
– Volksmarine	18 000
– Bereitschaftspolizei (einschließlich Wachregiment des MfS)	20 000
– Transportpolizei	8 000
– Kasernierte militärische Verbände insgesamt	217 000
– Kampfgruppen	350 000
– (allgemeine) Volkspolizei	80 000
– Zollverwaltung	9 000
– Nichtkasernierte paramilitärische Verbände und Organisationen insgesamt	439 000
Gesamtstärke aller bewaffneten Kräfte	656 000

Zusammenfassung

Die Entstehungsgeschichte der Streitkräfte und paramilitärischen Verbände und Organisationen in der Sowjetzone zeigt, daß die Sowjets und die in ihrem Auftrag arbeitenden deutschen Kommunisten schon 1945 die Wiederaufrüstung nach einem festgelegten, ausgearbeiteten Plan betrieben. Sie setzten sich dabei von Anfang an über Beschlüsse, die sie selbst gemeinsam mit ihren Kriegsalliierten gefaßt hatten, hinweg. Sie waren sich bei ihrem Vorhaben darüber im klaren, daß sie nicht sogleich ausschließlich überzeugte Kommunisten für die Streitkräfte zur Verfügung haben könnten. Die Verwendung zahlreicher ehemaliger hoher Wehrmachtsoffiziere beweist, welche Umwege sie gehen mußten. Aber ihr Ziel, Streitkräfte kommunistischen Typs zu schaffen, behielten sie immer unverrückt im Auge. Als sie am 18. 1. 1956 mit großem Aufwand offiziell die Schaffung einer „Volksarmee" verkündeten, gab es für ihre Begründung, es handele sich nur um eine Antwort auf die Aufstellung der Bundeswehr, keine sachliche Grundlage. Die Behauptung war bloße Propaganda. Heute verwenden sie zwar noch diese Propagandaformel, ihr gewachsenes Selbstgefühl verleitet sie jedoch mehr und mehr bei vielen Gelegenheiten zu einem offenen Eingeständnis, daß die „bewaffnete Macht der Arbeiter und Bauern" schon in den ersten Tagen der kommunistischen Machtergreifung, im Mai 1945, ihren Ursprung hat.

19–20 Siehe 4. Kapitel, Die bewaffneten Kräfte des Ministeriums des Innern und andere paramilitärische Verbände

Daten

Die *Interalliierten Erklärungen* vom 5. 7. 1945 und das *Potsdamer Abkommen* vom 2. 8. 1945 sahen u. a. die völlige Entwaffnung und Demokratisierung des deutschen Volkes vor. Die nachstehenden Tatsachen beweisen in der zeitlichen Gegenüberstellung der Entwicklung in Mittel- und Westdeutschland, wann und wo mit der militärischen Bewaffnung begonnen und in diesem Zusammenhang die demokratische Ordnung verletzt wurde.

9. 6. 1945 – In der SBZ besetzt die SMAD die Schlüsselstellungen der neu aufgestellten Polizei mit Kommunisten und Kräften, die „aktiv mit der Waffe in der Hand gegen den Faschismus" oder „für das republikanische Spanien" kämpften.

25. 5. 1945 – In den drei westlichen Besatzungszonen wird mit dem Aufbau einer streng dezentralisierten, nichtmilitärischen Polizei begonnen.

1. 8. 1946 – Die SMAD läßt unter dem Altkommunisten Erich Reschke eine zentrale *Deutsche Verwaltung des Innern* aufbauen, die vornehmlich mit Polizeiaufgaben betraut wird und Weisungsbefugnisse an die Innenminister der Länder hat. Alle Nichtkommunisten werden aus den Schlüsselstellungen der Polizei entfernt.

4. 1. 1947 – Der Landtag von Schleswig-Holstein beschließt ein *Polizeigesetz*, dem die anderen Länder der westlichen Besatzungszonen bald in ähnlicher Weise folgen. Danach haben die als Vertretungen der kommunalen Parlamente gebildeten *Polizeiausschüsse* entscheidenden Einfluß auf die Leitungen der Polizei.

1. 8. 1947 – Die SMAD befiehlt, die seit dem 1. 12. 1946 in der SBZ aufgebaute *Grenzpolizei* zu vereinheitlichen. Die Stärke dieser Truppenpolizei beträgt etwa 3500 Mann; sie ist mit Karabinern und Pistolen bewaffnet.

3. 7. 1948 – Die SMAD läßt kasernierte bewaffnete Bereitschaftsverbände aufstellen, die bald als *Kasernierte Volkspolizei* (KVP) bezeichnet werden.

25. 6. 1948 – Die amerikanische Militärregierung erweitert ihre bisher nur schwachen, teilweise deutschen zivilen *Arbeitseinheiten*. So kann sie die Zufuhr und den Bodendienst für die Luftbrücke für das von den Sowjets blockierte West-Berlin durchführen.

12. 5. 1949 – Die Sowjets müssen die Blockade Berlins einstellen. Die Polizei der SBZ erhält jetzt amtlich ihren irreführenden Namen *Deutsche Volkspolizei* (DVP). Die Grenzpolizei zählt bereits 18 000 Mann.

15. 5. 1949 – Erst jetzt sind die Länder in Westdeutschland Träger der Polizeihoheit. Die aus den drei Westzonen gebildete Bundesrepublik hat keine Polizei- oder militärische Truppe.

Fortsetzung nächste Seite

20./24. 7. 1950 – Nach dem neuen Statut der SED kann jedes Parteimitglied indirekt zum Eintritt in die KVP gezwungen werden. Auch die „Massenorganisationen" üben einen Druck auf ihre Mitglieder aus, zum „Schutz des Volkseigentums" beizutragen und an der „Verteidigung des Friedens" mitzuwirken.

18. 8. 1950 – Ergebnislos endet eine Besprechung des Bundesministeriums des Innern mit Vertretern der Innenministerien der Länder über eine geplante einheitlich motorisierte Bereitschaftspolizei der Länder von 10 000 Mann.

1. 10. 1950 – Die Gesamtstärke der KVP beträgt rund 60 000 Mann, der Grenzpolizei 16 800 Mann, der Transportpolizei 11 000 Mann. Die nichtmilitärische Volkspolizei zählt rund 80 000 Mann.

1. 10. 1950 – Die Vollzugspolizeien der Länder (ohne West-Berlin) zählen insgesamt 75 000 uniformierte und etwa 10 000 nichtuniformierte Beamte.

1. 3. 1951 – Die Grenzpolizei ist jetzt mit ihren 17 000 Mann streng zentralisiert.

21. 3. 1951 – Das *Gesetz über den Bundesgrenzschutz* bestimmt, daß die in Stärke von 10 000 Mann aufzustellenden Verbände die Sicherung und die polizeiliche Überwachung der Grenzen übernehmen.

7. 8. 1952 – Durch eine Regierungsverordnung wird die *Gesellschaft für Sport und Technik* als vormilitärische Ausbildungsorganisation gebildet.

In der Bundesrepublik gab und gibt es keine vergleichbare Organisation.

17. 6. 1953 – Die über 100 000 Mann starke KVP, jetzt mit rund 1000 Panzern und Sturmgeschützen und über 1500 anderen Geschützen ausgerüstet, zeigt sich beim Volksaufstand als für das Ulbricht-Regime nicht zuverlässig. Nur die Verbände des Staatssicherheitsdienstes „bewähren" sich.

19. 6. 1953 – Der Bundestag beschließt die Verdoppelung des Bundesgrenzschutzes auf 20 000 Mann. Er ist mit leichten Infanteriewaffen und nur wenigen Panzerspähwagen ausgerüstet.

31. 5. 1955 – Die nach dem 17. Juni 1953 aufgestellten *Kampfgruppen* werden reorganisiert und zu einer militärisch schlagkräftigen Parteitruppe gemacht.

Es gab und gibt in der Bundesrepublik keine paramilitärischen Verbände.

26. 9. 1955 – Durch eine Änderung der „Verfassung" wird der Militärdienst als „eine ehrenvolle nationale Pflicht der Bürger der DDR" erklärt.

7. 6. 1955 – Das *Bundesministerium für Verteidigung* wird gebildet.

Fortsetzung nächste Seite

48

Bild 7 — Kriegsgefangene auf einem der zermürbenden Märsche in der Sowjetunion

Bild 8 — Gründung des Nationalkomitees „Freies Deutschland" bei Moskau im Juli 1943. Leutnant Kehler unterschreibt das „Manifest"; in der vorderen Reihe, dritter von rechts: Initiator Ulbricht.

Bild 9 — Viele kamen unmittelbar aus der Kriegsgefangenschaft in die Volkspolizei: Offiziere bei einem FDJ-Aufmarsch 1952.

Bild 10 — Der ehemalige Gen.-Lt. der deutschen Wehrmacht Vincenz Müller wird als „Chef des Hauptstabes der NVA" am Jahrestag der NVA (1. 3. 1957) von „Staatspräsident" Pieck begrüßt. Ganz rechts: Verteidigungsminister Stoph; halbverdeckt: Gen.-Major Munschke; daneben: Gen.-Major Dickel, der 1963 Minister des Innern wurde.

Unten: Auch sie wirkten beim Aufbau der sowjetzonalen Streitkräfte führend mit.

11 — Gen.-Maj. a. D. v. Lenski, 12 — Gen.-Maj. a. D. Dr. Korfes, 13 — Kommunist Zaisser

14 — NVA-Gen.-Maj. Rentzsch, 15 — VP-Oberst Markgraf, 16 — NVA-K.-A. Neukirchen

18. 1. 1956 – Bei der Umbenennung der KVP in NVA sind bereits 120 000 Soldaten vorhanden, davon 10 000 in der Marine und 9000 in der Luftwaffe.

Ohne gesetzliche Grundlage, aber durch immer stärker werdenden *Zwang der SED* wird versucht, den starken personellen Bedarf der NVA und der anderen bewaffneten Kräfte der SBZ zu befriedigen. (Erst am 24. 1. 1962 wird ein förmliches Gesetz über die allgemeine Wehrpflicht beschlossen.)

1. 9. 1957 – Die *NVA* zählt 110 000 Mann, die *Grenzpolizei* (ausgerüstet auch mit Panzern und Artillerie) 38 000 Mann, die *Bereitschaftspolizei* (motorisierte Infanterie) 35 000 Mann, die *Transportpolizei* 8500 Mann, die *Bereitschaftskommandos der Volkspolizei* 3000 Mann, das *Wachregiment des Staatssicherheitsdienstes* 5000 Mann, die *Kampfgruppen* rund 200 000 Mann, die *Gesellschaft für Sport und Technik* 500 000 Männer und Frauen, die allgemeine *Volkspolizei* 72 000 Mann.

Gesamtbevölkerung: 17 000 000

2. 1. 1956 – Die ersten 2000 Freiwilligen rücken in die Ausbildungslager der *Bundeswehr* ein.

21. 7. 1957 – Ein vom *Bundestag beschlossenes Gesetz* regelt die allgemeine Wehrpflicht in der Bundesrepublik.

12. 11. 1957 – Die *Bundeswehr* zählt rund 118 000 Mann, der *Bundesgrenzschutz* (ohne Panzer- und ohne Artilleriewaffen) 10 000 Mann, die *Bereitschaftspolizei der Länder* (ebenfalls ohne Panzer und Artillerie) 12 000 Mann, die *Bereitschaftspolizei West-Berlins* 3000 Mann, die allgemeine *Polizei* (einschließlich West-Berlin) 102 000 Mann.

Gesamtbevölkerung: 51 000 000

Siehe auch Dr. Fritz Kopp, *Chronik der Wiederbewaffnung in Deutschland, Daten über Polizei und Bewaffnung 1945–1958, Rüstung der Sowjetzone – Abwehr des Westens,* Köln, 1958, 160 Seiten.

Teil II

Organisation und Ausrüstung

3. KAPITEL

Gliederung und Kräfteordnung

I. Das Ministerium für Nationale Verteidigung (MfNV)

Oberste militärische Führungs- und Verwaltungsbehörde für die NVA ist das *Ministerium für Nationale Verteidigung (MfNV)*, an dessen Spitze der *Minister für Nationale Verteidigung*, der Altkommunist Armeegeneral Heinz Hoffmann[1], steht. Er übt innerhalb der NVA die oberste Kommandogewalt aus.

Das MfNV „organisiert und leitet die NVA (Land-, Luft- und Seestreitkräfte) auf der Grundlage und in Durchführung der Gesetze, Verordnungen und Beschlüsse der Volkskammer[2] und des Ministerrates". Die Aufgaben des MfNV werden „vom Ministerrat[3] festgelegt". Soweit der Buchstabe des Gesetzes[4].

Als weisungsbefugte höhere staatliche Institutionen haben für das MfNV größere Bedeutung der *Staatsrat der DDR,* an dessen Spitze als *Vorsitzender* (und damit als Staatsoberhaupt) Ulbricht[5] steht, und der Nationale *Verteidigungsrat der DDR,* dessen *Vorsitzender* ebenfalls Ulbricht ist. (Ulbricht wird gelegentlich auch als *Oberkommandierender bezeichnet.)*

Höchste Bedeutung haben für das MfNV, entsprechend der Struktur des kommunistischen Staats, die Richtlinien, Weisungen und Anordnungen des

1 Siehe Anhang I, Biographische Notizen

2 Volkskammer = Scheinparlament der Sowjetzone

3 Ministerrat = 1954 nach sowjetischem Vorbild eingeführte Bezeichnung für die Regierung. (Die Rechte des Ministerrates wurden verschiedentlich geändert und wesentlich eingeschränkt.)

4 *Gesetz über die Schaffung der Nationalen Volksarmee und des Ministeriums für Nationale Verteidigung,* hier zitiert nach „Neues Deutschland", 19. 1. 1956

5 Siehe Anhang I, Biographische Notizen

Zentralkomitees (ZK) der SED, dessen *1. Sekretär* wiederum Ulbricht ist. Minister Hoffmann ist (ebenso wie einige andere Inhaber wichtiger Führungsposten in der NVA) selbst Mitglied des ZK.

Im ZK ist für die NVA (ebenso wie für alle anderen bewaffneten Kräfte) die *Kommission für Nationale Sicherheit* des Politbüros zuständig. Sie wird von dem Altkommunisten Erich Honecker[6] geleitet. Das *Politbüro*, als das eigentliche Führungsgremium im ZK, beschließt für die NVA alle grundsätzlichen Fragen der Führung, z. T. sogar der Ausbildung und Ausrüstung. In den Einzelheiten kontrolliert die *Abteilung Sicherheit* des ZK, unter Leitung von Generalmajor Walter Borning, die NVA. Die Kontrolle des ZK beschränkt sich also nicht auf die eigentlichen Parteiangelegenheiten[7], sondern kümmert sich auch um rein militärische Angelegenheiten.

Für die Führung der NVA stehen dem Minister für Nationale Verteidigung eine Reihe von *Stellvertretern* zur Verfügung.

Jeder Stellvertreter des Ministers ist ein zuverlässiger Parteifunktionär und innerhalb des MfNV für ein bestimmtes Arbeitsgebiet verantwortlich:
- Politische Angelegenheiten (Admiral Waldemar Verner[8]),
- Ausbildung (Generalleutnant Kurt Wagner[9]),
- Planung und Materialversorgung (bis November 1963: Generalleutnant Friedrich Dickel[10]),
- Rückwärtige Dienste (Generalleutnant Walter Allenstein[11]),
- Hauptstab (Generalleutnant Siegfried Riedel[12]),
- Luftstreitkräfte und Luftverteidigung (Generalleutnant Heinz Keßler[13]).

Nachdem Generalleutnant Dickel im November 1963 Minister des Innern geworden war und aus dem MfNV ausschied, avancierte der Altkommunist Ewald Munschke[14] zum Stellvertreter des Ministers; ebenso der Generalmajor Werner Fleißner. Im Zuge einer Straffung der Spitze wurde auch unter den Stellvertretern des Ministers wieder eine gewisse Rangordnung bestimmt. Aber während in früheren Jahren der Chef der Politischen Verwaltung (heute Politische Hauptverwaltung) den ersten Platz einnahm, erhielt der Minister jetzt zwei *Erste Stellvertreter:* Generalleutnant Keßler und Admiral Verner, die beide – neben dem Minister – auch die beiden einzigen ZK-Mitglieder unter der NVA-Generalität sind. Bei Abwesenheit des Ministers amtiert also zunächst Keßler; Verner ist demnach sozusagen zweiter Erster Stellvertreter.

Das MfNV gliedert[15] sich in einen *Hauptstab,* eine *Hauptverwaltung* und in *Verwaltungen* und *Abteilungen* von unterschiedlicher Bedeutung, Größe und

6 Siehe Anhang I, Biographische Notizen

7 Siehe 5. Kapitel, Die politische Organisation in der NVA, und 8. Kapitel, Die politische Schulung und Erziehung in der NVA

8–14 Siehe Anhang I, Biographische Notizen

15 Siehe Grafik auf den Seiten 56 / 57

Selbständigkeit. Die komplizierte und für den westlichen Beobachter nur schwer verständliche Organisationsform des MfNV findet ihre Erklärung in dem sowjetischen Vorbild, in der Entwicklung der NVA aus der Kasernierten Volkspolizei und in dem Mangel an militärisch und politisch in gleicher Weise geeignetem oberen Führungspersonal.

Die Verwaltungen und Abteilungen des MfNV lassen sich in 5 große Gruppen zusammenfassen:

1. Die dem Chef des Hauptstabes unterstellten Verwaltungen und Abteilungen

Der Aufgabenbereich des Hauptstabes umfaßt alle diejenigen Gebiete, deren Bearbeitung für die Bewältigung der Aufgaben der Gesamtstreitkräfte erforderlich ist. Da es kein besonderes Oberkommando der Landstreitkräfte gibt, müssen auch die operativen Aufgaben für die Führung der Landstreitkräfte auf höchster Ebene vom Chef des Hauptstabes bearbeitet werden.

Insgesamt sind es 6 Verwaltungen und 5 Abteilungen, die dem Chef des Hauptstabes unterstehen.

Verwaltung Operativ
Ihr obliegt die gesamte operative Planung für den Einsatz der Verbände der NVA im Rahmen der Warschauer Pakt-Streitkräfte entsprechend den Weisungen des *Oberkommandierenden der Vereinten Streitkräfte.*

Verwaltung Aufklärung
Sie wertet die Nachrichten über fremde Streitkräfte aus und entspricht in ihrem Aufgabenbereich und ihren Tätigkeitsmerkmalen etwa dem G2-Dienst (Fremde Wehrlage) der NATO-Streitkräfte.

Verwaltung Nachrichten
Sie ist verantwortlich für den gesamten Aufgabenbereich des Fernmelde- und Verbindungswesens innerhalb der NVA. Sie sorgt für dessen Koordinierung und Angleichung nach den Richtlinien des *Vereinten Kommandos* der Warschauer Pakt-Streitkräfte, um einen Einsatz der Verbände der NVA auch im Rahmen gemeinsamer Operationen gewährleisten zu können. Sie ist außerdem für die Versorgung der Truppe mit Fernmeldegeräten und deren Instandsetzung verantwortlich.

Verwaltung Organisation und Stärkenachweisführung
Sie ist verantwortlich für die Stärke- und Ausrüstungsnachweisung (Stärkemeldungen, Stellenpläne usw.). Hier wird die personelle Mob-Planung bearbeitet.

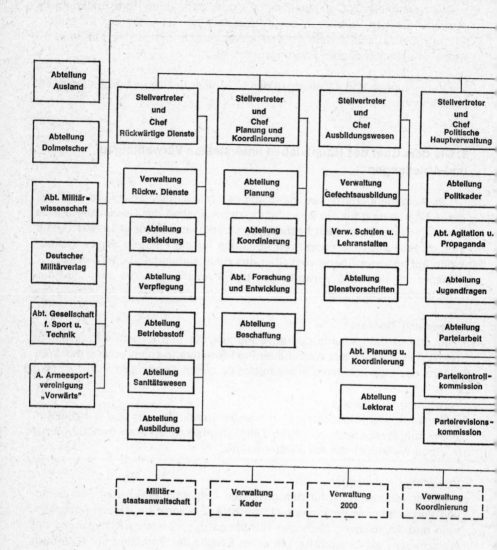

Abteilung Ausland

Abteilung Dolmetscher

Abt. Militärwissenschaft

Deutscher Militärverlag

Abt. Gesellschaft f. Sport u. Technik

A. Armeesportvereinigung „Vorwärts"

Stellvertreter und Chef Rückwärtige Dienste

Verwaltung Rückw. Dienste

Abteilung Bekleidung

Abteilung Verpflegung

Abteilung Betriebsstoff

Abteilung Sanitätswesen

Abteilung Ausbildung

Stellvertreter und Chef Planung und Koordinierung

Abteilung Planung

Abteilung Koordinierung

Abt. Forschung und Entwicklung

Abteilung Beschaffung

Stellvertreter und Chef Ausbildungswesen

Verwaltung Gefechtsausbildung

Verw. Schulen u. Lehranstalten

Abteilung Dienstvorschriften

Abt. Planung u. Koordinierung

Abteilung Lektorat

Stellvertreter und Chef Politische Hauptverwaltung

Abteilung Politkader

Abt. Agitation u. Propaganda

Abteilung Jugendfragen

Abteilung Parteiarbeit

Parteikontrollkommission

Parteirevisionskommission

Militärstaatsanwaltschaft

Verwaltung Kader

Verwaltung 2000

Verwaltung Koordinierung

Ministerium für Nationale Verteidigung

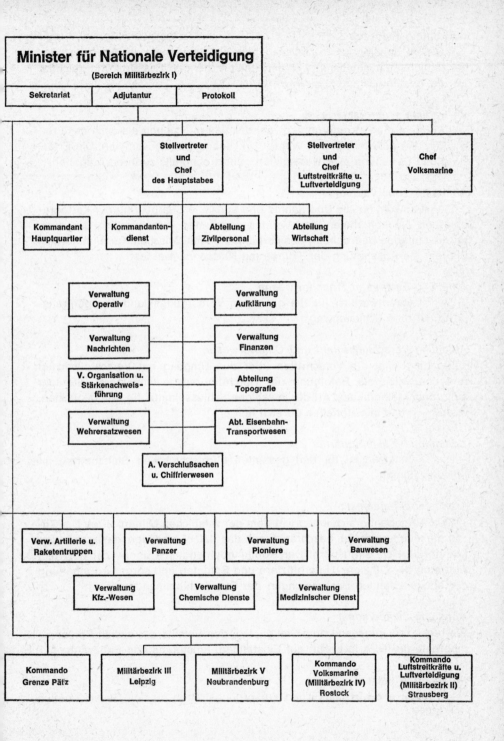

Minister für Nationale Verteidigung

(Bereich Militärbezirk I)

| Sekretariat | Adjutantur | Protokoll |

Stellvertreter und Chef des Hauptstabes

Stellvertreter und Chef Luftstreitkräfte u. Luftverteidigung

Chef Volksmarine

| Kommandant Hauptquartier | Kommandantendienst | Abteilung Zivilpersonal | Abteilung Wirtschaft |

Verwaltung Operativ

Verwaltung Aufklärung

Verwaltung Nachrichten

Verwaltung Finanzen

V. Organisation u. Stärkenachweisführung

Abteilung Topografie

Verwaltung Wehrersatzwesen

Abt. Eisenbahn-Transportwesen

A. Verschlußsachen u. Chiffrierwesen

Verw. Artillerie u. Raketentruppen

Verwaltung Panzer

Verwaltung Pioniere

Verwaltung Bauwesen

Verwaltung Kfz.-Wesen

Verwaltung Chemische Dienste

Verwaltung Medizinischer Dienst

Kommando Grenze Pätz

Militärbezirk III Leipzig

Militärbezirk V Neubrandenburg

Kommando Volksmarine (Militärbezirk IV) Rostock

Kommando Luftstreitkräfte u. Luftverteidigung (Militärbezirk II) Strausberg

Verwaltung Finanzen

Sie stellt den jährlichen Haushaltsplan auf, überwacht die Ausgaben der genehmigten Haushaltsmittel in den entsprechenden Ressorts und zeichnet für die Gesamtausgaben verantwortlich.

Verwaltung Wehrersatzwesen

Ihr obliegt die Rekrutierung sowohl der Wehrpflichtigen als auch der Freiwilligen. Sie arbeitet mit den Wehrbezirkskommandos zusammen. Die Erfassung und Betreuung aller Reservisten gehört ebenfalls zu ihren Aufgaben.

Abteilung Topographie

Sie ist sowohl für die Übernahme und spezielle Bearbeitung der kartographischen Neuaufnahmen der Vermessungsämter verantwortlich als auch für die laufende Bearbeitung des vorhandenen militärischen Kartenmaterials. Sie legt die Ausstattung der Truppe mit Kartenmaterial fest.

Abteilung Eisenbahn-Transportwesen

Sie ist verantwortlich für die gesamten Versorgungs- und Truppentransporte auf dem Schienenweg.

Abteilung Verschlußsachen und Chiffrierwesen

Sie bearbeitet die Vorschriften über den Umgang mit Verschlußsachen und überwacht die Befolgung der Durchführungsbestimmungen. Sie legt außerdem Methodik und Art der jeweiligen Schlüsselmittel für den taktischen, operativen und ministeriellen Bereich fest.

Kommandant Hauptquartier

Die Dienststelle ist für den gesamten bürotechnischen Stabsbetrieb im MfNV zuständig.

Kommandantendienst

Sein Aufgabenbereich entspricht dem der westlichen Militärpolizei. Der Zuständigkeitsbereich ist beschränkt auf das MfNV und den dazugehörigen Standortbereich Strausberg. Der Kommandantendienst überwacht dort das Auftreten der Offiziere, Unteroffiziere und Soldaten und sorgt für Einhaltung der entsprechenden Bestimmungen der Standortkommandantur.

Abteilung Zivilpersonal

Sie regelt, entsprechend dem Stellenplan, den Einsatz des zivilen Personals innerhalb der NVA in bezug auf Einstellung, Einstufung und Entlassung.

Abteilung Wirtschaft

Sie regelt alle wirtschaftlichen Versorgungsfragen für den Gesamtbereich des MfNV.

2. Die den Stellvertretern für Ausbildungswesen, Planung und Materialversorgung sowie Rückwärtige Dienste unterstellten Verwaltungen und Abteilungen

a) Der *Chef des Ausbildungswesens,* dem das gesamte Ausbildungswesen der Landstreitkräfte untersteht, verfügt über 2 Verwaltungen und 1 Abteilung.

Verwaltung Gefechtsausbildung
   Sie ist verantwortlich für die Ausbildungsvorhaben im Gefechtsdienst aller Mot. Schützentruppenteile. Laufend wertet sie Erfahrungen aus und setzt sie in entsprechende Weisungen um, die ihren Niederschlag in den entsprechenden Vorschriften finden.

Verwaltung Schulen und Lehranstalten
   Sie stellt die Lehrpläne der Militärschulen und der Militärakademie auf und überwacht insbesondere die Ausbildung der Offiziere auf den entsprechenden Schulen.

Abteilung Dienstvorschriften
   Sie erarbeitet Dienstvorschriften und gibt sie an die Truppe aus.

b) Der *Chef für Planung und Koordinierung* zeichnet für die Beschaffung von Gerät und Material für alle Teilstreitkräfte verantwortlich. Dazu stehen ihm zur Verfügung:

Abteilung Planung und Abteilung Koordinierung
   In diesen Abteilungen werden die gesamten Materialplanungen aller Waffengattungen koordiniert und nach Industriezweigen aufgeschlüsselt. Der Gesamtplan wird mit der *Staatlichen Plankommission* abgestimmt und dann an die Abteilung Beschaffung weitergegeben.

Abteilung Beschaffung
   Sie setzt den Plan in Aufträge um und schließt entsprechende Lieferverträge.

Abteilung Forschung und Entwicklung
   Sie erteilt, entsprechend den Forderungen der Waffengattungen, die Aufträge für die Entwicklung neuer Ausrüstung, Waffen und Gerät aller Art an die Industrie.

c) Der *Chef der Rückwärtigen Dienste* ist zuständig für die Versorgung der Streitkräfte mit allgemeinen Versorgungsgütern. Ihm steht dazu die

Verwaltung Rückwärtige Dienste

mit den Abteilungen Bekleidung, Verpflegung, Betriebsstoff, Sanitätswesen und Ausbildung zur Verfügung.

3. Politische Hauptverwaltung (Polithauptverwaltung)

Ihre Aufgabe ist es, die gesamte politische Arbeit innerhalb der NVA zu leiten und zu kontrollieren. Da auch die militärischen Leistungen und Vergehen des letzten Soldaten eine „politische Angelegenheit" sein können, kümmert sich die Polithauptverwaltung praktisch um alles. Sie hat für den Charakter der NVA eine ganz besondere Bedeutung. (Darum wird sie gesondert, in Kapitel 5, behandelt.)

4. Die dem Minister direkt unterstehenden Verwaltungen und Abteilungen

Entsprechend den Aufgabengebieten bilden sie 4 verschiedene Gruppen:

a) Verwaltungen, die für die logistische Planung, Anforderung und Verteilung der Versorgungsgüter für die einzelnen *Waffengattungen,* vor allem aber deren Ausbildung, verantwortlich sind:

Verwaltung Artillerie und Raketentruppen
Sie sorgt für die Ausstattung der Truppe mit Waffen und Munition auf dem Gebiet der Artillerie und Raketentruppen und ist verantwortlich für die Waffen- und Gefechtsausbildung der jeweiligen Truppenteile.

Verwaltung Panzer
Ihr obliegt die Ausstattung, der Nachschub und die Instandsetzung von Panzern und gepanzerten Fahrzeugen für die gesamte Truppe. Sie ist verantwortlich für die technische und Gefechtsausbildung aller Panzertruppenteile.

Verwaltung Kraftfahrzeugwesen
Sie ist zuständig für die Ausrüstung, den Nachschub und die Instandsetzung von nichtgepanzerten Ketten- und Räderfahrzeugen für die gesamte Truppe und eine entsprechende technische Ausbildung.

Verwaltung Pioniere
Sie zeichnet verantwortlich für die Versorgung der Truppe mit Pioniergerät, Pionierkampf- und Sprengmitteln und ist für die technische und gefechtsmäßige Spezialausbildung der Pioniertruppenteile zuständig.

Verwaltung Chemische Dienste

Sie zeichnet für die Versorgung der Truppe mit ABC-Abwehrmitteln verantwortlich und ist für die Spezialausbildung der Truppe zuständig.

Verwaltung Bauwesen

Sie ist zuständig für das gesamte militärische Bauwesen (vergleichbar der Infrastruktur der NATO-Streitkräfte) und arbeitet eng mit verschiedenen Fachministerien zusammen.

Verwaltung Medizinischer Dienst

Ihr untersteht das gesamte Sanitätswesen der Truppe. Sie ist verantwortlich für die Ausstattung, Ausrüstung und den Nachschub von entsprechendem Gerät und Versorgungsgütern. Ihr obliegt die Spezialausbildung aller Sanitätseinheiten.

b) Verwaltungen einzelner Aufgabenbereiche von besonderer Bedeutung für die Gesamtstreitkräfte:

Militärstaatsanwaltschaft

Sie ist die oberste Anklagebehörde der NVA. Sie ist verantwortlich für die entsprechenden Erlasse auf dem Gebiet des militärischen Strafrechtes und erteilt Weisungen an die Militärstaatsanwälte der nachgeordneten Organe.

Verwaltung Kader

Sie zeichnet verantwortlich für das Personalwesen der Offiziere aller Teilstreitkräfte und bearbeitet deren Personalakten. Ernennungen, Beförderungen, Versetzungen, Auszeichnungen usw. von Offizieren gehören zu ihrem Aufgabenbereich.

c) Spionage und Spionageabwehr:

Verwaltung Koordinierung

Ihr untersteht der militärische Spionagedienst gegen die Bundesrepublik Deutschland, West-Europa und die Staaten der NATO. Sie ist verantwortlich für die Gewinnung von militärischen, militärpolitischen und rüstungstechnischen Nachrichten.

Verwaltung 2000

Sie ist das Verbindungsorgan zum *Ministerium für Staatssicherheit (MfS)* und ist verantwortlich für Sicherheitsfragen der gesamten Streitkräfte. In ihr arbeiten Offiziere des MfS, die jedoch als solche äußerlich nicht erkennbar sind. Sie werden auf allen Ebenen bis herab zum Regimentsstab in entsprechenden Planstellen geführt.

Landstreitkräfte

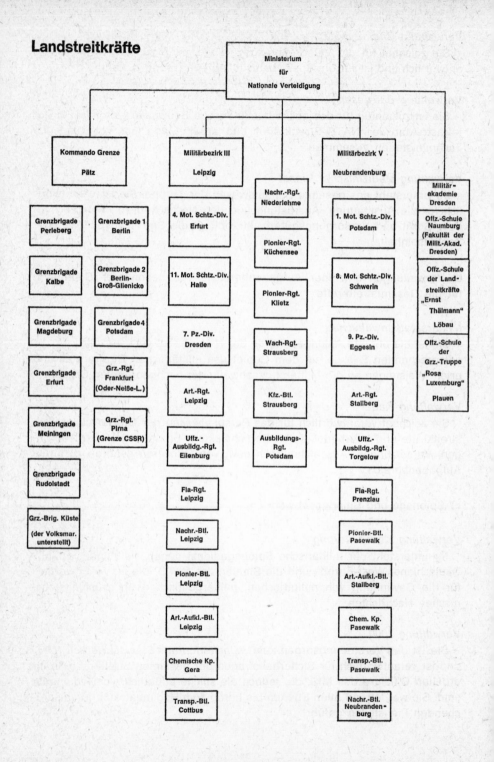

```
                        Ministerium
                            für
                     Nationale Verteidigung
```

| Kommando Grenze Pätz | Militärbezirk III Leipzig | Militärbezirk V Neubrandenburg | Militär-akademie Dresden |

Kommando Grenze — **Pätz**

- Grenzbrigade Perleberg
- Grenzbrigade Kalbe
- Grenzbrigade Magdeburg
- Grenzbrigade Erfurt
- Grenzbrigade Meiningen
- Grenzbrigade Rudolstadt
- Grz.-Brig. Küste (der Volksmar. unterstellt)

- Grenzbrigade 1 Berlin
- Grenzbrigade 2 Berlin-Groß-Glienicke
- Grenzbrigade 4 Potsdam
- Grz.-Rgt. Frankfurt (Oder-Neiße-L.)
- Grz.-Rgt. Pirna (Grenze CSSR)

Militärbezirk III — **Leipzig**

- 4. Mot. Schtz.-Div. Erfurt
- 11. Mot. Schtz.-Div. Halle
- 7. Pz.-Div. Dresden
- Art.-Rgt. Leipzig
- Uffz.-Ausbildg.-Rgt. Eilenburg
- Fla-Rgt. Leipzig
- Nachr.-Btl. Leipzig
- Pionier-Btl. Leipzig
- Art.-Aufkl.-Btl. Leipzig
- Chemische Kp. Gera
- Transp.-Btl. Cottbus

- Nachr.-Rgt. Niederlehme
- Pionier-Rgt. Küchensee
- Pionier-Rgt. Klietz
- Wach-Rgt. Strausberg
- Kfz.-Btl. Strausberg
- Ausbildungs-Rgt. Potsdam

Militärbezirk V — **Neubrandenburg**

- 1. Mot. Schtz.-Div. Potsdam
- 8. Mot. Schtz.-Div. Schwerin
- 9. Pz.-Div. Eggesin
- Art.-Rgt. Stallberg
- Uffz.-Ausbildg.-Rgt. Torgelow
- Fla-Rgt. Prenzlau
- Pionier-Btl. Pasewalk
- Art.-Aufkl.-Btl. Stallberg
- Chem. Kp. Pasewalk
- Transp.-Btl. Pasewalk
- Nachr.-Btl. Neubrandenburg

Militärakademie Dresden

- Offz.-Schule Naumburg (Fakultät der Milit.-Akad. Dresden)
- Offz.-Schule der Landstreitkräfte „Ernst Thälmann" Löbau
- Offz.-Schule der Grz.-Truppe „Rosa Luxemburg" Plauen

d) Sonstige Abteilungen, die dem Minister direkt unterstellt sind:

Abteilung Ausland
Sie bearbeitet das Militärattachéwesen, ist zuständig für die Ausbildung und den Einsatz der eigenen Militärattachés und für die Betreuung der in Ost-Berlin akkreditierten ausländischen Militärattachés.

Abteilung Dolmetscherdienst
In ihr sind alle dem Ministerium zur Verfügung stehenden Dolmetscher zusammengefaßt.

Abteilung Militärwissenschaft
Sie bearbeitet militärhistorische Fragen und betreibt theoretische Grundlagenforschung auf militärischem Gebiet.

Deutscher Militärverlag[16]
Seine Aufgabe ist die Herausgabe und Verbreitung der Militärliteratur im weitesten Sinne in der NVA, den anderen bewaffneten Kräften und der Öffentlichkeit.

Abteilung Armeesportvereinigung „Vorwärts"
Sie leitet den Sport innerhalb der Gesamtstreitkräfte sowohl mit dem Schwerpunkt Breitenarbeit als auch durch Förderung von Spitzenkräften, auch für internationale Wettkämpfe.

Abteilung Gesellschaft für Sport und Technik
Sie ist das Verbindungsorgan zu dieser vormilitärischen Organisation[17], erteilt die Weisungen für die vormilitärische Ausbildung und stellt das entsprechende militärische Personal zur Verfügung.

5. Die dem Minister unmittelbar unterstellten Chefs der Luftstreitkräfte/Luftverteidigung und der Volksmarine

Luftstreitkräfte und Luftverteidigung

Der *Chef der Luftstreitkräfte/Luftverteidigung* ist zugleich *Chef des Kommandos der Luftstreitkräfte/Luftverteidigung* (Militärbezirk II)[18], das aus dem

16 Siehe Anhang II, Was sollen die Soldaten lesen?, Die Bibliographie des Deutschen Militärverlages
17 Siehe 4. Kapitel, Die bewaffneten Kräfte des Ministeriums des Innern und andere paramilitärische Verbände, Seite 85 ff.
18 Siehe Grafik auf Seite 70/71

Ministerium ausgegliedert ist. Es befindet sich in Strausberg-Eggersdorf. Da der Chef der Luftstreitkräfte/Luftverteidigung zugleich Erster Stellvertreter des Ministers ist, kann er eine rasche ministerielle Einwirkung erreichen.

Volksmarine

Der *Chef der Volksmarine* ist zugleich *Chef des Kommandos der Volksmarine* (Militärbezirk IV)[19], das ebenfalls aus dem Ministerium ausgegliedert ist und seinen Sitz in Rostock hat.

II. Die dem MfNV nachgeordneten Führungsorgane

1. Das *Kommando Grenze*[20], das seinen Sitz in Pätz bei Königswusterhausen hat und an dessen Spitze der Chef der Grenztruppen, Generalmajor Erich Peter[21], steht, ist für den Dienstbereich der Grenztruppen zuständig, die bis zum September 1961 als *Deutsche Grenzpolizei* mit dem *Kommando der Deutschen Grenzpolizei* dem Ministerium des Innern unterstanden und dann geschlossen der NVA eingegliedert wurden.

2. Das *Kommando Luftstreitkräfte/Luftverteidigung*[22], Sitz in Strausberg-Eggersdorf, Chef Generalleutnant Heinz Keßler[23].

3. Der *Militärbezirk III*[24], Kommando in Leipzig, Chef Generalmajor Hans Ernst.

4. Das *Kommando Volksmarine*[25], Sitz in Rostock, Chef Vizeadmiral Willi Ehm.

5. Der *Militärbezirk V*[26], Kommando in Neubrandenburg, Chef Generalmajor Martin Bleck.

III. Die Landstreitkräfte

Die Landstreitkräfte[27] haben Ende 1963 eine Gesamtpersonalstärke von 140 000 Mann und umfassen:

19 Siehe Grafik auf Seite 73

20 Siehe Grafik auf Seite 62

21 Siehe Anhang I, Biographische Notizen

22 Siehe Grafik auf Seite 70 / 71

23 Siehe Anhang I, Biographische Notizen

24 Siehe Grafik auf Seite 62

25 Siehe Grafik auf Seite 73

26 Siehe Grafik auf Seite 62

27 Siehe Grafik auf Seite 62

Bild 17 — Oberkommandierender Ulbricht besichtigt eine Einheit der Volksmarine.

18 — Politbüromitglied Honecker, 19 — Verteidigungsminister Armee-Gen. Hoffmann

Bild 20 — Gen.-Lt. Kessler — Bild 21 — Admiral Verner — Bild 22 — Gen.-Lt. Wagner

Bild 23 — Gen.-Lt. Riedel — Bild 24 — Gen.-Lt. Allenstein — Bild 25 — V.-Admiral Ehm

Bild 26 — Junge Offiziere der NVA

Motorisierte Schützendivision

Personalstärke: ca. 11 000 Mann
Panzer: 150—200 T 34

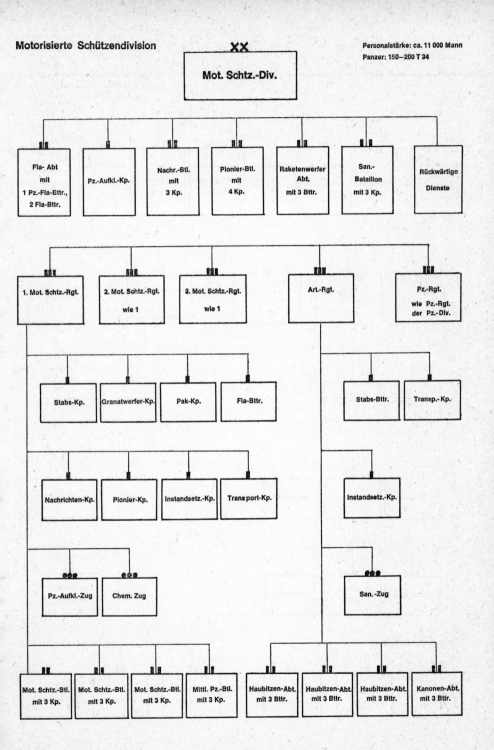

Mot. Schtz.-Div.

Fla- Abt mit 1 Pz.-Fla-Bttr., 2 Fla-Bttr.

Pz.-Aufkl.-Kp.

Nachr.-Btl. mit 3 Kp.

Pionier-Btl. mit 4 Kp.

Raketenwerfer Abt. mit 3 Bttr.

San.-Bataillon mit 3 Kp.

Rückwärtige Dienste

1. Mot. Schtz.-Rgt.

2. Mot. Schtz.-Rgt. wie 1

3. Mot. Schtz.-Rgt. wie 1

Art.-Rgt.

Pz.-Rgt. wie Pz.-Rgt. der Pz.-Div.

Stabs-Kp.

Granatwerfer-Kp.

Pak-Kp.

Fla-Bttr.

Stabs-Bttr.

Transp.-Kp.

Nachrichten-Kp.

Pionier-Kp.

Instandsetz.-Kp.

Transport-Kp.

Instandsetz.-Kp.

Pz.-Aufkl.-Zug

Chem. Zug

San.-Zug

Mot. Schtz.-Btl. mit 3 Kp.

Mot. Schtz.-Btl. mit 3 Kp.

Mot. Schtz.-Btl. mit 3 Kp.

Mittl. Pz.-Btl. mit 3 Kp.

Haubitzen-Abt. mit 3 Bttr.

Haubitzen-Abt. mit 3 Bttr.

Haubitzen-Abt. mit 3 Bttr.

Kanonen-Abt. mit 3 Bttr.

Panzerdivision

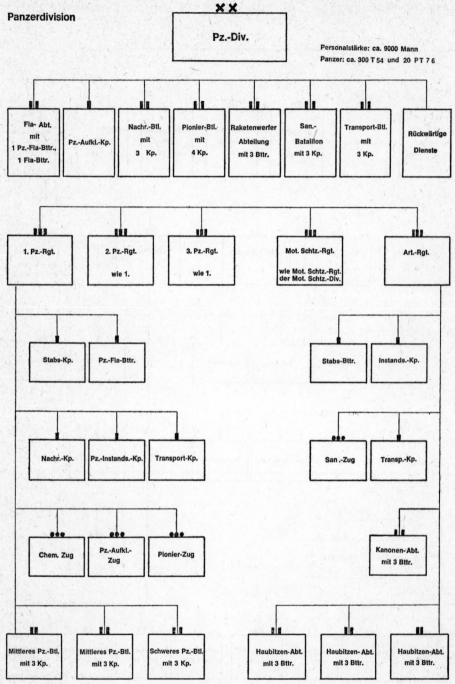

Pz.-Div.

Personalstärke: ca. 9000 Mann
Panzer: ca. 300 T 54 und 20 PT 76

Fla- Abt. mit 1 Pz.-Fla-Bttr., 1 Fla-Bttr.

Pz.-Aufkl.-Kp.

Nachr.-Btl. mit 3 Kp.

Pionier-Btl. mit 4 Kp.

Raketenwerfer Abteilung mit 3 Bttr.

San.- Bataillon mit 3 Kp.

Transport-Btl. mit 3 Kp.

Rückwärtige Dienste

1. Pz.-Rgt.

2. Pz.-Rgt. wie 1.

3. Pz.-Rgt. wie 1.

Mot. Schtz.-Rgt. wie Mot. Schtz.-Rgt. der Mot. Schtz.-Div.

Art.-Rgt.

Stabs-Kp.

Pz.-Fla-Bttr.

Stabs-Bttr.

Instands.-Kp.

Nachr.-Kp.

Pz.-Instands.-Kp.

Transport-Kp.

San.-Zug

Transp.-Kp.

Chem. Zug

Pz.-Aufkl.- Zug

Pionier-Zug

Kanonen-Abt. mit 3 Bttr.

Mittleres Pz.-Btl. mit 3 Kp.

Mittleres Pz.-Btl. mit 3 Kp.

Schweres Pz.-Btl. mit 3 Kp.

Haubitzen-Abt. mit 3 Bttr.

Haubitzen- Abt. mit 3 Bttr.

Haubitzen-Abt. mit 3 Bttr.

- 2 Panzerdivisionen,
- 4 Motorisierte Schützendivisionen,
- Heerestruppen und -schulen,
- Armeetruppen und -schulen,
- Grenztruppen (die Stärke der NVA/Grenztruppen betrug Ende 1963 50 000 Mann. Sie gliedern sich in 10 Grenzbrigaden und 2 selbständige Grenzregimenter).

Die Gliederung der Verbände der Landstreitkräfte entspricht bei den *Panzerdivisionen*[28] und *Motorisierten Schützendivisionen*[29] in ihren Grundzügen dem sowjetischen Vorbild. Deutliche Unterschiede zu den sowjetischen Verbänden gibt es jedoch in der materiellen Ausstattung der Verbände. Hier steht der NVA sowohl zahlen- als auch qualiätsmäßig zur Zeit eine schlechtere und unmodernere Ausrüstung zur Verfügung. Das gleiche trifft bei den Heeres- und Armeetruppen zu, die bei den sowjetischen Landstreitkräften nach Zahl und Ausrüstung fast doppelt so stark wie bei der NVA sind.

Seit 1964 dürften aber die Landstreitkräfte der NVA nach militärischer Ausbildung[30] und Ausrüstungsstand[31] in der Lage sein, den Erfordernissen eines modernen – atomaren – Krieges gerecht zu werden.

Die NVA/Grenztruppen gliedern sich in *Grenzbrigaden* und selbständige *Grenzregimenter*. Es gibt z. Z. 10 Grenzbrigaden: 6 Brigaden an der Demarkationslinie zur Bundesrepublik Deutschland, 3 Brigaden zur Abriegelung West-Berlins, 1 Brigade an der Ostseeküste *(Grenzbrigade Küste)*. An der Oder-Neiße-Linie und an der Grenze zur Tschechoslowakei liegt je 1 selbständiges Grenzregiment.

Von den Grenzbrigaden sind die Grenzbrigade Küste dem Kommando der Volksmarine und die 3 Brigaden zur Abriegelung West-Berlins dem Ost-Berliner Stadtkommandanten, Generalmajor Helmut Poppe, bis auf weiteres einsatzmäßig unterstellt.

Die Grenzbrigaden, die an der Demarkationslinie zur Bundesrepublik eingesetzt sind, sind in etwa gleichgegliedert[32] und ausgerüstet.

Die Bewaffnung der Grenztruppen besteht im wesentlichen nur aus leichten Infanteriewaffen sowie aus einigen Kampfpanzern vom Typ T-34. Innerhalb einer Grenzbrigade sind vorhanden:
- 10–15 Panzer T-34,
- etwa 30–35 Schützenpanzer BTR-40 bzw. BTR-152,

28 Siehe Grafik auf Seite 66
29 Siehe Grafik auf Seite 65
30 Siehe 9. Kapitel, Die militärische Ausbildung
31 Siehe 6. Kapitel, Die Bewaffnung und Ausrüstung
32 Siehe Grafik auf Seite 68

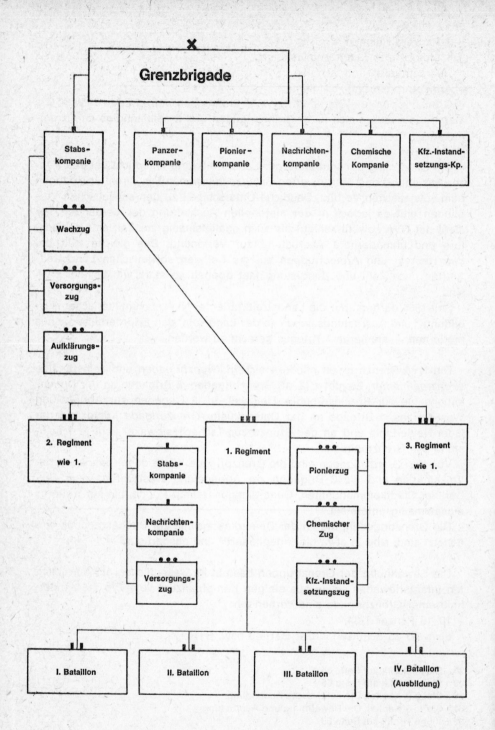

- etwa 350–380 leichte Maschinengewehre,
- etwa 350–380 leichte Panzerabwehrgeräte vom Typ LPAG 40 mm (RPG-2 = Panzerfaust),
- etwa 300 LKW und sonstiges Gerät.

Die NVA/Grenztruppen haben offiziell folgende Aufgaben:
- Überwachung und Sperrung der Demarkationslinie zur Bundesrepublik Deutschland („Staatsgrenze West") und Berlin-West,
- Überwachung der Oder-Neiße-Linie und der Grenze zur CSSR,
- „Aufklärung des grenznahen Raumes" westlich der Demarkationslinie zur Bundesrepublik,
- Luftbeobachtung im grenznahen Raum beiderseits der Demarkationslinie,
- Einsatz im „Grenzraum" bei Kriegsgefahr und beim Ausbruch von Feindseligkeiten bis zum Eingreifen anderer Streitkräfte der Warschauer Paktstaaten.

Die eigentliche Hauptaufgabe der Grenzsoldaten ist es jedoch, die „Republikflucht" zu verhindern und „Republikflüchtige" zu stellen. Gleichzeitig haben aber die Führungsorgane dafür Sorge zu tragen, daß die zu dieser Aufgabe eingesetzten Soldaten nicht selbst in den Westen fliehen. (Vom 1. Januar 1962 bis zum 30. Dezember 1963 sind 780 Angehörige der sowjetzonalen Grenztruppe in die Bundesrepublik, ohne Berlin, geflohen.)

Um der anhaltenden Flucht von Soldaten der Grenztruppe entgegenzuwirken, werden ihre Einheiten mit politisch besonders zuverlässigen Kadern besetzt. Der größte Teil der Offiziere sowie ein Teil der Unteroffiziere sind überzeugte Anhänger oder bewußte Mitläufer des SED-Regimes.

Wie zuverlässig die Grenztruppe wirklich ist, dürfte — wie in jeder Diktatur — erst der Ernstfall beweisen.

IV. Luftstreitkräfte/Luftverteidigung

Oberste Kommandobehörde der NVA/LSK und LV ist das *Kommando der Luftstreitkräfte/Luftverteidigung*[33] in Strausberg-Eggersdorf. Es verfügt über
- 2 Jagdfliegerdivisionen,
- 1 Jagdfliegerausbildungsdivision,
- 1 Transportgeschwader,
- 1 Hubschraubergeschwader,
- 5 Fla-Raketen-Regimenter,
- 2 Funktechnische Regimenter,
- 1 Nachrichtenregiment (Fernmelde-Rgt.),
- Fliegertechnische Bataillone und Versorgungseinrichtungen der Bodenorganisation.

33 Siehe Grafik auf Seite 70/71

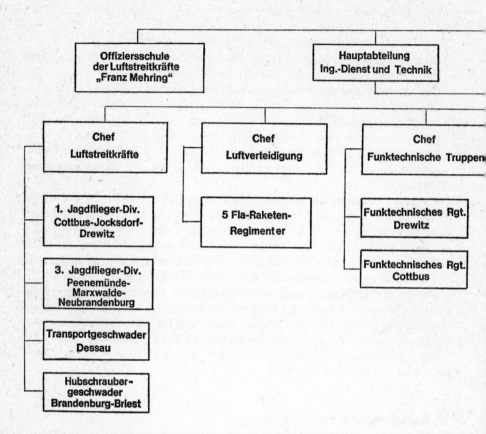

Die Gesamtpersonalstärke betrug im Herbst 1963 31 500 Mann.

Die Fliegerdivisionen sind ausschließlich mit Flugzeugen[34] sowjetischer Herkunft ausgerüstet. Ihre Gesamtzahl betrug im Jahre 1963 600 Maschinen. Davon befanden sich als Einsatzflugzeuge in den fliegenden Verbänden etwa 480 Maschinen, von denen etwa 400 Jagdflugzeuge der Typen MiG-15, MiG-17 und MiG-19 waren. Während noch vor wenigen Jahren als Jägerstandardtyp fast ausschließlich die MiG-15 vorhanden war, wurde 1960 der Flugzeugpark erheblich modernisiert. Von der MIG-15 wurde auf die MiG-17 umge-

---

34 Siehe 6. Kapitel, Die Bewaffnung und Ausrüstung, Seiten 115–118

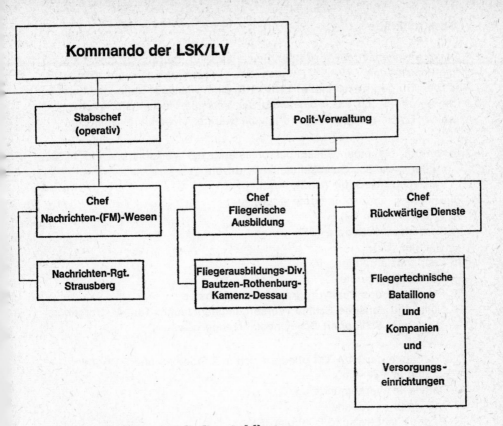

Luftstreitkräfte und Luftverteidigung

rüstet, die heute, in ihren verschiedenen Versionen, als Standardjäger der NVA/LSK anzusehen ist. Die Jagdfliegerdivisionen haben bereits Hochleistungsjäger vom Typ MiG-21, wenn auch erst in geringer Anzahl, erhalten. Die Zuführung moderner Typen wird fortgesetzt.

Eine Fla-Division, die in allen Regimentern zunächst nur mit Rohrwaffen (57 mm und 100 mm) ausgerüstet war, wurde seit 1961 auf Flugzeugabwehrraketen umgerüstet; es entstanden 5 Fla-Raketen-Regimenter.

Für die Aufgaben des Flugmelde- und Jägerleitdienstes stehen 2 Funktechnische Regimenter sowie zahlreiche Fliegertechnische Bataillone zur Verfügung. Hinzu kommen zahlreiche Versorgungseinheiten und andere Einrichtungen verschiedener Art.

V. Seestreitkräfte

Oberste Kommandobehörde der Seestreitkräfte, die als *Nationale Volksarmee/Volksmarine (NVA/VM)*[35] nach der „Volksmarinedivision" (die während der Bürgerkriegskämpfe 1918/1919 eine wichtige Rolle spielte) bezeichnet werden, ist das *Kommando der Volksmarine* mit Sitz in Rostock. An seiner Spitze steht der *Chef der Volksmarine,* Vizeadmiral Willi Ehm.

Es verfügt, bei einer Gesamtpersonalstärke der Volksmarine von 18 000 Mann, über etwa 300 Schiffseinheiten[36], davon
- 4 Küstenschutzschiffe (KSS),
- 24 Minenleg- und -räumboote (MLR),
- 40 Räumpinassen (R),
- 34 Torpedoschnellboote (TS),
- 18 U-Jäger (UJ),
- 15 Landungsfahrzeuge,
- 60 Küstenschutzboote,
- 30 Fahrzeuge des Seehydrographischen Dienstes,
- 60 Hilfs- und sonstige Schiffe (Versorgungsfahrzeuge, Tanker, Bergungsfahrzeuge, Schlepper, Schulungsfahrzeuge usw.).

Die Verbände der NVA/VM gliedern sich in 2 Flottillen und 2 Brigaden:
- 1. Flottille in Peenemünde,
- 4. Flottille in Warnemünde,
- KSS-Brigade in Saßnitz,
- TS-Brigade in Stralsund/Dänholm (Stab).

Hinzu kommen die *Grenzbrigade Küste,* die ebenfalls dem Kommando NVA/VM unterstellt ist, sowie die Nachrichteneinheit auf der Insel Rügen und Versorgungseinrichtungen.

Beim Aufbau der NVA/VM standen zunächst nur sowjetische Schiffstypen zur Verfügung. Die Minenleg- und -räumboote sind alle auf Werften der Sowjetzone entworfen und gebaut worden. Das gleiche gilt für Landungsfahrzeuge, Räumpinassen, Wach- und Patrouillenboote und Hilfsfahrzeuge. Küstenschutzschiffe, Geleitzerstörer, Schnellboote und U-Jäger sind sowjetische Typen.

Infolge der zahlreichen sowjetischen Typen ist die NVA/VM auch weiterhin auf materielle Hilfe seitens der SU angewiesen. Die NVA/VM ist bisher nicht mit U-Booten ausgestattet; sie besitzt einige Hubschrauber sowjetischen Typs für Verbindungs- und Aufklärungszwecke.

---

35 Siehe Grafik auf Seite 73
36 Siehe 6. Kapitel, Die Bewaffnung und Ausrüstung der NVA, Seiten 118–120

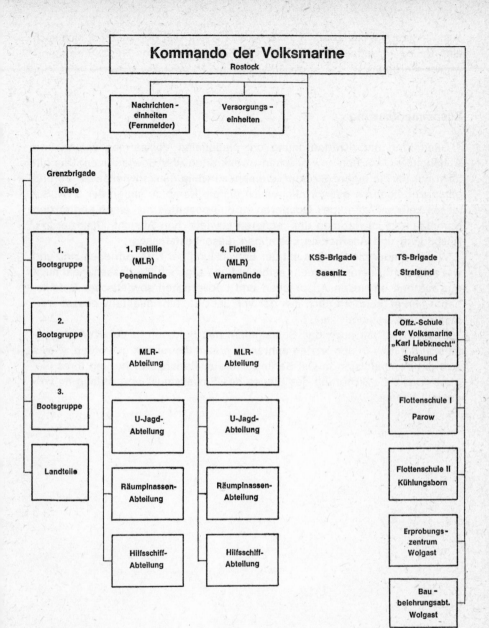

Kommando der Volksmarine
Rostock

Nachrichten-einheiten (Fernmelder)

Versorgungs-einheiten

Grenzbrigade Küste

1. Bootsgruppe

1. Flottille (MLR) Peenemünde

4. Flottille (MLR) Warnemünde

KSS-Brigade Sassnitz

TS-Brigade Stralsund

2. Bootsgruppe

MLR-Abteilung

MLR-Abteilung

Offz.-Schule der Volksmarine „Karl Liebknecht" Stralsund

3. Bootsgruppe

U-Jagd-Abteilung

U-Jagd-Abteilung

Flottenschule I Parow

Landteile

Räumpinassen-Abteilung

Räumpinassen-Abteilung

Flottenschule II Kühlungsborn

Hilfsschiff-Abteilung

Hilfsschiff-Abteilung

Erprobungs-zentrum Wolgast

Bau-belehrungsabt. Wolgast

KSS = Küstenschutzschiff (Geleitzerstörer)
MLR = Minenleg- und Räumboot
TS = Torpedoschnellboot

Seestreitkräfte

In Wolgast hat die NVA/VM ein *Erprobungszentrum;* dort befindet sich auch eine *Baubelehrungsabteilung,* in der die Besatzungen von Neubauten unterwiesen werden.

Zusammenfassung

Gliederung und Kräfteordnung der Nationalen Volksarmee zeigen ihre Abhängigkeit von den sowjetischen Streitkräften, der Sowjetarmee. Das gilt nicht nur für die innere Struktur, die nahezu völlig dem sowjetischen Vorbild entspricht, sondern gilt vor allem auch für die Kampfaufgaben der NVA. Sie lassen kein selbständiges Operieren zu und gestatten nur einen begrenzten Kampfauftrag im Rahmen der größeren sowjetischen Absicht. Dislozierung, Ausbildung und Ausrüstung bestätigen diese Feststellung.

Wie sehr aber die Sowjets mit der Entwicklung der NVA zufrieden sind und wie sehr sie ihr mehr und mehr selbständige Aufgaben überlassen, geht nicht nur aus den offiziellen Ansprachen und Lobsprüchen sowjetischer Befehlshaber hervor, sondern auch aus der von Jahr zu Jahr qualitativ besser werdenden Ausrüstung.

Dadurch wächst auch das Selbstgefühl des Soldaten in der NVA. Jedenfalls ist die NVA in den letzten Jahren zu einem Instrument geworden, wie es sich die Kommunisten in Ost-Berlin für die militärische Sicherung ihres Gebietes und die „Sicherung des Sieges des Sozialismus" von Anfang an vorgestellt haben.

4. KAPITEL

Die bewaffneten Kräfte des Ministeriums des Innern und andere paramilitärische Verbände

Neben den Streitkräften, über die das Ministerium für Nationale Verteidigung verfügt, gibt es in der Sowjetzone noch weitere militärische und militärähnliche Kräfte, die insbesondere in der Beurteilung der innenpolitischen Situation eine bedeutende Rolle spielen. Sie unterstehen größtenteils dem *Ministerium des Innern (MdI)*. *Minister des Innern* ist der frühere Stellvertreter des Ministers für Nationale Verteidigung Generalleutnant Friedrich Dickel[1]; *Stellvertreter des Ministers des Innern für die bewaffneten Organe des MdI* ist Generalleutnant Willi Seifert.

Die bewaffneten Kräfte des MdI umfassen im wesentlichen:
- Die *Bereitschaftspolizei (BP)*,
- die *Deutsche Volkspolizei (DVP)* einschließlich der *Transportpolizei (Trapo)*.

Dem MdI sind auch die milizähnlichen *Kampfgruppen der Arbeiterklasse (KG)* sowie die Organisation des *Luftschutzes (LS)* in bezug auf Ausbildung, Ausrüstung und teilweise auch Einsatz unterstellt.

Von besonderer Bedeutung ist, daß in der gesamten Kräfteordnung des MdI und der Gliederung seiner nachgeordneten Führungsorgane und Verbände die Bereitschaften des *Kommandos BP* zwar personell, ausbildungs- und ausrüstungsmäßig ihrem entsprechenden Kommandeur unterstellt, jedoch einsatzmäßig dem Leiter der jeweiligen *Bezirksbehörde der Deutschen Volkspolizei (BDVP)* zur Verfügung stehen. Die BDVP ist also für ihren zuständigen Bezirk die entsprechende Kommandobehörde der militärischen und paramilitärischen Kräfte des MdI. (Ihr nachgeordnet sind die *Volkspoli-*

1 Siehe Anhang I, Biographische Notizen

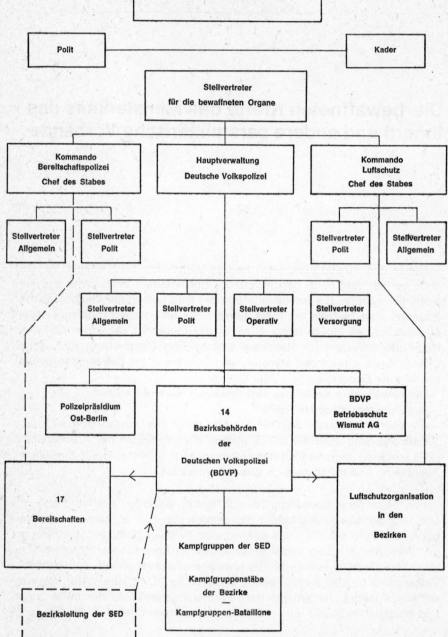

Minister des Innern

Polit — Kader

Stellvertreter
für die bewaffneten Organe

| Kommando Bereitschaftspolizei Chef des Stabes | Hauptverwaltung Deutsche Volkspolizei | Kommando Luftschutz Chef des Stabes |

Stellvertreter Allgemein — Stellvertreter Polit

Stellvertreter Polit — Stellvertreter Allgemein

Stellvertreter Allgemein — Stellvertreter Polit — Stellvertreter Operativ — Stellvertreter Versorgung

Polizeipräsidium Ost-Berlin

14
Bezirksbehörden
der
Deutschen Volkspolizei
(BDVP)

BDVP
Betriebsschutz
Wismut AG

17
Bereitschaften

Luftschutzorganisation
in den
Bezirke

Kampfgruppen der SED

Kampfgruppenstäbe
der Bezirke
—
Kampfgruppen-Bataillone

Bezirksleitung der SED

zei-Kreisämter – VPKÄ.) In der BDVP gibt es eine *Einsatzleitung,* der auch die *Kampfgruppenstäbe,* die dazugehörigen schweren und leichten *Kampf-gruppen-Bataillone* und die allgemeinen *Hundertschaften* der Kampfgruppen unterstellt sind.

Aus diesem Unterstellungsverhältnis läßt sich zum Teil die Aufgaben-bestimmung der bewaffneten Kräfte des MdI umreißen:

– Unterdrückung innerer Unruhen im Frieden und im Krieg,
– Sicherung des rückwärtigen Gebietes im Falle drohender Kriegsgefahr und im Verlauf von Kampfhandlungen,
– Unterstützung der eigenen und verbündeten Streitkräfte im Kriegsfall durch Schutz des Hinterlandes gegen Sabotage und durch Abwehr feind-licher Luftlandetruppen.

Die Bereitschaftspolizei (BP)

Die BP, deren Personalstärke etwa 16 000 Mann beträgt, umfaßt 17 *Bereit-schaften,* die alle etwa gleich ausgerüstet und ausgebildet sind. Während sich in jedem der 14 Bezirke der Sowjetzone normalerweise 1 Bereitschaft befindet, wurden in den industriellen Schwerpunktbezirken Leipzig, Halle und Magdeburg mit ihrer starken Arbeiterbevölkerung jeweils 2 Bereitschaf-ten disloziert. Die Machthaber der Sowjetzone schätzen also die politische Zuverlässigkeit der Arbeiter im Sinne der SED nur gering ein und rechnen – nicht zuletzt auf Grund ihrer Erfahrung am 17. Juni 1953 – hier also zuerst mit inneren Unruhen.

Die 17 Bereitschaften[2] bestehen jeweils aus:

– 2 Motorisierten Kompanien,
– 1 Schützenpanzerwagenkompanie,
– 1 Ausbildungskompanie,
– 1 Nachrichtenzug,
– 1 Pionierzug,
– 1 Panzerabwehrzug,
– 1 Aufklärungszug,
– 1 Versorgungszug.

Die Einheiten sind mit leichten und mittleren Infanteriewaffen ausgerüstet. Die wenigen mittleren Infanteriewaffen (je Bereitschaft 2 x 45-mm-Pak, 2 x 76-mm-Pak/Feldkanone) sind jedoch als veraltet anzusehen. Die Uni-form[3] der BP ist graugrün, wie die der allgemeinen Volkspolizei.

2 Siehe Grafik auf Seite 78

3 Siehe Bild 115 – Tafel mit den Uniformen der NVA und der übrigen bewaffneten Kräfte

Bereitschaft der Bereitschaftspolizei

Personalstärke: ca. 750 Mann

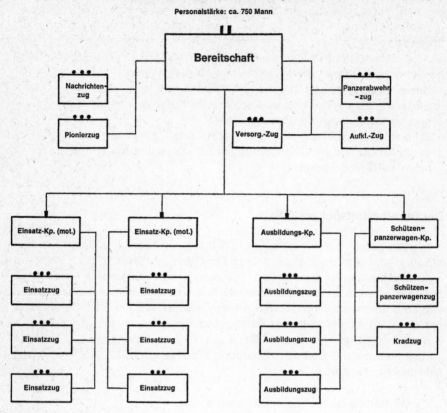

Seitens der SED wird besonderer Wert auf die politische Zuverlässigkeit der BP gelegt, um die Bereitschaften als zuverlässiges Instrument im Falle innerer Unruhen beim Einsatz gegen die eigene Bevölkerung fest in der Hand zu haben.

Die Deutsche Volkspolizei (DVP)

Chef der Deutschen Volkspolizei ist der Stellvertreter des Ministers des Innern für die bewaffneten Organe des MdI, Generalleutnant Willi Seifert. Oberste Behörde ist die *Hauptverwaltung Deutsche Volkspolizei (HVDVP)*, an deren Spitze Generalmajor Hans-Hugo Winkelmann steht.

In der HVDVP sind Hauptabteilungen für die verschiedenen Aufgabenbereiche der DVP zusammengefaßt. Die in militärischer Hinsicht wichtigste ist die *Hauptabteilung Transportpolizei* mit Oberst Hans Beiermann als Leiter. Ihr unterstehen in den sogenannten *Volkspolizeiabschnitten der Transportpolizei* (VPA-T), die sich jeweils mit den Zuständigkeitsbereichen der *Reichsbahndirektionsbezirke* Berlin (Ost), Cottbus, Dresden, Erfurt, Halle, Magdeburg, Pasewalk und Schwerin decken, sogenannte *Einsatzkompanien.* Ihr Aufgabengebiet umfaßt den Schutz aller Bahnanlagen und Transporte.

Die Kompanien haben eine Stärke von je 150 Mann und sind mit Pistolen, Karabinern, Maschinenpistolen sowie leichten und schweren Maschinengewehren ausgerüstet. Ihre Uniform ist dunkelblau[4].

Der HVDVP sind folgende Kommandobehörden nachgeordnet:
- Die 14 *Bezirksbehörden der Deutschen Volkspolizei (BDVP),*
- die *BDVP (BS)* in Sigmar-Schönau (Betriebsschutz der Wismut-AG),
- das *Präsidium der Deutschen Volkspolizei Berlin* (Ost) mit 8 *Volkspolizei-Inspektionen* und 1 *Wasserschutzinspektion* (Wahrnehmung des Kontrolldienstes an den Sektorengrenzen und -übergängen).

Der Luftschutz (LS)

Das *Kommando Luftschutz* im MdJ, unter Leitung von Oberst Hans Börner, gliedert sich, entsprechend den verschiedenen Luftschutzdiensten, in 7 *Abteilungen* (Brandschutz, Nachrichtenverbindung und -übermittlung, Warnung und Alarmierung der Bevölkerung, medizinische Betreuung von Menschen und Tieren, Versorgung der Bevölkerung, Bergungs- und Instandsetzungsarbeiten, Beseitigung von Schäden an der Strom-, Gas und Wasserversorgung).

Dem Kommando LS unterstehen sowohl die *LS-Dienststellen* – einschließlich Katastrophenschutz – in den einzelnen Bezirken als auch der gesamte *zivile Luftschutz.*

Die Verantwortung für die organisatorische Vorbereitung und die Durchführung des Luftschutzes der zivilen Bevölkerung in den Bezirken, Kreisen, Städten, Stadtbezirken und Gemeinden tragen die *örtlichen Organe der Staatsmacht.* Die *Vorsitzenden der örtlichen Räte,* das heißt die Beauftragten der Regierung in den Bezirken und Kreisen, sind die Leiter des Luftschutzes für ihr Territorium. Zur Durchführung und Koordinierung der Aufgaben des Luftschutzes sind bei den Leitern *LS-Stäbe,* aus haupt- und nebenamtlichen Funktionären, gebildet.

Das wichtigste Instrument der örtlichen Organe „zur Aufklärung und An-

4 Siehe Bild 115 – Tafel mit den Uniformen der NVA und der übrigen bewaffneten Kräfte

leitung der Bevölkerung in den wirksamsten Methoden des Luftschutzes"[5] ist die *Organisation freiwilliger Luftschutzhelfer.* Sie nimmt Mitglieder beiderlei Geschlechts bereits mit der Vollendung des 14. Lebensjahres auf und untersteht der Dienstaufsicht des MdI und der nachgeordneten Volks-polizeibehörden. Sie soll keine *Massenorganisation* sein, vielmehr soll sie sich auf die Ausschüsse der *Nationalen Front* und die bestehenden Massen-organisationen wie den *Freien Deutschen Gewerkschaftsbund (FDGB)*, die *Freie Deutsche Jugend (FDJ)*, den *Demokratischen Frauenbund Deutsch-lands (DFD)* stützen. Sie soll mit dem *Deutschen Roten Kreuz*, der *Gesell-schaft für Sport und Technik (GST)*, der *Gesellschaft zur Förderung und Verbreitung wissenschaftlicher Kenntnisse* und den *Freiwilligen Feuerwehren* eng zusammenarbeiten.

Die verschiedenen Luftschutzdienste sind jeweils dem Abteilungsleiter einer entsprechenden bereits vorhandenen kommunalen Dienststelle unter-geordnet; z. B. der *LS-Bergungs- und Instandsetzungsdienst* der *Abteilung Aufbau* beim *Rat des Stadtbezirks*, der *LS-Versorgungsdienst* der *Abteilung Handel und Versorgung*, der *LS-Nachrichtendienst* der *Deutschen Post*, der *LS-Transportdienst* dem *Volkseigenen Betrieb Städtischer Kraftverkehr.*

Der Luftschutz ist in der Sowjetzone ein Teil der Gesamtverteidigungs-maßnahmen des kommunistischen Regimes. Bezeichnenderweise wurde bei der Begründung des Luftschutzgesetzes der Schutz der „Gesamtbevöl-kerung" erst nach der „Verteidigung des Territoriums und der sozialistischen Errungenschaften"[6] genannt. Bei der Ausbildung der LS-Funktionäre spielen auch die militärische Ausbildung und vor allem die politische Schulung eine wichtige Rolle. Beispielsweise sind in einem Halbjahreslehrgang für haupt-amtliche LS-Funktionäre von 800–850 Stunden 214 für die militärische Aus-bildung und 162 für die politische Schulung vorgesehen.

Die bewaffneten Kräfte des Ministeriums für Staatssicherheit (MfS)

Namentlich in der Zeit der Aufstellung der bewaffneten Verbände der Sowjetzone hatte das MfS, entsprechend dem sowjetischen Vorbild und seiner Stellung im Regierungsapparat, auch in dieser Hinsicht wichtige Auf-gaben zu erfüllen. Seitdem im Februar 1957 das MfS die Bereitschaftspolizei, die Grenzpolizei und die Transportpolizei an das MdI abgegeben hat, ver-fügt das MfS an bewaffneten Kräften nur noch über das *Wachregiment MfS.*

Das Wachregiment, dessen Gesamtstärke Ende 1963 4000 Mann betrug, wurde aufgestellt, um Regierungsobjekte und -funktionäre zu schützen.

5 *Verordnung über die Bildung der Organisation freiwilliger Luftschutzhelfer,* „Ge-setzblatt der DDR", Teil I, Nr. 12, 20. 2. 1958, Seite 124

6 *Staatssekretär Grünstein erläuterte Gesetzesvorlage über den Luftschutz in der DDR,* „Neues Deutschland", Berlin-Ost, 10. 1. 1958

Wachregiment des Ministeriums für Staatssicherheit

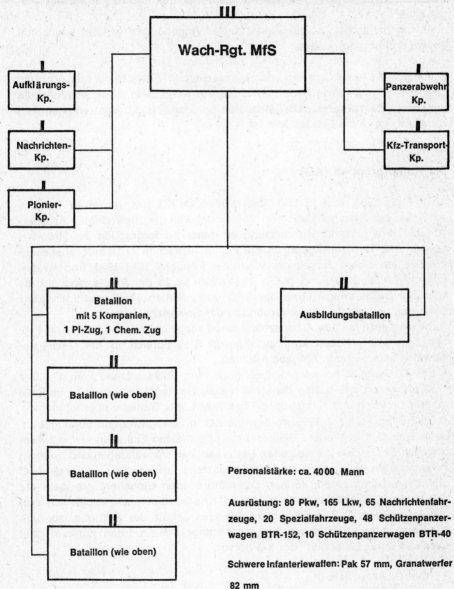

Wach-Rgt. MfS

Aufklärungs-Kp.

Nachrichten-Kp.

Pionier-Kp.

Panzerabwehr Kp.

Kfz-Transport-Kp.

Bataillon
mit 5 Kompanien,
1 Pi-Zug, 1 Chem. Zug

Bataillon (wie oben)

Bataillon (wie oben)

Bataillon (wie oben)

Ausbildungsbataillon

Personalstärke: ca. 4000 Mann

Ausrüstung: 80 Pkw, 165 Lkw, 65 Nachrichtenfahrzeuge, 20 Spezialfahrzeuge, 48 Schützenpanzerwagen BTR-152, 10 Schützenpanzerwagen BTR-40

Schwere Infanteriewaffen: Pak 57 mm, Granatwerfer 82 mm

Es ist in 4 Einsatzbataillone und 1 Ausbildungsbataillon gegliedert[7]. Ausbildung und Ausrüstung entsprechen denen der Bereitschaftspolizei. Die Bataillone sind jedoch zusätzlich mit moderner Pak und Granatwerfern ausgerüstet.

An die politische Zuverlässigkeit seiner Angehörigen werden besonders hohe Forderungen gestellt.

Von den weiteren Organen des Staatssicherheitsdienstes sei hier noch die dem MfS angegliederte *Hauptverwaltung für Aufklärung (HVA)* erwähnt, die der wichtigste Träger der sowjetzonalen Spionage- und Zersetzungstätigkeit vor allem gegen die Bundeswehr ist.

Die Kampfgruppen (KG)

Die Mitte 1963 rund 350 000 Mann zählenden KG entsprechen in der Idee scheinbar der alten marxistischen Vorstellung von der „bewaffneten Arbeiterklasse". Ihre offizielle Bezeichnung ist daher *Kampfgruppen der Arbeiterklasse.* Ihre Tradition knüpft an die kommunistischen Aufstände, insbesondere in den ersten Jahren der Weimarer Republik 1918–1923, und an den *Roten Frontkämpfer-Bund (RFB)* 1924–1933 an. In der Praxis sind sie die spezielle Bürgerkriegstruppe der SED und nehmen einen wichtigen Platz unter den paramilitärischen Verbänden der Sowjetzone ein.

Sie sind auch mit den *Arbeiterbataillonen* vergleichbar, die im Februar 1948 bei dem erfolgreichen kommunistischen Staatsstreich in der Tschechoslowakei eine wichtige Aufgabe erfüllten.

Die KG wurden im wesentlichen nach dem Volksaufstand vom 17. Juni 1953 entwickelt und sollten zunächst nur als *Betriebskampfgruppen* im Falle innerer Unruhen und Katastrophen den Schutz der Betriebe übernehmen.

Bereits im Frühjahr 1955 wurden die KG in bewegliche und objektgebundene Einheiten gegliedert. Während die allgemeinen Einheiten fest mit ihrer örtlichen Basis, den *Volkseigenen Betrieben,* den Verwaltungen und anderen Arbeitsstätten, verbunden sind und höchstens auf Kreisebene ausgebildet und eingesetzt werden, können die motorisierten Einheiten, die auch die Bezeichnung *Bezirksreserve* tragen, in Krisenzeiten auch überörtlich eingesetzt werden. Daß die KG nicht nur zum Schutz der Betriebe, sondern allgemein zum militärischen Einsatz herangezogen werden können, geht auch aus dem „Gelöbnis"[8] der KG hervor.

---

7 Siehe Grafik auf Seite 81

8 „Ich bin bereit, als Kämpfer der Arbeiterklasse die Weisungen der Partei zu erfüllen, die Deutsche Demokratische Republik, ihre sozialistischen Errungenschaften jederzeit mit der Waffe in der Hand zu schützen und mein Leben für sie einzusetzen. Das gelobe ich." – „Der Kämpfer, Organ der Kampfgruppen der Arbeiterklasse", herausgegeben vom ZK der SED, Berlin-Ost, Juni 1959

Die KG unterstehen, entsprechend dem Beschluß des *Politbüros des Zentralkomitees (ZK)* der SED vom 31. 5. 1955, dem ZK, dessen 1. Sekretär Ulbricht ist. Zuständig für die KG (ebenso wie für alle anderen bewaffneten Kräfte) ist die *Kommission für Nationale Sicherheit* des Politbüros des ZK, die von dem Altkommunisten Erich Honecker[9] geleitet wird.

In den Einzelheiten ist die *Abteilung Sicherheit* des ZK zuständig, an deren Spitze Generalmajor Walter Borning steht. Von hier aus wird über die Bezirks- und Kreisleitungen der SED entscheidender Einfluß auf die KG in bezug auf Ausrichtung und insbesondere auf die Auswahl der „Kader" genommen.

Für die militärische Ausbildung, Ausrüstung und den Einsatz der KG ist das MdI zuständig, in dem es eine *Abteilung Kampfgruppen,* unter Leitung von Oberst Mellmann, gibt.

Die *1. Parteisekretäre* sind auf Bezirks- und Kreisebene Vorsitzende der sogenannten *Einsatzleitung,* der auch die Kommandeure oder Beauftragten aller in dem Bezirk oder Kreis stationierten militärischen und paramilitärischen Verbände angehören. Die 1. Parteisekretäre sind auf jeden Fall auch Vorgesetzte der KG.

Die Kommandeure der KG werden von der Parteiorganisation des jeweiligen „Trägerbetriebes" bestimmt. Sie bedürfen der Bestätigung der SED-Bezirks- bzw. -Kreisleitung, der sie regelmäßig Rechenschaft auch über den Stand der militärischen Ausbildung zu geben haben. Einsatzbefehle können die Kommandeure nur in Übereinstimmung mit den zuständigen Parteileitungen geben.

Anfänglich durften nur SED-Mitglieder den KG beitreten. Da aus den eigenen Reihen jedoch nicht genügend Nachwuchs zu erhalten war, ging die Partei 1954 dazu über, auch Nichtparteimitglieder, die dann bei Bewährung ebenfalls zu SED-Mitgliedern avancierten, aufzunehmen. Der Beitritt zu den KG ist „freiwillig". Wie überall übt die SED, wo sie es für richtig hält, jedoch einen starken Zwang aus (wer sich weigert, KG-Mitglied zu werden, verliert seinen Arbeitsplatz).

Den KG sollen Männer im Alter von 25–60 Jahren angehören (die jüngeren werden, soweit sie nicht ihre Dienstpflicht in der NVA oder den anderen bewaffneten Verbänden ableisten, von der vormilitärischen *Gesellschaft für Sport und Technik* erfaßt). Die über 55jährigen bilden eine Reserve, die nur innerhalb des Betriebes eingesetzt werden soll.

Die personelle Basis der KG ist der Betrieb, wo die einzelnen *Kämpfer,* wie die KG-Angehörigen genannt werden, von der Partei erfaßt und kontrolliert werden. Die militärische Gliederung der KG entspricht dort dem Betriebsschema, wo ein Betrieb groß genug ist, eine selbständige KG-Einheit zu bilden. Kleinere Betriebe bilden zusammen mit anderen Betrieben KG-Einheiten.

9 Siehe Anhang I, Biographische Notizen

Die Grundeinheit ist die *Hundertschaft*. Sie ist in 3 Züge von je 3 Gruppen gegliedert. Der *Kommandeur der Hundertschaft* hat 2 Stellvertreter: 1 *Stellvertreter für Politische Arbeit* (Politstellvertreter) und 1 *Stellvertreter für Allgemeines*. Zu seiner weiteren Unterstützung hat er 1 *Innendienstleiter für Versorgungsfragen* und 1 *leitenden Sanitäter* (Sanitäterin). Bei der Ausbildung steht dem Kommandeur 1 *Inspekteur der Volkspolizei* (Angehöriger des VPKA) zur Seite.

Im weiteren hat die Hundertschaft 3 *Zugführer*, 3 *Stellvertretende Zugführer*, 9 *Gruppenführer*, 81 *Kämpfer* sowie je Zug 1 *Sanitäter* (Sanitäterin).

Je 3 oder 4 Hundertschaften werden zu einem *KG-Bataillon* zusammengefaßt. Bei den KG-Bataillonen der *Bezirksreserve (BR)*, den sogenannten Schweren oder Mot. Bataillonen, sind alle Hundertschaften voll motorisiert, dazu ist eine Hundertschaft eine Schwere Hundertschaft.

Die KG sind mit leichten und mittleren Infanteriewaffen, Fahrzeugen und technischem Gerät, das der Aufklärung, der Herstellung von einfachen Nachrichtenverbindungen und der Durchführung leichter Pionierarbeiten dient, ausgerüstet. Für den Schutz gegen ABC-Waffen sind einfache persönliche Mittel vorgesehen.

Zur Grundbewaffnung für die „steingrau" uniformierten Kämpfer[10] gehören der Karabiner und – für Hundertschafts- und Zugführer – die Pistole. Ferner sind teilweise vorhanden: Maschinenpistolen; Sturmgewehre; Handgranaten; Nebelhandgranaten sowie leichte Maschinengewehre.

Die Schweren KG-Bataillone sind motorisiert; die Motorisierung besteht aus Lastkraftwagen, die von den betreffenden Betrieben oder den örtlich zuständigen Transportverkehrsbetrieben (VEB) von Fall zu Fall gestellt werden. Die Schweren KG-Bataillone verfügen außerdem z. T. über schwere Maschinengewehre, leichte und mittlere Granatwerfer, Panzerbüchsen und Pak sowie vereinzelt Fla-MG. Hin und wieder sind KG-Einheiten auch mit Panzerspähwagen und Schützenpanzerwagen – alten Typen – ausgerüstet.

Die Grundausbildung der KG erfolgt in 132 Ausbildungsstunden, in 33 Ausbildungswochen. Sie muß – ebenso wie alle anderen Dienste der KG – außerhalb der Betriebsarbeitszeit, d. h. am Feierabend und am Wochenende, abgeleistet werden.

Erstmalig in größerem Maße eingesetzt wurden die KG bei der Abriegelung Ost-Berlins im August 1961 (die 8000 Mann der KG bildeten etwa 20 % aller eingesetzten bewaffneten Verbände). Neben Ost-Berliner KG-Bataillonen wurden auch KG-Einheiten aus Thüringen und Sachsen herangezogen. Die Kampfgruppen zeichneten sich – selbst im Vergleich mit anderen bewaffneten Verbänden – durch einen besonderen Fanatismus aus, wobei aller-

---

10 Siehe Bild 115 – Tafel mit den Uniformen der NVA und der übrigen bewaffneten Kräfte

dings betont werden muß, daß nur absolut zuverlässige Einheiten eingesetzt wurden.

Ein weiterer größerer Einsatz galt, ebenfalls im Spätsommer 1961, der verstärkten Sicherung der Zonengrenze, wobei die Kämpfer den Soldaten des Kommandos Grenze der NVA vielfach als Vorbild hingestellt wurden.

Wenn auch die Fluktuation innerhalb der KG groß und die Antrittsstärken normalerweise nur gering sind (bei den normalen KG-Einheiten sind Antrittsstärken von 40% keine Seltenheit), so sind einige Einheiten, insbesondere die Mot. KG-Bataillone, ein durchaus ernstzunehmender Faktor.

Sie sind besonders gut geeignet, Unruhen in der Bevölkerung und vor allem unter der Arbeiterschaft der Sowjetzone schon im Entstehen zu unterdrücken.

Zusammen mit Sicherheitstruppen, Polizei- und militärischen Verbänden sind sie auch in der Lage, größere Aufstände niederzuschlagen.

Im Kriege können die KG im Rahmen regulärer militärischer Verbände Sicherungs- und Säuberungsaufgaben im Hinterland übernehmen.

Waffenausstattung und Gliederung erlauben jedoch auch die Lösung selbständiger Kampfaufgaben, so z. B. zur Bekämpfung kleiner Feindgruppen, die sich im Hinterland festgesetzt haben.

Ausbildung und ideologische Erziehung sollen die KG auch befähigen, in kriegsbesetzten Gebieten Westdeutschlands und Westeuropas Belegschaften von Versorgungs- und Industriebetrieben zur Fortsetzung ihrer Arbeit zu zwingen.

In Spannungszeiten und im Kriege sind die KG ein Kampfinstrument, das sowohl nach militärischen Regeln als auch mit unkonventionellen Methoden des Guerillakrieges kämpfen kann. Hier liegt der besondere Wert der KG.

Die Gesellschaft für Sport und Technik (GST)

Nachdem sich die Sowjetunion in der Note vom 10. März 1952 an die Westmächte für das Zugeständnis „eigener nationaler Streitkräfte in Deutschland" ausgesprochen hatte und darauf die Aufrüstung der Sowjetzone in aller Offenheit betrieben wurde, leitete die SED auch die vormilitärische Ausbildung ein. Insbesondere wurde nun auch die Jugendorganisation der Sowjetzone, die *Freie Deutsche Jugend (FDJ)*, die bis dahin nach außen vielfach pazifistisch propagierte, zur Übung im Waffenhandwerk angehalten. In den im Mai 1955 beschlossenen FDJ-Statuten wurden alle FDJ-Mitglieder zur „Bereitschaft zur Verteidigung des Friedens und der Heimat" verpflichtet.

Mit der vormilitärischen Ausbildung der Jugendlichen beiderlei Geschlechts vom 14. bis zum 25. Lebensjahr wurde die *Gesellschaft für Sport und Technik* beauftragt, die durch eine Regierungsverordnung im August 1952 mit dem Charakter einer Körperschaft des öffentlichen Rechts gegründet wurde. Ihr

Vorbild ist die sowjetische *DOSAAF* („Freiwillige Gesellschaft für die Unterstützung der Armee, der Luftwaffe und der Flotte"), die mehrere Millionen Mitglieder hat.

Zunächst war das Ministerium des Innern, bei dem ursprünglich im wesentlichen die Verantwortung für die Aufstellung der militärischen Verbände lag, für die GST zuständig. Nach der Bildung des Ministeriums für Nationale Verteidigung im Januar 1956 wurde die Ausbildung der GST jedoch ausschließlich von diesem Ministerium geleitet, das auch für die Genehmigung der Finanzpläne der GST verantwortlich ist. Da die Beiträge der Mitglieder der GST für die Erfüllung der vielfachen Aufgaben nicht ausreichen, leistet das Ministerium jährlich Zuschüsse, die zwischen 25 und 35 Millionen Mark liegen.

Die GST, die im Herbst 1963 nominell rund 450 000 Mitglieder hatte, von denen etwa 70% sich aktiv betätigen, gliedert sich in einen *Zentralvorstand* und 14 *Bezirksverbände,* entsprechend den Verwaltungsbezirken der Sowjetzone.

Der Zentralvorstand ist für die Durchführung der Beschlüsse des *Kongresses,* des obersten Organs der GST, der in der Regel alle 4 Jahre einmal zusammentreten soll, verantwortlich. Der Zentralvorstand bildet aus seinen Reihen das *Sekretariat,* an dessen Spitze, als Leiter der GST, der *1. Sekretär* steht. 1. Sekretär ist der Altkommunist Oberst Kurt Lohberger[11]. In der Zeit des Aufbaus, vom Januar 1955 bis März 1963, war der Altkommunist General Richard Staimer[12] 1. Sekretär. Sitz des Zentralvorstandes ist Neuenhagen bei Berlin.

Innerhalb der Bezirksverbände gliedert sich die GST in *Kreisverbände,* die sich ihrerseits in *Grundorganisationen* gliedern. Diese werden in den *Volkseigenen Betrieben (VEB), Landwirtschaftlichen Produktionsgenossenschaften (LPG),* in Schulen oder auch nach Wohnbezirken gebildet.

Innerhalb der Grundorganisationen wird die Ausbildung – offiziell als „vormilitärische Ausbildung" bezeichnet – betrieben. Sie ist in 6 „Sportarten" gegliedert:

– Schieß- und Geländesport,
– Flugsport (Segel- und Motorflug, Fallschirmspringen),
– Auto- und Motorradsport,
– Seesport (Navigation, Fernmeldewesen, Tauchen usw.),
– Nachrichtensport (Funk- und Fernsprechausbildung),
– Tiersport (Pferde, Hunde, Brieftauben).

Inzwischen schieden die „Tiersportarten und anderen Sportarten sowie die Jagdgemeinschaften aus der GST aus. Dadurch war es möglich, daß wir uns

11–12 Siehe Anhang I, Biographische Notizen

zielstrebiger unserer Hauptaufgabe, der sozialistischen Wehrerziehung, zuwenden konnten."[13]

Mit der Durchführung und Überwachung der Ausbildung sind neben Reservisten auch aktive Offiziere und Unteroffiziere der NVA betraut. Mit Ausnahme der *Sektion Tiersport* sind allen Ausbildungssektionen jeweils militärische Berater beigegeben.

Die sogenannte *allgemeine Ausbildung* ist Pflicht jedes Mitglieds der GST. Sie umfaßt Geländesport, Waffenausbildung, Topographie, Ordnungsübungen, Atomschutz, Sanitätsdienst. Nach der Absolvierung von 80 Ausbildungsstunden kann sich das GST-Mitglied einer oder mehreren Sportarten widmen, wobei die rein militärischen Ausbildungszweige im Vordergrund stehen müssen. Die Schießausbildung (Karabiner, Maschinenpistole, leichtes Maschinengewehr) bleibt während der Gesamtzeit der Zugehörigkeit zur GST Pflichtsport. Besonders intensiv wird auch das Fallschirmspringen geübt.

Die GST besitzt eine Flugsport-, eine Segelflug-, eine Seesport- und eine Nachrichtenschule.

Es handelt sich bei der GST mithin niemals um eine Organisation, in der Mitglieder ihren sportlichen Interessen zum eigenen Vergnügen nachgehen können, sondern um eine echt vormilitärische Ausbildung mit dem Ziel, die Grundausbildung in den Streitkräften zu verkürzen und bereits Voraussetzungen für die militärische Spezialausbildung zu schaffen. Mag auch – wie bei allem, was die Machthaber der Zone anordnen – der Aufwand, nämlich an Freizeit der Mitglieder, größer sein als der sachliche Nutzen, so bleibt doch genug übrig, was die GST zu einer wertvollen Hilfsorganisation der Streitkräfte macht.

Neben der GST hat die FDJ auch selbst verschiedentlich eine vormilitärische Ausbildung betrieben. Das gilt insbesondere für die 1959 entstandenen *Ordnungsgruppen der FDJ,* die seit August 1961, im Zusammenhang mit einer an Kriegshysterie grenzenden psychologischen Mobilmachung, stark erweitert wurden. Sie erfüllen nicht nur politische und jugendpolizeiliche Aufgaben, sondern stellten zum Teil bewaffnete Einsatzgruppen, Hundertschaften, auf, in denen Jungen, die nicht von der GST erfaßt wurden, vormilitärisch ausgebildet werden. Für Mädchen organisieren die Ordnungsgruppen der FDJ eine Ausbildung als Funker, Fernschreiber usw. Insgesamt sollen die Ordnungsgruppen 40 000 Mitglieder haben.

---

13 Artur Dorf, Stellvertretender Vorsitzender des Zentralvorstandes der GST, *Alle sind zur Mitarbeit aufgerufen,* „Sport und Technik", Organ des Zentralvorstandes der GST, Ost-Berlin, April 1964

Zusammenfassung

Die zahlreichen nebenmilitärischen und militärähnlichen Organisationen, die die Sowjetzonenmachthaber außer der eigentlichen Armee der NVA geschaffen haben und über die sie in wachsendem Maße verfügen können, zeigen deutlich die totale Militarisierung der Bevölkerung in einem kommunistischen Staat. Auch schon vor der Einführung der allgemeinen Wehrpflicht im Januar 1962 waren die gesamte männliche Bevölkerung, soweit sie tauglich war und die SED es für nützlich hielt, und die weibliche Bevölkerung zwischen dem 15. und 25. Lebensjahr, soweit sie interessiert werden konnte, in der einen oder anderen Form erfaßt. Diese Ausschöpfung des militärischen Potentials der Bevölkerung bereits im Frieden hat sich seit der Einführung der allgemeinen Wehrpflicht noch verstärkt.

Die im gesamten kommunistischen Staatswesen immanente Zentralisierung, wie sie durch die Parteiherrschaft bedingt ist, kommt auch im militärischen Apparat zum Ausdruck. Diese Zentralisierung wird – wie an anderer Stelle[14] ausgeführt wird – durch den bestimmenden Einfluß der Partei auf allen Führungsebenen erreicht. Dadurch wird eine Verselbständigung des riesigen Militärapparates, der leicht zu einer Gefahr für die herrschende Parteigruppe und schließlich zu einer Machtübernahme im Staat durch die oberste Militärgruppe führen könnte, verhindert. Da die herrschende Parteigruppe zudem den von ihr geführten Militärapparat auf verschiedene Organisationen aufgeteilt hat, können bei eventueller politischer Unzuverlässigkeit der einen Organisation andere Verbände, wie die politisch besonders ausgesuchten Truppen des Innenministeriums, die bedrohte Herrschaft der Partei wieder herstellen und festigen. Auch die KG, die immer mehr zu einer schnell mobilisierbaren Parteimiliz werden, mit der die SED jede Unruhe, vor allem unter der Arbeiterschaft, jeden Streik, bereits im Keime ersticken kann, müssen in diesem Sinne verstanden werden.

Weil Polizei, Luftschutz und Kampfgruppen Aufgaben wahrnehmen, die unmittelbar in das Leben eines jeden Bürgers eingreifen, hat die SED auf diese Weise nicht nur eine zusätzliche Kontrolle, sondern auch eine weitere Einflußmöglichkeit.

Das kommt besonders bei den Kampfgruppen zum Ausdruck. Der in die Reserve entlassene ausgebildete Soldat muß seine Dienstleistung in den KG fortsetzen. Die Einsatzfähigkeit bei diesem Dienst hat Einfluß auf seinen Arbeitsplatz. Sein berufliches Fortkommen hängt weitgehend auch von der intensiven zusätzlichen militärischen Dienstleistung in den KG ab, wobei sich die zuständige Betriebsparteileitung die Entscheidung über jeden einzelnen vorbehält.

---

14 Siehe 5. Kapitel, Die politische Organisation in der NVA

Bild 27 — Eine Kampfgruppeneinheit in der Absperrungskette vor dem Brandenburger Tor am 13. August 1961.

Bild 28 — „Kämpfer" üben — unter Anleitung von VP-Offizieren — das Vorgehen im Schutz eines Panzerwagens.

Bild 29 — Kampfgruppen üben das Übersetzen im Schlauchboot.

Bild 30 — Kampfgruppen zur Unterstützung der Grenztruppen im Einsatz an der Zonengrenze im Herbst 1961.

Bild 31 — Bereitschaftspolizei (Unterführer) — Bild 32 — Volkspol. mit Wintertarnmantel

Bild 33 — Volkspolizei-Betriebsschutz — Bild 34 — Volkspolizist (mit Tschako) und Grenzsoldaten bergen den erschossenen Flüchtling Fechter aus dem Stacheldraht.

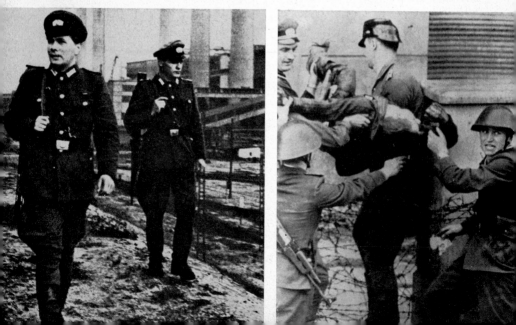

Bild 35 — Angehörige einer Luftschutzspezialeinheit bei der chem. und radiologischen Aufklärung.

Bild 36 — Gen.-Lt. Dickel war, vor seiner Ernennung zum Minister des Innern im Nov. 1963, lange Jahre Stellvertreter des Verteidigungsministers.

Bild 37 — 1962 wurden die dem Innenministerium unterstehenden Grenzbrigaden 1 und 2, „Ring um Berlin", dem NVA-Stadtkommandanten Gen.-Maj. Poppe (rechts) unterstellt. Mitte: Gen.-Lt. Seifert, Stellvertr. des Innenministers für die bewaffneten Organe des MdI. Links: Ein Offizier der 2. Gr.-Brig. wird zu einer Auszeichnung beglückwünscht.

Bild 38 — Angehörige der Sektion „Motorsport" der Gesellschaft für Sport und Technik

Bild 39 — Fallschirmspringer der GST — 40. Fallschirmsprung von einem Turm der GST

In abgeschwächtem Maße, vor allem auf den Schulen und Universitäten, gilt das auch für die Gesellschaft für Sport und Technik. Neben ihrer Aufgabe, die Jugend vormilitärisch auszubilden und damit Zeit und Ausbildungspersonal in den Streitkräften zu sparen, hat die GST noch die Funktion, frühzeitig die Kontrolle über die Einsatzwilligkeit jedes jungen Staatsbürgers auszuüben. (Da die SED in allen ihren Organisationen die führenden Positionen ohne Rücksicht auf Laufbahn und Dienstzeit besetzt, hat sie es jederzeit in der Hand, politisch unzuverlässig erscheinende Elemente gegen überzeugte Kommunisten auszuwechseln.) Auch indirekt üben so diese nebenmilitärischen und militärähnlichen Verbände eine Kontrolltätigkeit im Sinne der Sicherung des Systems aus, die derjenigen der zivilen Parteiorganisationen an Wirkung in nichts nachsteht.

5. KAPITEL

Die politische Organisni natoi der NVA

In der Sowjetzone hat die SED ihren Anspruch, die totale Macht auszuüben, verwirklicht. Die SED ist Staatspartei und der Staat ein Instrument der
Partei. Die Führung der SED, das *Zentralkomitee (ZK)*, bearbeitet alle Gesetze, Verordnungen und Beschlüsse, ehe sie als „Vorlagen" an die „gesetz-
gebende Körperschaft", d. h. an die *Volkskammer,* oder den *Ministerrat*
gehen. Aus dieser totalen Machtausübung ergibt sich, daß auch die Streitkräfte ein Werkzeug des Partei-Regimes sind. Deutlich wird dies in dem
letzten *Programm der SED[1]*, beschlossen im Januar 1963, festgestellt. Dort
heißt es:

> Die wichtigste Quelle der Stärke unserer Armee ist ihre Führung durch die
> Partei der Arbeiterklasse. Die Partei wirkt darauf hin, daß alle Angehörigen
> der bewaffneten Kräfte klassenbewußte sozialistische Kämpfer werden, die im
> Geiste enger Waffenbrüderschaft mit der Sowjetarmee und anderen Armeen
> des sozialistischen Lagers bereit sind, alle ihre Kräfte und das Leben zum
> Schutz des Volkes und seines sozialistischen Eigentums einzusetzen.

Die Sicherung der Loyalität des militärischen Apparates gegenüber der
Partei und ihrem Staat ist dabei von entscheidender Bedeutung. Daß an der
Spitze des im Februar 1960 gebildeten *Nationalen Verteidigungsrates,* der
die „einheitliche Leitung" der militärischen Verbände der Sowjetzone zu
gewährleisten hat, wiederum der *1. Sekretär des ZK der SED,* Walter Ulbricht,
steht, ist nur konsequent. So wie es auch konsequent ist, daß das ZK den
gesamten politischen Apparat der Streitkräfte beherrscht. Kein Offizier kann

---

1 *Programm der SED, zweiter Teil, IV. Die Aufgaben der Sozialistischen Einheitspartei Deutschlands bei der Entwicklung des deutschen Arbeiter-und-Bauern-
Staates.* Hier zitiert nach „Volksarmee", Beilage 15/1962, S. 20

ungestraft einen Befehl geben, der nicht direkt oder indirekt vom ZK kommt oder gebilligt wird. Niemand wird General, der nicht vom ZK bestätigt worden ist; kein Offizier wird befördert ohne die Zustimmung der zuständigen Parteidienststelle.

Im 121 Köpfe zählenden ZK sind nur 3 NVA-Angehörige: der Minister für Nationale Verteidigung, *Armeegeneral Heinz Hoffmann,* und 2 seiner Stellvertreter, *Generalleutnant Heinz Kessler* (Chef der Luftstreitkräfte und Luftverteidigung) und *Admiral Waldemar Verner* (Chef der Politischen Hauptverwaltung der NVA). Als frühere Inhaber militärischer Ränge wären hier noch zu nennen: der ehemalige Verteidigungsminister *Armeegeneral Willi Stoph* und der langjährige Chef der Politverwaltung der KVP/NVA *Generalmajor Rudolf Dölling* (jetzt Botschafter in Moskau). Angehörige der bewaffneten Kräfte im ZK sind weiter: der Minister für Staatssicherheit, *Generaloberst Erich Mielke,* und *Kampfgruppenkommandeur Rainer Knolle.* ZK-Mitglied *Karl Maron* war bis zu seiner Pensionierung als Minister des Innern im November 1963 ebenfalls *Generaloberst.*

Sie sind nicht etwa als Sprecher der bewaffneten Kräfte im ZK, sondern das ZK hat sie als seine Funktionäre in die bewaffneten Kräfte delegiert. Unter den 60 Kandidaten des ZK gibt es nur 3 mit einem militärischen Rang: *Generalmajor Bruno Beater* (Stellvertreter des Ministers für Staatssicherheit), *Generalmajor Hans Ernst* (Chef des Militärbezirks III der NVA) und *Oberstleutnant Hans-Joachim Marschner* (Chef der Artillerie in der 8. Mot. Schützendivision).

Da das *Plenum des ZK* im allgemeinen nur zweimal im Jahr tagt, ist das *Politbüro des ZK* das eigentliche politische Führungsgremium. Unter seinen 14 Mitgliedern befindet sich – abgesehen von dem früheren Armeegeneral Willi Stoph – überhaupt kein Offiziersfunktionär. Die laufende Arbeit des ZK leisten die 7 Sekretäre des ZK zusammen mit ihren 2500 Mitarbeitern. Ulbricht hat als 1. Sekretär des ZK und Mitglied des Politbüros alle fest in der Hand. Im Politbüro ist für die bewaffneten Kräfte die *Kommission für Nationale Sicherheit,* unter Vorsitz von Erich Honecker, zuständig. Die laufende Arbeit wird von der *Abteilung Sicherheit (S)* des ZK besorgt. Ihr Leiter ist Generalmajor Walter Borning, der Ulbricht unmittelbar dafür verantwortlich ist, daß die Weisungen des ZK an die Ministerien für Nationale Verteidigung, für Justiz, des Innern und für Staatssicherheit weitergegeben und befolgt werden. Als Unterabteilungsleiter für militärische Angelegenheiten in der Abteilung S fungiert Oberstleutnant Werner Mücke. Mücke hält engen Kontakt mit dem *Ministerium für Nationale Verteidigung.*

Die SED läßt es mit dieser engen Verbindung zwischen Politbüro, ZK und Ministerium für Nationale Verteidigung nicht genug sein; sie hat sich mit den *Politorganen* in der NVA einen umfangreichen Apparat geschaffen. Aber auch das reichte der SED nicht aus. Sie hat ferner eine eigene *Parteiorganisation* und eine *FDJ-Organisation* innerhalb der NVA aufgebaut. Somit wirkt die SED politisch ständig auf 3 Organisationswegen auf die Offiziere und Soldaten ein.

Die Politorgane in der NVA

Die *Politische Hauptverwaltung* (Polithauptverwaltung) als das oberste Politorgan der NVA hat eine umfassende Organisation aufgebaut, die vom Ministerium für Nationale Verteidigung bis zu den Kompanien und Batterien die gesamte NVA, einschließlich der NVA-Grenztruppen, in horizontaler und vertikaler Richtung durchzieht. Sie verfügt auch bis hinab zu den Kompanien über eigene Befehls- und Meldewege. Ihr Chef ist der Stellvertreter des Ministers für Nationale Verteidigung Admiral Waldemar Verner (vormals Generalmajor Dölling).

Die Polithauptverwaltung, die mit den Rechten einer *Abteilung des ZK der SED* im Ministerium für Nationale Verteidigung arbeitet, wird selbst vom ZK der SED kontrolliert.

Aufgabe der Polithauptverwaltung ist es, die gesamte politische Arbeit innerhalb der NVA zu leiten. Dazu gehören auf militärischem Gebiet die Koordinierung der politischen Zielsetzung in der NVA, die politische Schulung der NVA-Angehörigen und die Parteischulung der SED- und FDJ-Mitglieder, die Stärkung der Kampfmoral, die Überwachung der Einhaltung von Befehlen, die Mitwirkung in allen Personalangelegenheiten und die Führung der kaderpolitischen Personalakten.

Der Chef der Polithauptverwaltung hat nach den vom ZK der SED am 17. 6. 1958 bestätigten *Bestimmungen für die Arbeit der Politorgane der Nationalen Volksarmee* die Pflicht,

Bedenken, Unstimmigkeiten in der Befehlsgebung, Verletzungen der Parteibeschlüsse gegen die Gesetze der Arbeiter-und-Bauern-Macht durch Kommandeure sowie schwerwiegende Vorkommnisse sofort an das ZK zu melden.

In diesen Bestimmungen heißt es über die Aufgaben der Politorgane einleitend:

Die Politorgane sind leitende Organe der SED für die politische Arbeit in der NVA. Die politische Arbeit in der NVA wird auf der Grundlage des Marxismus-Leninismus, des Statuts der SED, der Beschlüsse der Parteitage, der Parteikonferenzen und des ZK der SED, der Beschlüsse der Regierung der DDR sowie der Befehle und Direktiven des Ministers für Nationale Verteidigung und der Politischen Verwaltung organisiert und durchgeführt.

Die Parteiorgane tragen gegenüber dem ZK und den übergeordneten Politorganen die Verantwortung für ihre Tätigkeit als leitende Parteiorgane. Die Leiter der Politabteilungen sind als leitende Funktionäre der Partei dem nächsthöheren Politorgan unterstellt. In ihrer Funktion als Stellvertreter für politische Arbeit unterstehen sie ihrem Kommandeur und sind ihm rechenschaftspflichtig. Disziplinar sind sie dem nächsthöheren Kommandeur unterstellt. Der Minister für Nationale Verteidigung bzw. die Kommandeure haben das Recht, der Politverwaltung bzw. den Politabteilungen Hinweise für die Inangriffnahme und die Lösung bestimmter Aufgaben zu geben und Informationen anzufordern.

Zur Erfüllung ihrer Aufgaben ist die Polithauptverwaltung in Abteilungen und Unterabteilungen gegliedert. Am wichtigsten und mit dem größten Aufgabenbereich versehen ist die Abteilung Propaganda und Agitation.

Zur Polithauptverwaltung gehören auch eine *Parteikontrollkommission (PKK)* und eine *Parteirevisionskommission (PRK)* in Stärke von jeweils 11 bis 13 Mitgliedern. Sie werden vom Chef der Polithauptverwaltung berufen, müssen aber von der *Zentralen Parteikontrollkommission (ZPKK)* und der *Zentralen Parteirevisionskommission (ZPRK)* des ZK bestätigt werden. Die bestätigten Mitglieder beider Kommissionen wählen aus ihrer Mitte in offener Abstimmung je einen Vorsitzenden und einen Stellvertreter.

Der Leiter der Parteikontrollkommission untersteht zwar dem Chef der Polithauptverwaltung, hat jedoch unmittelbare Verbindung zur ZPKK beim ZK der SED; er arbeitet auch eng mit dem Beauftragten des Staatssicherheitsdienstes zusammen.

Die Parteikontrollkommission ist zuständig für die
– Bearbeitung aller Parteiverfahren gegen Parteimitglieder in Kommandeurstellungen oder gleichen Dienststellungen sowie gegen Angehörige der Politorgane,
– Überwachung der nachgeordneten PKK,
– Überwachung der Einhaltung des Parteistatutes,
– Überwachung der Verwirklichung von Parteibeschlüssen,
– Einhaltung der Generallinie der Partei.

Eine Verbindungsstelle des *Ministeriums für Staatssicherheit,* die *Verwaltung 2000* im MfNV, überwacht die gesamte NVA, einschließlich der Polithauptverwaltung und ihrer Organe.

Die Polithauptverwaltung beschränkt sich in ihrer Tätigkeit nicht auf die NVA, sie unterhält auch zahlreiche Verbindungen zu anderen Staats- und Parteistellen.

Besonders interessant ist die *Selbständige Abteilung* des Ministeriums für Nationale Verteidigung, die ihre Anweisungen vom Chef der Polithauptverwaltung erhält. Ihre Aufgabe ist die Agitations- und Infiltrationsarbeit in die Bundesrepublik hinein. Ihr Ziel sind die Angehörigen der Bundeswehr, die wehrpflichtige Jugend, die „Weißen Jahrgänge" und die ehemaligen Soldaten und Offiziere, insbesondere die Mitglieder von Soldaten- und Traditionsverbänden. Langjähriger Leiter der Abteilung, die ihren Sitz in Berlin-Schöneweide hat, war Oberst Mrochen, ein Altkommunist, dessen Spezialgebiet schon in der Weimarer Republik die Zersetzung von Reichswehr und Polizei war. Sie ist bestrebt, Gegensätze in der nationalen und internationalen Politik der Bundesrepublik und der NATO für ihre Ziele auszunutzen, die Bundeswehr zu diskretieren und „Klassengegensätze" zwischen Offizieren, Unteroffizieren und Mannschaften zu konstruieren. Ein „Soldatensender" und eine speziell für die Angehörigen der Bundeswehr geschaffene Hetzzeitschrift „Die Kaserne" spielen bei dieser Aktivität eine wichtige Rolle.

Für ihre Arbeit in der NVA hat die Polithauptverwaltung einen Apparat bis hinunter zu den Kompanien zur Verfügung. Ihr unterstehen:
– Die *Politischen Verwaltungen* (Politverwaltungen) in den Militärbezirken, dem Kommando Grenze, dem Kommando Volksmarine und dem Kommando Luftstreitkräfte/Luftverteidigung;
– die *Politischen Abteilungen* (Politabteilungen) in den Divisionen und gleichrangigen Verbänden des Kommandos Grenze, der Volksmarine, der Luftstreitkräfte und Luftverteidigung;
– die *Stellvertreter des Regimentskommandeurs für Politische Arbeit* (Politstellvertreter) in den Regimentern und gleichgestellten Truppenteilen;
– die *Stellvertreter des Bataillonskommandeurs für Politische Arbeit* (Politstellvertreter) in den Bataillonen und gleichrangigen Einheiten;
– die *Stellvertreter des Kompaniechefs (Batteriechefs) für Politische Arbeit* (Politstellvertreter) in den selbständigen Kompanien der NVA, in allen Kompanien der NVA-Grenztruppen und in den entsprechenden Einheiten der Volksmarine und der Luftstreitkräfte/Luftverteidigung.

Die Politorgane werden nicht gewählt, sondern auf Vorschlag des Chefs der Polithauptverwaltung und der Leiter der Politverwaltungen der Militärbezirke, der Volksmarine, der Luftstreitkräfte und Luftverteidigung eingesetzt.

Die Leiter der Politverwaltungen der Militärbezirke und entsprechender Dienstbereiche sind zugleich *Stellvertreter* der Chefs der Militärbezirke bzw. der anderen Dienstbereiche *für Politarbeit*. Sie sind darüber hinaus automatisch die 1. Parteisekretäre der Leitungen der SED-Parteikreise in der NVA. Die Stellvertreter der Leiter der Politverwaltungen sind jeweils 2. Sekretäre der SED-Parteikreise in den jeweiligen Dienstbereichen.

Bei den Politverwaltungen bestehen jeweils eine Parteikontrollkommission (PKK) und eine Parteirevisionskommission (PRK), denen die Kontroll- und Revisionsaufgaben in den unterstellten Politabteilungen obliegen. Die 3 bis 7 Mitglieder zählenden Kommissionen werden auf den Delegiertenkonferenzen gewählt. Sie wählen in offener Abstimmung aus ihrer Mitte den Vorsitzenden und seinen Stellvertreter.

Die Leiter der Politabteilungen in den Divisionen, Schulen und gleichrangigen Verbänden der übrigen Teilstreitkräfte sind zugleich *Stellvertreter* der Divisionskommandeure *für Politarbeit*. Sie sind die 1. Parteisekretäre der SED-Kreisleitungen, ihre Stellvertreter sind jeweils die 2. Sekretäre.

Die Politabteilungen haben Unterabteilungen, in denen insgesamt 15 Offiziere tätig sind, jeweils als:
– Leiter der Politabteilung,
– Stellvertretender Leiter der Politabteilung,
– Oberinstrukteur für Parteiarbeit,
– Oberinstrukteur für Agitation und Propaganda,
– Oberinstrukteur für Politschulung,
– Oberinstrukteur für Politschulung der Truppe,
– Vorsitzender der Parteikontrollkommission,
– Vorsitzender der Parteirevisionskommission,
– Gehilfe für Jugendfragen (FDJ),
– Instrukteure für Jugendarbeit (2 Offiziere),
– Instrukteur für Politkader,
– Instrukteur für Parteiinformation,
– Instrukteur für kulturelle Massenarbeit,
– Instrukteur für personelle Nachweisführung (Partei- und FDJ-Dokumentation).

Die Politabteilung soll in erster Linie die Durchführung und Kontrolle der Politarbeit in der Truppe entsprechend den Weisungen der Politverwaltung des Militärbezirks überwachen und die Parteidokumente ausstellen. Die Mitglieder der PKK und PRK in Stärke von je 7 bis 11 Mann werden auf den Kreisdelegiertenkonferenzen der SED-Parteiorganisationen gewählt. Ihre Aufgaben gleichen denen der übrigen Kommissionen.

In den Regimentern und gleichrangigen Truppenteilen arbeitet der Politstellvertreter. Er wird von folgenden 5 Offizieren unterstützt :
– Oberoffizier für Agitation und Propaganda,
– Oberoffizier für kulturelle Massenarbeit,
– Klubleiter und Bibliothekar,
– SED-Sekretär (er wird gewählt und ist hauptamtlich tätig, ohne jedoch dem Regimentskommandeur dienstlich und disziplinar zu unterstehen),
– FDJ-Sekretär.

Der Politstellvertreter des Regimentskommandeurs hat nicht nur die Unteroffiziere und Mannschaften und die Mitglieder der SED und FDJ, sondern auch die Offiziere des Regiments politisch zu schulen.

Der Stellvertreter des Bataillonskommandeurs für Politische Arbeit (Politstellvertreter), der von 3 Offizieren unterstützt wird, ist für die politische Arbeit in den Bataillonen und gleichrangigen Einheiten der NVA zuständig. Die Funktionen sind wie folgt verteilt:
– Politstellvertreter des Bataillonskommandeurs (direkter Vorgesetzter aller Soldaten des Bataillons),
– Offizier für Propaganda,

Bild 41 — Die Wochen-
zeitg. der NVA, „Volks-
armee", steht, als wich-
tiges Mittel der Polit-
erziehung, im Dienst
der aggressiven Propa-
ganda des Sieges des
Weltkommunismus.

Bild 42 — An den Demonstrationen zum 1. Mai wie an vielen anderen Parteiaufmär-
schen muß stets auch die NVA als Garant für den „Sieg des Sozialismus" teilnehmen.

Bild 43 — In „unverbrüchlicher Waffenbrüderschaft" waren bis vor kurzem auch die „5000 Divisionen der Chinesischen Volksbefreiungsarmee" dem „sozialistischen Weltlager" verbunden. Heute werden die Rot-Chinesen beschuldigt, „Schützenhilfe für die Imperialisten" zu leisten. — NVA-Delegation, unter Führung von Stoph, 1957 in Peking.

Bild 44 — Pioniere befestigen die Zonengrenze. Sie wissen, daß dieses tiefgestaffelte Sperrsystem die „Republikflucht" verhindern soll; militärisch ist es so gut wie sinnlos.

Bild 45 — Keine Armee hat so viele Deserteure wie die NVA. — Ein Grenzsoldat springt in Berlin über den Stacheldraht und damit in die Freiheit.

- SED-Sekretär (der gewählt wird und hauptamtlich tätig ist, ohne jedoch dem Bataillonskommandeur dienstlich und disziplinar zu unterstehen),
- FDJ-Sekretär.

Der Politstellvertreter des Kompaniechefs (Batteriechefs) hat in allen selbständigen Kompanien (Batterien) und gleichen Einheiten sowie in allen Kompanien der Grenztruppe den Kompaniechef politisch zu beraten, die Durchführung der Befehle und Anordnungen zu überwachen und die Stimmung der Truppe zu kontrollieren. Er ist direkter Vorgesetzter aller Soldaten. In allen Kompanien, in denen kein planmäßiger Politstellvertreter vorhanden ist, ist der Kompaniechef dafür selbst zuständig.

Durch die Sonderstellung der Politorgane, deren Funktionäre *(Politarbeiter, Politoffiziere)* zwar in die militärische Führung eingebaut sind, nicht aber deren Weisungen unterliegen, kann auf eigenen Befehls- und Meldewegen eine ständige Überwachung jedes Kommandeurs erfolgen. Die Politorgane tragen wesentlich dazu bei, daß die Kommandeure Vollstrecker des Parteiwillens sind.

Zwischen den Truppenoffizieren und den Politoffizieren in der NVA gab es von Anfang an latente Spannungen, die erst geringer wurden, als das SED-Regime von der ursprünglichen Form des Nur-Politoffiziers abging. Zur Unzuträglichkeiten kam es häufig, weil die Politoffiziere — gemäß ihrem Auftrag — immer wieder in die Erziehung und Ausbildung der Truppe hineinredeten, ohne selbst etwas von militärischen Dingen zu verstehen. Damit erzeugten sie sowohl bei den Offizieren als auch bei den Soldaten Antipathien.

Die NVA-Schule für Politoffiziere in Treptow wurde deshalb aufgelöst. Alle Offiziersschüler erhalten nun in ihrer 3jährigen Ausbildungzeit so viel „Gesellschaftswissenschaftlichen Unterricht", daß die Ausbildung der eines Lehrgangs einer SED-Bezirksparteischule entspricht. So werden alle Offiziere, wie dies die SED fordert, gleichzeitig zum Militärspezialisten *und* Parteifunktionär erzogen.

Die SED verspricht sich davon einen doppelten Erfolg. Sie erhofft sich von der besseren militärischen Qualifikation der Politoffiziere eine gute Zusammenarbeit mit der Truppe und die Besetzung der hauptamtlichen Posten der SED- und FDJ-Sekretäre in der NVA mit gut geschulten, der Partei ergebenen Funktionären.

Ende 1962 waren wenigstens die Dienststellen der Leiter der Politabteilungen der Divisionen und der Politverwaltungen der Militärbezirke und Teilstreitkräfte mit Funktionären besetzt, die eine abgeschlossene akademische politische und militärische Bildung besitzen.

Die SED-Parteiorganisation in der NVA

Neben den von oben eingesetzten militärischen Politorganen und den zivilen örtlichen Parteileitungen, welche die in ihrem Bereich stationierten Einheiten auf die Durchführung der Parteibeschlüsse kontrollieren, werden die Armee und insbesondere ihre Offiziere von den pseudo-demokratisch funktionierenden *Parteiorganisationen der SED* (und entsprechend den *FDJ-Organisationen*) innerhalb der NVA kontrolliert. Parteimitglieder sind 96,3 % der Offiziere, 43,4 % der Unteroffiziere und 9,9 % der Soldaten, wie der Chef der Polithauptverwaltung, Admiral Verner, auf dem VI. Parteitag der SED im Januar 1963 mitteilte.

Selbstverständlich hat nur die SED das Recht, Parteiorganisationen in der NVA zu bilden. Den Satellitenparteien der SED[2] wird dies nicht zugestanden.

Die Parteiorganisationen in der NVA haben vor allem die Aufgabe, *alle* Armeeangehörigen, nicht nur die Mitglieder und Kandidaten der Partei, politisch und ideologisch im Geiste des Marxismus-Leninismus zu schulen. Sie sind auch verpflichtet, die Parteimitglieder und Kandidaten zur gewissenhaften Erfüllung ihrer militärischen Pflichten anzuspornen. Sie sollen auf die marxistisch-leninistische Schulung und die militärwissenschaftliche Bildung der Offiziere Einfluß nehmen und die notwendige Kontrolle ausüben. Sie haben das Recht, den zuständigen Kommandeuren Vorschläge zur Verbesserung der Ausbildung und Erziehung und zur Auswahl und Förderung des Offiziersnachwuchses zu machen.

Auch für diese Parteiorganisationen ist das ZK der SED das oberste Führungsgremium. Das ist im *Parteistatut der SED,* beschlossen am 19. 1. 1963, verankert:

> Die Parteiorganisationen in der Deutschen Volkspolizei, der Nationalen Volksarmee und im Verkehrswesen arbeiten auf der Grundlage besonderer vom Zentralkomitee bestätigter Instruktionen.
> Ihre Politabteilungen und Parteileitungen sind verpflichtet, enge Verbindung mit den örtlichen Parteileitungen zu halten.[3]

Die „Instruktion für die Parteiorganisationen der SED in der NVA und für Politorgane der Nationalen Volksarmee" wurde im Herbst 1963 nach Zustimmung des ZK der SED erlassen.

---

2 In der Sowjetzone gibt es neben der SED offiziell noch die *Christlich-Demokratische Union,* die *Liberal-Demokratische Partei Deutschlands,* die *National-Demokratische Partei Deutschlands* und die *Demokratische Bauernpartei Deutschlands,* die ausdrücklich die „führende Rolle der SED" anerkennen.

3 *Statut der Sozialistischen Einheitspartei Deutschlands, Abschnitt IX, Die Parteiorganisationen in der Deutschen Volkspolizei, der Nationalen Volksarmee und im Verkehrswesen.* Hier zitiert nach „Volksarmee", Beilage 13/1962 S. 31

Unter dem ZK steht in dieser Hierarchie der Parteiorganisationen in der NVA die Polithauptverwaltung im Ministerium für Nationale Verteidigung, die zugleich eine *SED-Bezirksleitung* bildet und als solche die gesamte Parteiarbeit in der NVA leitet. Der Chef der Polithauptverwaltung ist zugleich 1. Sekretär dieser obersten Gliederung der SED in der NVA.

Die Parteiorganisationen gliedern sich unterhalb des Parteibezirks in *Parteikreise, Regimentsparteiorganisationen, Parteigrundorganisationen* und *Parteigruppen.*

Parteikreise bilden das Ministerium für Nationale Verteidigung, die Politverwaltungen in den 2 Militärbezirken und den gleichrangigen Dienststellen der NVA-Kommandos Grenze, Volksmarine und Luftstreitkräfte/Luftverteidigung sowie die Politabteilungen in den Divisionen und entsprechenden anderen Verbänden.

Regimentsparteiorganisationen werden in den Regimentern gebildet, wo Parteigrundeinheiten in den Bataillonen vorhanden sind. Die Regimentsparteileitungen organisieren die Versammlungen ihrer Parteiorganisation. Sie arbeiten mit dem Parteiaktiv zusammen und führen spezielle Beschlüsse durch Einsatz der Parteiaktivisten aus.

Parteigrundorganisationen werden in den Bataillonen und selbständigen Kompanien der Schulen, in Stäben, in gleichartigen Einheiten der NVA-Kommandos Grenze, Volksmarine und Luftstreitkräfte/Luftverteidigung gebildet, wenn mindestens 3 Parteimitglieder vorhanden sind. Gibt es weniger Mitglieder, aber mehr Kandidaten, muß eine Kandidatengruppe geschaffen werden.

Die Bildung von Grundorganisationen bedarf der Bestätigung durch die zuständige Politabteilung. Die Leitungen dieser Grundorganisationen, werden – mit einigen entscheidenden Einschränkungen – von den Angehörigen der Grundorganisationen gewählt. Die Kandidaten müssen nämlich vor der Wahl von der Parteikontrollkommission überprüft werden. Ebenso erfolgt die Wahl der Regimentsparteileitungen. Schließlich wählen die Delegiertenkonferenzen der Kreisleitungen bzw. der Bezirksleitung auch die Delegierten aus der NVA zum SED-Parteitag.

Den Parteileitungen sollen möglichst auch die jeweiligen Kommandeure angehören. Bei den Parteiwahlen 1962 wurden allerdings erst 63 % aller Regiments- und Bataillonskommandeure – sicher nicht ohne Billigung der höheren Parteistellen – in die Parteileitungen ihrer Einheiten gewählt.

Hat ein Kommandeur oder sein Politstellvertreter nicht das „Vertrauen" der Parteiorganisation, kann deren Parteileitung von der nächsthöheren Parteileitung seine Abberufung verlangen. Praktisch dürfte dieser Fall nur eintreten, wenn der Betreffende sowieso abgelöst werden soll und die zuständige Parteileitung von oben einen Wink erhält.

Die Parteigrundorganisationen (PGO) sind die wichtigsten ausführenden Organe der SED in der NVA, denn ihnen als den eigentlichen Mitgliederorganisationen obliegt die Verwirklichung des Auftrages, die „führende Rolle der Partei in den Streitkräften" durchzusetzen. Nach dem Aufgabenbereich, der in dem Statut der SED geregelt ist, sollen die Parteigrundorganisationen jeden Monat einmal eine Mitgliederversammlung abhalten, in der politische Fragen und Vorschläge der Ausbildung in der Truppe beraten werden müssen. Gleichzeitig soll auch „Kritik und Selbstkritik" wegen schlechter dienstlicher Leistungen und Vergehen gegen die Parteidisziplin geübt werden.

Die Grundorganisation muß die Beschlüsse und Direktiven der übergeordneten Parteiorganisation durchführen, ihre Mitglieder zu Höchstleistungen in der „Bestenbewegung" auffordern, deren „sozialistisches Bewußtsein" erhöhen und der FDJ-Organisation Anweisungen für die Jugendarbeit geben.

Die Kontrolle der Mitglieder ist durch die Auflage gesichert, „furchtlos Mängel in der Arbeit und im Verhalten jedes Mitgliedes aufzudecken und an die übergeordneten Politorgane zu melden", wenn notwendig bis zum ZK.

Parteigruppen, die kleinsten SED-Gliederungen in den Streitkräften, können in den Kompanien der Bataillone, in den Zügen selbständiger Kompanien, den Kompanien der Schulen, in den Abteilungen bzw. Unterabteilungen der Stäbe, auf einzelnen Booten und in gleichartigen Einheiten der Luftstreitkräfte/Luftverteidigung gebildet werden. Die Parteigruppe wählt einen Parteigruppenorganisator und seinen Stellvertreter; beide kontrollieren die Durchführung der Parteiaufträge einzelner Mitglieder und Kandidaten, deren Aufgabe es wiederum sein soll, auf die parteilosen Angehörigen der NVA einzuwirken und ihnen die Partei- und Regierungsbeschlüsse zu erläutern.

Der Soldat der NVA kann nur Parteimitglied in der Parteigrundorganisation seiner Einheit werden. Er muß einen schriftlichen Antrag stellen. Falls dem Antrag stattgegeben wird, muß er eine einjährige Kandidatenzeit absolvieren, in der er eine Reihe von Parteiaufträgen erfüllen muß. Über die endgültige Aufnahme des Kandidaten, der – mit Ausnahme des Rechtes zu wählen oder gewählt zu werden – nach dem SED-Statut alle Rechte und Pflichten eines Parteimitgliedes hat, entscheidet nach Jahresfrist die Grundeinheit. Wird negativ entschieden, erfolgt die Streichung von der Kandidatenliste, die von der übergeordneten Politorganisation bestätigt werden muß. Für Mitglieder besteht praktisch keine Möglichkeit, aus der Partei auszutreten. Die Parteibücher der Soldaten werden von der Politabteilung ausgestellt.

Von den Parteimitgliedern in der NVA werden vorbildliches Verhalten im Sinne der Partei und höhere militärische Leistungen verlangt. Bei Disziplinarvergehen werden Parteimitglieder nicht nur disziplinar, sondern auch in einem Parteiverfahren bestraft. Diese Tatsachen sind sicher dafür ausschlaggebend, daß die Angehörigen der NVA nur ungern Parteimitglieder werden.

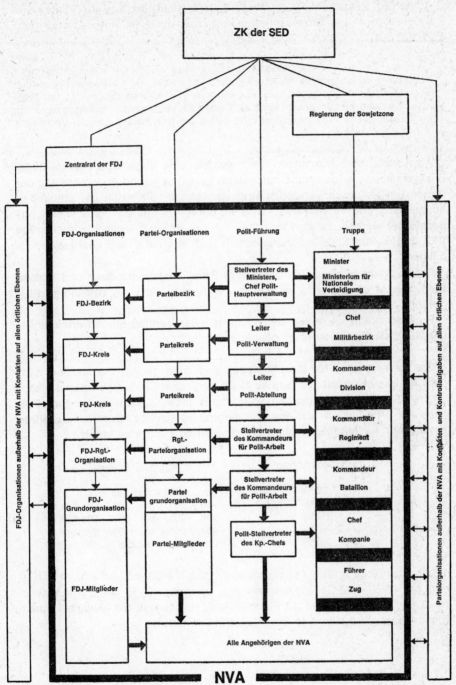

Auf Grund des außerordentlich weitgefaßten und recht vagen Textes des § 7 des Parteistatuts kann ein Parteiverfahren sehr leicht eingeleitet werden. Es heißt dort:

> Wer gegen die Einheit und Reinheit der Partei verstößt, ihre Beschlüsse nicht erfüllt, die innerparteiliche Demokratie nicht achtet, die Parteidisziplin verletzt oder seine Mitgliedschaft und ihm übertragene Funktionen mißbraucht, im öffentlichen und persönlichen Leben sich eines Parteimitgliedes nicht würdig zeigt, ist von der Grundorganisation oder einem höheren Parteiorgan zur Verantwortung zu ziehen.

Als Parteistrafen können verhängt werden: eine Rüge, eine strenge Rüge, Rückversetzung in den Kandidatenstand für ein Jahr und Ausschluß aus der Partei. Bei kleineren Verstößen sind vorgesehen: die Kritik der Mitglieder, Mißbilligung und Verwarnung – Strafen, die als „Mittel der Parteierziehung" bezeichnet werden. Strafen treten jedoch nur in Kraft, wenn die zuständige PKK zugestimmt hat; jeden Ausschluß muß auch die übergeordnete PKK billigen.

Parteiverfahren gegen Offiziere vom Bataillonskommandeur und dessen Stellvertreter an aufwärts werden in der Regel durch die zuständige PKK geführt.

Praktisch kann im militärischen Dienst jeder Verstoß eines Parteimitgliedes auch als Parteivergehen geahndet werden.

Die Beitragssätze für die Mitglieder sind nicht gering. Sie werden nach dem Bruttoeinkommen berechnet. Nicht berücksichtigt werden dabei Nationalpreise, mit Auszeichnungen verbundene materielle Zuwendungen, Prämien für Erfindungen und Rationalisierungsvorschläge. Der Monatsbeitrag beträgt nur für Mitglieder ohne Einkommen 50 Pf., sonst jedoch:

Mitgliedsbeitrag	Monatseinkommen
0,5 %	bis zu 600.– DM-Ost
1,0 %	von 601.– bis 700.– DM-Ost
1,5 %	von 701.– bis 800.– DM-Ost
2,0 %	von 801.– bis 1000.– DM-Ost
3,0 %	über 1000.– DM-Ost

Beispielsweise zahlt ein Generalmajor, 11 Jahre Soldat, verheiratet, 3 Kinder, bei 4085.– DM-Ost-Einkommen (mit Zulagen) 122.55 DM-Ost monatlich (= 3 %), oder ein Major, 15 Jahre Soldat, verheiratet, ein Kind, bei einem Einkommen von 1985.– DM-Ost 59.55 DM-Ost Beitrag.

Die FDJ-Organisation in der NVA

Der dritte Weg für die SED, auf die NVA politisch einzuwirken, führt über die FDJ-Organisationen, die in den Streitkräften ähnlich gegliedert sind wie die Partei. Vom Bataillon an aufwärts gibt es in den Politorganen Offiziere, die sich hauptamtlich mit Jugendfragen beschäftigen. Die FDJ ist eine *Massenorganisation,* der rund 80 % aller Soldaten bis zum 26. Lebensjahr[4] angehören. Als Staatsjugendorganisation dient sie ausschließlich den Interessen der Partei, von der sie auch abhängig ist. Das wird im neuen SED-Statut vom Januar 1963 offen festgestellt:

> Die Freie Deutsche Jugend, die sozialistische Jugendorganisation in der DDR, ist der aktive Helfer und die Reserve der Partei. Sie hilft der Partei, die Jugend im Geiste des Sozialismus für die aktive Teilnahme am umfassenden Aufbau des Sozialismus und zur Verteidigung des sozialistischen Vaterlandes zu erziehen ...[5]

Ferner heißt es:

> Die FDJ erkennt in ihren Beschlüssen die führende Rolle der Partei der Arbeiterklasse an.[6]

Die FDJ hat ihrerseits in ihrem neuen Statut erklärt:

> Die Freie Deutsche Jugend läßt sich in ihrer gesamten Tätigkeit von den richtungweisenden Beschlüssen und Ratschlägen der Sozialistischen Einheitspartei Deutschlands leiten ... Sie anerkennt die führende Rolle der Sozialistischen Einheitspartei Deutschlands.[7]

Weiter heißt es:

> Die Freie Deutsche Jugend setzt sich dafür ein, daß alle Mädchen und Jungen ... jederzeit bereit sind, ihr sozialistisches Vaterland, die Deutsche Demokratische Republik, zu schützen und zu verteidigen.

Gleichzeitig sieht es die FDJ als ihre Aufgabe an, „in den Herzen der Jugend leidenschaftlichen Haß und Abscheu gegen den Militarismus und Revanchismus in Westdeutschland" zu wecken.

Solcherart als Parteijugend genügend klassifiziert, überrascht es nicht, in

---

4   Diese Altersbegrenzung wurde auf dem VII. Parlament der FDJ im Juni 1963 aufgehoben.

5   *Statut der Sozialistischen Einheitspartei Deutschlands,* Abschnitt VIII, *Partei und Freie Deutsche Jugend,* Ziff. 65, a. a. O.

6   ebenda, Ziff. 66

7   *Statut der Freien Deutschen Jugend,* Mai 1963, Teil I. Hier zitiert nach „Volksarmee", Beilage 1963/1, Seite 26

dem Statut über die Arbeit in den Streitkräften folgende Bestimmungen zu finden:

1. Die FDJ-Organisationen in den bewaffneten Kräften der Deutschen Demokraschen Republik arbeiten auf der Grundlage des Statuts der Freien Deutschen Jugend sowie der vom Zentralrat der Freien Deutschen Jugend bestätigten Instruktionen bei der Verwirklichung der von der Partei- und Staatsführung gestellten Aufgaben zum Schutz des umfassenden Aufbaus des Sozialismus in der Deutschen Demokratischen Republik.

2. Die FDJ-Organisationen der bewaffneten Kräfte erziehen ihre Mitglieder und alle nicht in der Freien Deutschen Jugend organisierten jungen Angehörigen der bewaffneten Kräfte auf der Grundlage des Fahneneides im Geiste des sozialistischen Internationalismus' und der Waffenbrüderschaft mit der Sowjetarmee und den Armeen des sozialistischen Lagers zu wahrhaften Patrioten, die bereit sind, ihre Kenntnisse und Fähigkeiten und ihr Leben für den Schutz des umfassenden Aufbaus des Sozialismus einzusetzen.

3. Die FDJ-Organisationen der bewaffneten Kräfte halten eine enge Verbindung zu den örtlichen Organisationen der Freien Deutschen Jugend und unterstützen die Grundorganisationen besonders bei der Durchführung der sozialistischen Wehrerziehung der Jugend. Sie betrachten es als eine wesentliche Aufgabe, daß alle jungen Angehörigen der bewaffneten Kräfte nach Ablauf ihrer Dienstzeit bereit sind, an den Schwerpunkten des sozialistischen Aufbaus zu arbeiten.[8]

Die FDJ tritt also in der NVA als der bloße Helfer der Partei auf. Sie nimmt alle Möglichkeiten wahr, die jungen Soldaten auf Weisung der Parteiorganisation zu der Erfüllung der gestellten Aufgaben anzutreiben. Nirgendwo gibt es in dieser „Jugendorganisation" jugendliche Freiheiten und ein jugendgemäßes Leben. Immer, wenn es „Schwerpunktaufgaben" gibt, ergreift die FDJ-Organisation die „Initiative". Sie ist der Motor der „sozialistischen Wettbewerbe" in der NVA. Sie bildet Zirkel, mit deren Hilfe sogar die Freizeit politisch gestaltet wird.

Zusammenfassung

Die Politorganisation gehört zum Wesen kommunistischer Streitkräfte. Politorgane, Parteiorganisationen und FDJ-Organisationen sind die entscheidenden Sicherheitskonstruktionen der SED, mit deren Hilfe sie den Soldaten ständig im Griff hat. Sie verhindert damit nicht nur das Entstehen eines berufsständischen, soldatischen Stolzes, sie hat damit auch eine Kontrollmöglichkeit, wie sie keine nichtkommunistische Armee in der Welt kennt.

Oft versuchen die Kommunisten, diese Institutionen mit den Erziehungs- und Bildungseinrichtungen anderer Armeen zu vergleichen. Selbstverständlich diskreditieren sie zum Beispiel die *Innere Führung* der *Bundeswehr* als

---

8 *Statut der Freien Deutschen Jugend*, Teil IX, *Die FDJ-Organisationen der bewaffneten Kräfte der DDR*, a. a. O., S. 32

„Instrument der Adenauer-Partei". Sie übersehen absichtlich, daß alles, was in einem demokratischen Staat organisiert wird, grundsätzlich die Billigung der in freien Wahlen gebildeten Volksvertretung hat. Sie verschweigen weiter, daß die Erziehungsaufgaben einer nichtkommunistischen Armee von militärischen Einrichtungen und unter Verantwortung der obersten militärischen Führung getragen werden.

Im kommunistischen Machtbereich erhält die Politorganisation ihre Maximen von der Führung der Partei, die zudem auf allen Führungsebenen Einfluß und Kontrolle ausübt. Ziel dieser Bemühungen ist es nicht, einen kampftüchtigen Soldaten heranzubilden, der aus staatsbürgerlicher Verantwortung seinen Dienst für die an allgemein sittliche Normen gebundene Staatsgemeinschaft leistet, sondern den Angehörigen der Streitkräfte zum fanatischen, ideologisch gedrillten Kommunisten zu erziehen, der auch mit der Waffe für die von der Politführung gesetzten Ziele zu kämpfen bereit ist.

Schwächen und Mängel dieses Schulungs- und Erziehungssystems haben die Kommunisten immer mit einer Verstärkung ihrer Politarbeit auszugleichen versucht. Das hat zu jener Überreizung geführt, die heute in der meist widerspruchslosen, abgestumpften Hinnahme der exaltierten Parteiparolen im Politunterricht durch die Soldaten ihren Ausdruck findet. Da keine Möglichkeit zu wirklicher Diskussion besteht, nehmen die Soldaten diese Parolen nicht als eigenes geistiges Eigentum an. Verbot der freien Information, Mangel an freimütiger Diskussion und die Erkenntnis, oft belogen zu werden, lassen den Soldaten der NVA an der Propagandathese von der Überlegenheit des kommunistischen Systems zweifeln. Weil die Politorganisation der Kern dieser Streitkräfte ist, muß die Aufdeckung der Schwächen, der Hintergründe und Absichten dieses politischen Systems unmittelbare Folgen für den militärischen Wert der NVA haben. Hier liegt die Schwäche jedes kommunistischen Kampfverbandes. Weil auf die vom Westen kommenden wahren Informationen nur mit Propagandaparolen der Partei geantwortet werden kann, muß sich im Bewußtsein des Soldaten der Eindruck verstärken, daß das kommunistische System eine echte geistige Auseinandersetzung nicht wagen kann.

6. KAPITEL

Die Bewaffnung und Ausrüstung

Die NVA ist ausschließlich mit Waffen sowjetischer Herkunft ausgestattet. Sie hat ein reichhaltiges Arsenal, wenn auch nicht immer die neuesten Modelle. Es dauert gewöhnlich 2 bis 3 Jahre nach Einführung eines Modells bei der Sowjetarmee, bis dieses an die Satellitenarmeen abgegeben wird. Manche Typen sind bislang überhaupt nicht an die NVA ausgeliefert worden, darunter der schwere Panzer T-10.

Während die Infanteriebewaffnung, die Panzerausstattung und die Ausrüstung mit Spezialfahrzeugen einem modernen Stand entsprechen, kann das von der Fla-Bewaffnung nicht uneingeschränkt gesagt werden. Es befinden sich noch immer schwere Flak bei der Truppe, die modernen Anforderungen nicht genügen. Allerdings wird in steigendem Maße eine moderne Fla-Rakete (Boden-Luft) eingeführt.

Bei der Parade zum „15. Geburtstag der DDR" (7. 10. 1964) führten die Landstreitkräfte erstmalig auch eine gelenkte Boden-Boden-Rakete vor, die mit konventionellen Gefechtsköpfen jeden Punkt der Bundesrepublik erreicht und mit atomaren Gefechtsköpfen 150 km weit schießen, d. h. Bremen, Bielefeld, Frankfurt erreichen kann.

Bemerkenswert ist die gute Ausstattung mit Amphibienfahrzeugen, ebenfalls aus sowjetischen Lieferungen. Aus eigener Produktion der Sowjetzone stammen die rund 10 000 ungepanzerten Kraftfahrzeuge jeder Größenordnung.

Die Luftstreitkräfte verfügen bereits über Hochleistungsjäger; andere moderne Typen werden fortlaufend zugeführt.

Die Volksmarine hat vorwiegend Einheiten sowjetischer Produktion.

Auch nach der Bewaffnung und Ausstattung ist die NVA den ihr vom Vereinten Kommando der Warschauer Pakt-Streitkräfte gestellten Aufgaben gewachsen.

I. Landstreitkräfte

Infanteriewaffen

Pistole Makarow (PM) – Diese sowjetische Pistole gleicht weitgehend der deutschen Walther-Pistole, Kaliber 9 mm kurz. Das Magazin faßt 8 Patronen. Günstigste Schußentfernung bis 50 m. (Bild 50)

Selbstladekarabiner Simonow (SKS) – Die Standardausstattung des sowjetzonalen Schützen ist ein Selbstladekarabiner, der für eine Einheitspatrone (Kurzpatrone, Mod. 1943, 7,62 mm) eingerichtet ist, die auch aus anderen sowjetischen Infanteriewaffen verschossen wird. Der SKS hat ein Magazin für 10 Patronen und kann nur Einzelschüsse abgeben. Er ist mit einem Bajonett versehen. (Bild 46)

Maschinenkarabiner Kalaschnikow (AK) – Der AK, der dem deutschen Sturmgewehr 44 ähnlich ist, kann auch als Maschinenpistole (MPi-K) angesprochen werden, obwohl er die Kurzpatrone verschießt. Es gibt zwei Ausführungen: mit feststehendem Kolben und mit umlegbarer Schulterstütze. Das gebogene Stangenmagazin faßt 30 Schuß. Der AK ist einfach und robust. (Bild 47)

Leichtes Maschinengewehr Kalaschnikow (IMGK) – Das 1964 auch in der NVA eingeführte IMGK ist aus dem Maschinenkarabiner Kalaschnikow (siehe oben) entwickelt. Zum Unterschied hat das IMGK nur einen stärkeren und längeren Lauf mit Zweibein und verschiedenen Magazinen (auch MP-Magazine können eingesetzt werden). Das von einem Schützen zu bedienende IMGK hat – mit Zweibein und leerem Stangenmagazin – ein Gewicht von 5 kg. Das Fassungsvermögen des Trommelmagazins ist 70, das des Stangenmagazins 40 Kurzpatronen (Mod. 1943, 7,62 mm). Die Schußfolge liegt bei Dauerfeuer zwischen 150 und 600, bei Einzelfeuer bei 50 Schuß in der Minute.

Leichtes Maschinengewehr Degtjarow (RPD) – Auch dieses Maschinengewehr gehört zu der Gruppe der neuen sowjetischen Handfeuerwaffen, die für die Kurzpatrone eingerichtet sind. Die Gurte für die Zuführung der Patronen beim RPD werden in einer Trommel, mit rund 100 Schuß Inhalt, mitgeführt. Das RPD ist ein Gasdrucklader ohne die Möglichkeit zum Laufwechsel. Es kann kein Einzelfeuer abgeben. Aus ihm wird in der Form kurzer Feuerstöße von 3 bis 5 Schuß geschossen. Die praktische Reichweite beträgt nur 300 bis 400 m. (Bild 48)

Schweres Maschinengewehr Gurjunow (SGM) – Dieses nach dem Zweiten Weltkrieg verbesserte schwere Maschinengewehr verwendet noch die alte sowjetische Infanteriepatrone (7,62 mm Mod. 1908 und Mod. 1930). Das SGM kann auch, ähnlich wie das deutsche MG 42, auf Lafette benutzt werden. Der Lauf kann leicht ausgewechselt werden. Die Patronen werden durch Metallgurte zugeführt. Die Schußfolge von 500 bis 700 je Minute ist bedeutend geringer als die des deutschen MG 42; die Reichweite ist etwa gleich.

Diese Waffe ist nur eine Übergangslösung, um vorhandene Munition aufzu-
brauchen.

Handgranate F-1 – Sie ist eine Verteidigungshandgranate mit Zeitzünder
und Splitterwirkung und wird nur aus Deckungen oder Gräben heraus ge-
worfen. Für sie braucht man den Handgranatenzünder F-1 mit einer Brenndauer von 3,5 bis 4 Sek. oder den Einheitszünder mit einer Brenndauer von
3,2 bis 4 Sek.

Handgranate 33 (RGD-33) – Sie wird als Angriffs- und Verteidigungsgranate
benutzt. Der Zünder der Granate wird im Augenblick ihres Wurfes scharf;
innerhalb von 3,2 bis 3,8 Sek. detoniert die Granate.

Handgranate 42 (RG-42) – Sie ist eine Angriffshandgranate mit Splitterwirkung und Zeitzündung. Die Granate detoniert innerhalb von 3,4 bis 4 Sek.
(Bild 49)

82-mm-Granatwerfer – In der Granatwerfer-(Mörser-)Kompanie der Motorisierten Schützenbataillone werden die 82-mm-M-1937 (Bild 106), M-1941,
M-1943 verwendet. Diese konventionellen Mörser können auch 81-mm-Mu-
nition verschießen. Ihre Schußweite beträgt etwa 3 km. Das Geschoßgewicht
ist 3,3 kg. Die 3 Typen unterscheiden sich nur durch die Ausführung der
Unterstützung und der Bodenplatte.

120-mm-Granatwerfer (M-1943) – Er ist die Waffe der Granatwerferkom-
panie der Regimenter und entspricht etwa den auch im Westen gebräuch-
lichen Mörsern dieses Kalibers. Er ist in 3 Traglasten zerlegbar oder wird
auf einem Karren transportiert. Die Bodenplatte ist rund. Die Schußweite
beträgt rund 6 km. (Bild 105)

LPAG 40 mm (RPG-2) – Nach Art der Panzerfaust, jedoch mit einem Rohr,
das nicht Verbrauchsmaterial ist, wird mit diesem leichten Panzerabwehr-
gerät (Panzerbüchse) Raketenmunition verschossen. Die Überkalibergranate
wiegt ewa 1,6 kg. Die Schußentfernung beträgt rund 150 m. Das Gerät gehört
zur Ausstattung jeder Schützengruppe. (Bild 51)

Rückstoßfreies Geschütz 82 mm (RG 82 mm) – Das RG 82 mm dient zur
Ausstattung der Begleitbatterie des Motorisierten Schützenbataillons. Es entspricht etwa dem amerikanischen rückstoßfreien Geschütz 75 mm (recoilless
rifle). Das Geschütz wiegt rund 85 kg und wird auf dem typisch russischen
2-Rad-Karren transportiert. Seine maximale Schußweite liegt unter Verwendung von Sprengmunition bei 4500 m, die effektive Schußweite mit Panzer-
sprengmunition bei etwa 400 m. Das RG 82 mm ist jedoch veraltet und
in der Truppe nur noch in Restbeständen vorhanden. Es ist auf dem Gefechtsfeld zu leicht zu erkennen. Dasselbe gilt für das *Rückstoßfreie Geschütz
107 mm (RG 107 mm)*, das als schwerstes sowjetisches rückstoßfreies Geschütz auch in der NVA als Regimentspanzerabwehrgeschütz diente.

Artilleriewaffen

57-mm-Pak M-1943 – Das Geschütz, das aus der im Zweiten Weltkrieg zahlreich verwendeten 7,62 cm-Feldkanone hervorging, ist ein Standardgeschütz der Abteilung. Es ist auf einer Rohrholm-Spreizlafette gelagert, mit einem großen kantigen Schutzschild versehen und hat keine Mündungsbremse. Es durchschlägt mit einer Hartkerngranate auf 1000 m eine Panzerung bis etwa 95 mm. Die Durchschlagsleistung sinkt bei 2000 m auf etwa 72 mm. (Bei den Sowjets ist sie durch eine leichtere Ausführung M-1955 ersetzt worden.) (Bild 54)

85-mm-Pak (HA) M-1945 – Dieses bei der NVA als *selbstfahrende Kanone SFK 85* bezeichnete Geschütz wird bei den Pak-Kompanien des Motorisierten Schützenregiments verwendet und ist eine Mehrzweckwaffe. Die Ausführung mit Hilfsantrieb (HA) ist im Gelände mit eigener Kraft beweglich. Ein 750 ccm Kradmotor treibt die Achse. Das 4,5 m lange Rohr hat eine Mündungsbremse. Die maximale Schußweite beträgt 16 km. Unter Verwendung von Panzermunition durchschlägt es auf 1000 m eine Panzerung bis 100 mm. Das Geschütz wurde nach 1945 bei der sowjetischen Artillerie eingeführt und ist noch immer leistungsfähig. (Bild 55)

122-mm-FH M-1938 – Diese veraltete leichte Feldhaubitze bildet die Hauptausstattung der Artillerieregimenter der Divisionen. Es handelt sich um ein Vorkriegsmodell, das zwar robust und leistungsfähig, aber ziemlich schwer ist. Es wird durch Lkw gezogen. Seine maximale Reichweite liegt bei 12 km. Das Geschoßgewicht der Sprenggranate beträgt 22 kg, fast das Doppelte der 85-mm-Granate. (Bild 107)

152-mm-FH M-1943 – In der gleichen Lafette wie die 122-mm-FH wird dieses Geschütz gefahren, das an der starken Mündungsbremse erkennbar ist. Es gehört zur Ausstattung der schweren Abteilungen der Divisions-Regimenter und entspricht etwa der amerikanischen 155-mm-FH. Gezogen wird es durch den Zugkraftwagen M-50. Die maximale Reichweite liegt bei 12 km. Das Geschoßgewicht der Sprenggranate beträgt 40 kg. Bei den Sowjets ist es durch eine leistungsfähigere Kanonenhaubitze M-1955 (203 mm) ersetzt worden. (Bild 56)

160-mm-Granatwerfer M-1943 – Dieser, die Feuerkraft auch der sowjetischen Artillerie auf billige Weise erheblich verstärkende Granatwerfer ist im Gegensatz zu den kleineren Kalibern ein Hinterlader. Er wird an der Mündung gezogen und auf einem Karren transportiert. Seine höchste Reichweite beträgt rund 5 km, das Geschoß wiegt etwa 40 kg. (Bild 53)

Raketenwerfer BM-24 – Am 1. Mai 1963 wurde in Ost-Berlin als „Paradeneuheit" ein Raketenwerfer vorgeführt, der eine Weiterentwicklung der sowjetischen „Katjuscha" („Stalinorgel") aus dem Zweiten Weltkrieg ist. Er soll für die Mot. Schützen den Weg bahnen helfen. Der Werfer, der auf einem Lkw montiert ist und so auch abgefeuert wird, hat 12 Raketen (Kaliber 240 mm), die zu je 6 in 2 Reihen auf übereinanderliegenden Abschußrahmen angeordnet sind. Der Geschoßwerfer wiegt insgesamt rund 9 t, die Rakete 112 kg. Die größte Reichweite liegt bei 7 km. (Bild 57)

Panzerabwehrlenkrakete — 1964 zeigte die NVA auch zum erstenmal eine im Vorjahr allgemein bei den Armeen des Warschauer Paktes eingeführte Panzerabwehrlenkrakete (NATO-Bezeichnung „Snapper"), die zur Ausstattung der Motorisierten Schützendivisionen gehört. Die auf „kleinen, geländegängigen Fahrzeugen" (0,5 t Lkw GAS 69: Fahrbereich 650 km, Geschwindigkeit 90 km/h) montierte Rakete ist etwa 1,20 lang, drahtgelenkt, hat 4 Stabilisierungsflächen und einen dicken, kegelförmig zugespitzten Gefechtskopf. Die jeweils an 4 Abschußschienen hängenden Raketen werden von dem Schützen aus dem Fahrerhaus oder abgesetzt ins Ziel gelenkt. Die Reichweite liegt zwischen 400 und 2000 m. Sie haben eine hohe Durchschlagskraft. (Bild 52)

Ungelenkte Boden-Boden-Rakete — Ebenfalls als „modernste Technik" führte die NVA bei der Parade zum "15. Geburtstag der DDR" (7. 10. 1964) erstmalig eine ungelenkte Artillerierakete vor, die bereits 1960 auf der Mai-Parade in Moskau zu sehen war. Diese Waffe (NATO-Bezeichnung „FROG 4" = Free Rocket Over Ground) auf leichter Selbstfahrlafette, d. h. dem Fahrgestell des Panzers PT-76 mit 2 Stützrollen, kann mit ihrem Mehrzweck-Gefechtskopf 20 bis 60 km weit wirken, hat einen Fahrbereich von 250 km — bei einer Geschwindigkeit von 45 km/h —, ist sehr geländegängig und insbesondere zur unmittelbaren Unterstützung der Landstreitkräfte im taktischen und operativen Bereich geeignet. Die elektrisch, auf schräger Schiene abzufeuernde, von 2 Werken mit festem Treibstoff angetriebene Rakete hat eine Länge von 10,20 m, ein Gesamtgewicht von 2200 kg (der kegelförmig zugespitzte Gefechtskopf wiegt etwa 300 kg und hat eine Länge von 2,80 m). Zusammen mit dem Fahrgestell wiegt sie 15 t.

Boden-Boden-Lenkrakete — Diese schwerste von einem Panzerfahrgestell (JS), senkrecht abzufeuernde Artillerie-Lenkrakete (NATO-Bezeichnung „Scud-A") trat ebenfalls bei der Oktober-Parade 1964 in Ost-Berlin auf. Sie gehört zu der Familie der sowjetischen Raketen, die in Moskau erstmalig bei der Parade am 7. 11. 1957 vorgeführt wurden, und ist in etwa der amerikanischen „Corporal" vergleichbar. Mit atomarem Gefechtskopf kann die etwa 10,50 m lange, elektrisch abzufeuernde, mit flüssigem Treibstoff angetriebene einstufige, durch Funk zu lenkende Rakete bis 150 km weit wirken, mit konvetionellem Gefechtskopf bis 275 km. Das Gewicht der Rakete ist 5 t, zusammen mit dem Fahrgestell etwa 35 t. Der Fahrbereich ist etwa 175 km, die Geschwindigkeit 35 km/h. Mit dieser gelenkten Artillerierakete hat die NVA erstmalig eine Waffe der oberen militärischen Führung, d. h. eine Schwerpunktwaffe des Armeebereiches. (Bild 58)

Fla-Waffen

14,5-mm-Fla-MG (ZPU) – Das 12,7-mm-Kaliber, das früher als MG und Fla-MG verwendet wurde, wird durch die Einheitswaffe *ZPU* ersetzt. Als Zwilling *ZPU-2* dient sie als Bordwaffe, ist aber auch auf dem Schützenpanzerwagen BTR-152 aufgesetzt. Als Vierling *ZPU-4* (Bild 59) ist sie in den leichten Fla-Zügen der Regiments-Einheiten. In dieser Form wird die Waffe auf einer 2-Achs-Kreuzlafette gefahren. Ihr Gewicht in Feuerstellung beträgt etwa 1 t. Die wirksame Reichweite gegen Luftziele beträgt knapp 1000 m, gegen Erdziele rund 2000 m.

57-mm-Flak M-1950 – Die mittlere Flak M-1950 findet sich in den Fla-Batterien der Regimenter und in den Fla-Abteilungen der Divisionen. Das sehr leistungsfähige Geschütz erreicht gegen Luftziele eine Höhe von gut 2000 m und gegen Erdziele eine Entfernung von rund 12 km. Das Geschoßgewicht (Sprenggranate) ist 2,8 kg. Das Geschütz kann auch an eine Feuerleitanlage angeschlossen werden. Die Feuergeschwindigkeit beträgt 60 Schuß in der Minute. Das Geschütz kann wirksam zur Panzerabwehr verwendet werden. Es durchschlägt dann bis 100 mm auf 1000 m. Das lange Rohr (4,4 m mit Mündungsbremse) wird auch für den Fla-Panzer SU 57-2 (57-mm-Fla-SFL) als Zwilling (Bild 62) verwendet. (Bild 60)

100-mm-Flak M-1949 – Für die Fla-Regimenter der Divisionen wurde als Ersatz der nicht mehr ausreichenden 85-mm-Flak die 100-mm-Flak eingeführt. Dieses in der Feuerstellung 11 t schwere Geschütz wird auf einfach bereiften Protzkarren beweglich gemacht und durch einen Zugkraftwagen (ZKW M-1954) gezogen. Seine wirksame Reichweite beträgt gegen Luftziele bis 12 000 m, die maximale Reichweite gegen Luftziele 15 000 m, gegen Erdziele 21 km. Die Feuergeschwindigkeit ist etwa bis 15 Schuß in der Minute, das Geschoßgewicht 16 kg.

Fla-Rakete BL-1 – Seit 1962 verfügt die NVA über Bodenluftraketen BL-1, die in der Sowjetarmee seit 9 Jahren im Truppengebrauch sind und kürzlich durch eine neue Ausführung ersetzt wurden. Es handelt sich um einen zweistufigen Boden-Luft-Fernlenkkörper, der eine maximale Höhe von 18 000 Metern (Schrägentfernung von 28 km) und eine wirksame Schußhöhe von 12 000 m (Schrägentfernung 60 km) erreicht. (Bild 61)

Panzer

Spähpanzer PT-76 — Bei den Aufklärungskompanien befindet sich dieses schwimmfähige Fahrzeug (Schwimmpanzer), dessen Fahrgestell auch für den Schützenpanzer BTR-50 (P) und den Panzerwerfer BB 1/PT verwendet wird. Die Höhe ist 2,20 m. Er hat eine schwache Panzerung, ist aber gut bewaffnet. Die Sowjets haben ihre Spähpanzer mit einer konventionellen Bordkanone (76 mm) ausgerüstet. Als zweite Waffe hat der PT-76 ein MG 7,62 mm. Die

Bild 46 — Selbstladekarabiner „Simonow" SKS

Bild 47 — Maschinenkarabiner „Kalaschnikow" AK

Bild 48 — Leichtes Maschinengewehr RPD

Bild 49 — Handgranate 42 (Angriff)

Bild 50 — Die Pistole „Makarow" PM

Bild 51 – LPAG 40 mm (RPG-2, „Panzerbüchse")

Bild 52 – Panzerabwehrlenkraketen

Bild 53 – 160-mm-Granatwerfer M-1943 (siehe auch Bild 105 – mittlerer Granatwerfer 120 mm – und Bild 106 – leichter Granatwerfer 82 mm)

Besatzung besteht aus 3 Mann. Das Gewicht beträgt 14 t. Der Dieselmotor leistet 240 PS, die Marschgeschwindigkeit ist auf dem Land 45 km/h, auf dem Wasser (Wasserstrahlturbinen) 15 km/h. Der Aktionsradius beträgt rund 250 km. (Bild 63)

Kampfpanzer T-34/85 – Dieser schon 1944 aus dem T-34/76 hervorgegangene Panzer wird in der Sowjetunion seit 1947 nicht mehr gefertigt und wird auch bei der NVA nach und nach durch den T-54 ersetzt. Seine Kanone ist robust und leistungsfähig, aber die Zieleinrichtungen sind primitiv. Als Zweitbewaffnung dienen 2 x MG 7,62 mm. Die Besatzung besteht aus 5 Mann. Der Turm ist zu groß und weist Fangstellen auf. Das Gewicht des T-34/85 ist 32 t, die Höhe 2,70 m. Der 500 PS leistende Dieselmotor erlaubt eine Geschwindigkeit von rund 60 km/h. Der Aktionsradius ist 300 km. (Bild 64)

Kampfpanzer T-54 – Dieser neuzeitliche mittlere Kampfpanzer ist in größerer Zahl für die mittleren Panzereinheiten der NVA geliefert worden. Hervorzuheben an diesem Standardpanzer ist der große Aktionsradius von etwa 400 km auf guten Straßen, die sehr gute Formgebung und das starke Geschütz (100-mm-Kanone), dessen ballistische Leistung jedoch wegen unzulänglicher Zielvorrichtungen (kein E-Messer) nicht voll ausgenutzt werden kann. Nachteilig ist die geringe Munitionsausstattung im Fahrzeug. Als Zweitbewaffnung dienen 1 x 12,7-mm-MG, 2 x 7,62-mm-MG. Der 520-PS-Dieselmotor erlaubt dem 36 t schweren Fahrzeug eine Geschwindigkeit von 48 km/h. Die Höhe ist 2,38 m. Mit Vorrichtungen, durch die der Panzer in Kürze tauchfähig gemacht werden kann, wurden Versuche angestellt. (Bild 65)

Kampfpanzer JS-III – Der JS-III, der einige Jahre nach 1945 der schwere Standardpanzer der Sowjetarmee war, befindet sich, neben einigen veralteten JS-II, in den schweren Panzereinheiten der Panzerdivisionen der NVA. Er hat ein Gewicht von 48 t, die Höhe ist 2,50 m. Seine 122-mm-Kanone verschießt Kartuschenmunition. Kampfbeladung und Feuergeschwindigkeit sind gering. Ein E-Messer fehlt. Die Reichweite der Kanone ist jedoch beträchtlich (20 km). Die Zweitbewaffnung bilden 1 x 12,7-mm-Fla-MG und 1 x 7,62-mm-MG. Die Besatzung besteht aus 4 Mann. Der 600-PS-Dieselmotor erlaubt dem JS-III eine Geschwindigkeit von 35 km/h. Der Aktionsradius beträgt 180 km. Der JS-III wird bei den Sowjets durch den etwas geräumigeren T-10 ersetzt, der auch einen stärker Motor (700 PS) und eine Geschwindigkeit von 40 km/h hat. (Bild 66)

BTR-40 – Als Schützenpanzer oder Spähpanzer befindet sich dieser Typ bei den Panzeraufklärungskompanien. Es handelt sich um ein 5,3 t schweres Radfahrzeug einfacher und robuster Bauart, das als Mehrzweckfahrzeug verwendet werden kann. Die Höhe beträgt 1,90 m. Der BTR-40 hat neben der Besatzung von 2 Mann Raum für weitere 8 Mann (1 Gruppe). Der Ottomotor leistet 80 PS, die Spitzengeschwindigkeit ist 80 km/h. Der Aktionsradius ist 280 km. Die normale Bewaffnung ist 1 x 7,62-mm-MG; der BTR-40 wird aber auch mit einem Zwillings-14,5-mm-Fla-MG (ZPU-2) ausgestattet. Seine Geländegängigkeit ist begrenzt.

BTR-40 (A) – Bei der Mai-Parade 1960 führte die NVA zum erstenmal diesen neuen leichten Spähpanzer (eine Abart des BTR-40) vor. Er hat 4-Radantrieb und bietet neben dem Fahrer 3 bis 4 Mann Platz. Er ist nur mit MG bewaffnet und trägt keinen Drehturm. Daher ist die Silhouette im ganzen sehr niedrig. Der BTR-40 (A) ist schwimmfähig und wird im wesentlichen für Aufklärungs- und Erkundungszwecke bei Panzeraufklärern, Mot. Schützen und Panzerpionieren verwendet. Auch als gepanzertes Fahrzeug für Stäbe und Panzerfunkwagen ist er verwendbar. Die geringe Bauchfreiheit wird durch 2 absenkbare Hilfsachsen mit Rädern kleineren Durchmessers erhöht. (Bild 67)

Schützenpanzer BTR-152 – Dieser 3achsige Schützenpanzerwagen mit Allradantrieb ist oben offen und ziemlich hoch (ohne Bewaffnung 2,1 m). Er faßt 15 Mann. Der Ottomotor leistet 110 PS und erlaubt eine Straßengeschwindigkeit von 75 km/h. Im Gelände ist er wegen seiner primitiven Bauweise sehr unbequem. Der Aktionsradius beträgt 650 km. Das Gefechtsfahrzeug bietet der Besatzung (Mot. Schützen) Schutz vor Granatsplittern und Geschossen von Schützenwaffen und soll die Druck- und Strahlenwirkung von atomaren Waffen verringern. Für den Atomkrieg ist der Wagen aber nicht mehr geeignet, weil er nicht rundum geschlossen ist. Die normale Bewaffnung besteht in dem 12,7-mm- oder 7,62-mm-MG. Es findet sich aber auch das Zwillings-14,5-mm-Fla-MG. (Bild 68)

Schützenpanzer BTR-50 (P) – Während der BTR-152 auf dem Einheits-Lkw-Fahrgestell aufgebaut ist, hat der BTR-50 (P) das Fahrgestell des Spähpanzers PT-76. Seine Höhe ist 1,86 m. Es ist der erste sowjetische Mannschaftstransportwagen mit Kettenantrieb und wurde seit 1962 auch der NVA (vornehmlich Panzeraufklärungseinheiten) geliefert. Die neueste Ausführung ist oben voll schließbar, hat aber keine Bordwaffe unter Panzerschutz. Der BTR-50 (P) faßt neben der Besatzung von 3 Mann 12 weitere Personen. Der Dieselmotor leistet 240 PS und verleiht dem Fahrzeug eine Geschwindigkeit auf dem Land von 40 km/h, auf dem Wasser 10 km/h. Der Aktionsradius ist 250 km. (Bild 69)

Jagdpanzer SU-100 – Auf dem Fahrgestell des T-34 gibt es in den Jagdpanzerkompanien der Mot. Schützendivisionen den SU-100 (SFL-100), der allerdings in der Sowjetarmee kaum noch anzufinden ist. Seine 100-mm-Kanone ist die gleiche wie beim T-54. Das Gewicht beträgt 30 t. Der Dieselmotor mit 500 PS erlaubt eine Geschwindigkeit von 56 km/h. Der Aktionsradius beträgt 250 km. Da die Höhe des SU-100 annähernd so groß wie die des T-54 (2,38 m) ist, gilt der SU-100 als veraltet. Auch schwerere Jagd- und Sturmpanzer vom Typ JSU-122 und JSU-152 sind bei der NVA in geringerer Zahl noch vorhanden, dürften aber ebenfalls nicht mehr lange verwendungsfähig sein. (Bild 70)

Bergepanzer T-34 BG – Die NVA verwendet als Bergepanzer einen T-34 ohne Turm. Er ist unzulänglich ausgestattet, hat keine Räumschaufel und keinen Hebebaum, ist aber robust und für den T-34 oder T-54 ausreichend.

Amphibische Fahrzeuge

Schwimmwagen P2S – Dieser allradangetriebene Kübelwagen ist die Standardausstattung der Erkundungstruppen und dient als Kommandeurs- und Verbindungsfahrzeug. Der Ottomotor leistet 65 PS und verleiht dem 5 m langen Fahrzeug auf der Straße eine Höchstgeschwindigkeit von 95 km/h, im Wasser, angetrieben durch eine Schraube, 9 km/h. Der Aktionsradius ist 320 km. Der P2S wird in der Sowjetzone als Nachbau des sowjetischen GAZ-46 hergestellt. (Bild 72)

Schwimm-Lkw BAV – Der sowjetische Nachbau des amerikanischen DUKW des Zweiten Weltkrieges ist als BAV das Standardfahrzeug aller Pionier-einheiten. Er trägt 20 bis 25 Mann oder ein leichtes Geschütz mit Bedienung. Der Ottomotor leistet 110 PS und gibt dem pontonartigen Fahrzeug von 9,54 m Länge und 7 t Gewicht eine Geschwindigkeit von 60 km/h auf der Straße, im Wasser 10 km/h. Der Aktionsradius ist 480 km. (Bild 74)

Schwerer Schwimmwagen K-61 – Der K-61 ist ein großes Vollkettenfahr-zeug und trägt auf dem Festland eine Nutzlast von 3 t und im Wasser eine Nutzlast von 5 t. Die amphibischen Pioniereinheiten können mit dem K-61 Haubitzen, Lkw, Pak oder 40 Mann übersetzen. Sein Gefechtsgewicht ist 9,5 t. Die Länge beträgt 9,15 m. Der 135 PS leistende Dieselmotor verleiht dem Fahrzeug auf dem Land eine Geschwindigkeit von 36 km/h, auf dem Wasser, angetrieben von zwei Schrauben, eine Geschwindigkeit von 10 km/h. Der Aktionsradius ist auf dem Festland 170 bis 260 km, auf dem Wasser 10 Stun-den. Das sehr robuste Fahrzeug wurde, nach sowjetischen Meldungen, sogar zum Übersetzen über kilometerbreite zentralasiatische Ströme bei Eisgang eingesetzt. (Bild 73)

Pionierfahrzeuge

Ebenso wie bei der Sowjetarmee ist den Erdbearbeitungsmaschinen bei der NVA besondere Aufmerksamkeit gewidmet worden. Auf dem Fahrgestell des Vollkettenfahrzeugs Zug-Kw K-10 ist ein großer *Grabenbagger* aufgebaut worden, der durch ein Baggerrad verhältnismäßig schnell (960 bis 1200 m³/h) gerade Gräben auszuheben vermag (Bild 75 und Bild 76). Ein *Grabenpflug* vermag kleinere Gräben auszuheben (Bild 77). Schließlich dient ein *Erd-bohrer,* als Anbaugerät eines Traktors, den Pionieren zum schnellen Aus-heben von Löchern von etwa 50 cm Durchmesser. (Bild 78)

Brückenlegegerät – Bei der Maiparade 1963 wurde von der NVA zum erstenmal und mit besonderem Stolz ein auf dem T-54 montiertes Brücken-legegerät gezeigt, wie es von der Sowjetarmee seit längerer Zeit verwendet wird. Die einteilige Brücke hat eine Länge von 12 m und eine Breite von

3,50 m. Die Brücke soll jedes in der Sowjetunion entwickelte Panzerfahrzeug tragen können. (Bild 71)

II. Luftstreitkräfte und Luftverteidigung

In der NVA/LSK und LV werden folgende Flugzeugtypen sowjetischer Herkunft eingesetzt:

MiG-15 – Die MiG-15 wurde als das erste Strahlflugzeug (Düsen) mit Pfeilflügeln von den sowjetischen Flugzeugkonstrukteuren Mikojan und Gurewitsch (MiG) ab 1946 entwickelt und 1949 in der Sowjetarmee eingeführt. Die MiG-15, die sich im Koreakrieg bewährte, ist als einsitziges reines Jagdflugzeug überholt und wird bei den sowjetzonalen Luftstreitkräften und den anderen Satellitenluftwaffen auch als Jagdbomber verwendet. Das Strahltriebwerk erlaubt eine Höchstgeschwindigkeit von etwa 1050 km/h. Der normale Aktionsradius ist 1200 km. Die Gipfelhöhe ist 15 500 m. Die Bewaffnung besteht aus 2 x 23-mm- und 1 x 37-mm-Bordkanonen. (Bild 80)

MiG-17 – Dieser einstrahlige Jäger ist die verbesserte Weiterentwicklung der MiG-15. Er wird in verschiedenen Versionen gebaut, von denen die MiG-17D und MiG-17E als die am besten ausgerüsteten und als „allwetterjagdtauglich" gelten. Die MiG-17 ist der Standardjäger der sowjetzonalen LSK/LV. Seine Höchstgeschwindigkeit liegt bei 1200 km/h. Der normale Aktionsradius ist 1200 km. (Die MiG-17PF kann mit Treibstoffersatzbehältern unter den Tragflächen versehen werden und hat einen bedeutend erweiterten Aktionsradius.) Die Gipfelhöhe ist 16 600 m. Die Bewaffnung besteht aus 2 x 23-mm- und 1 x 37-mm-Bordkanonen. (Bild 79)

MiG-19 – Im Gegensatz zur MiG-15 und MiG-17 handelt es sich um eine 2strahlige Weiterentwicklung der Vorläufermuster, die wegen ihrer großen Steiggeschwindigkeit die MiG-19 als Abfangjagdflugzeug qualifiziert. Auch die MiG-19 wird in verschiedenen Versionen gebaut. Die Versionen B und C sind „allwetterjagdtauglich". Die Höchstgeschwindigkeit liegt bei 1450 km/h. Der Aktionsradius ist 1800 km. Die Gipfelhöhe ist 18 600 m. Die MiG-19 ist mit 2 x 23-mm-Bordkanonen und Luft-Luft-Raketen ausgerüstet.

IL-28 – Die IL-28 wurde von dem sowjetischen Flugzeugkonstrukteur Iljuschin konstruiert und ist seit 1950 in großer Zahl gebaut worden. Der leichte (taktische) Bomber ist ein 2strahliger freitragender Schulterdecker und hat eine Besatzung von 3 Mann (Pilot, Bombenschütze, Heckschütze). Die Höchstgeschwindigkeit liegt bei 900 km/h. Der normale Aktionsradius ist 3900 km. Die Gipfelhöhe beträgt 12 900 m. Die Bewaffnung besteht aus 4 x 23-mm-Bordkanonen (davon 2 im Heck). (Bild 82)

AN-2 – Dieser verstrebte Doppeldecker ist ein Kurzstrecken-Mehrzweck-flugzeug, das als leichtes Transport- und Sanitätsflugzeug eingesetzt ist. Es wurde von dem sowjetischen Konstrukteur Antonow 1947–1950 entwickelt. Es kann bei einer Besatzung von 2 Mann 1½ t Fracht oder 6 Tragbahren mit 2 Begleitpersonen befördern. Die Höchstgeschwindigkeit dieser mit einem luftgekühlten Sternmotor versehenen Maschine liegt bei 300 km/h. Der normale Aktionsradius ist 1200 km. Die Dienstgipfelhöhe ist 8000 m. (Bild 83)

IL-14 – Die Maschine ist als mittlerer Fracht(5 t)- und Truppentransporter eingesetzt und wird von den Fallschirmjägern als Einsatzflugzeug benutzt. Der mit 2 Doppelsternmotoren ausgerüstete freitragende Tiefdecker ähnelt sehr stark der etwas schnelleren amerikanischen Convair 440 („Metropolitan"). Die Höchstgeschwindigkeit liegt bei 400 km/h. Der normale Aktionsradius beträgt 1600 km. Die Dienstgipfelhöhe beträgt 6700 m. (Bild 84)

IL-18 – Dieses moderne Verkehrsflugzeug mit 4 Propellern und Turbinentriebwerken wird von der sowjetischen Luftfahrtgesellschaft auf zahlreichen Inlands- und Auslandsstrecken eingesetzt. Es kann 75 bis 98 Fluggäste befördern. Die NVA/LSK besitzt zur Zeit 3 Maschinen dieses Typs. Die Höchstgeschwindigkeit der IL-18 liegt bei 650 km/h. Der normale Aktionsradius ist 5400. Die Dienstgipfelhöhe beträgt 9000 m.

Yak-11 – Der von einem luftgekühlten Sternmotor getriebene freitragende Tiefdecker ist das Standardübungsflugzeug für Fortgeschrittene. Das bewährte 2sitzige Baumuster des sowjetischen Konstrukteurs Yakolew wird auch in anderen Ostblockstaaten zur zivilen und militärischen Schulung verwendet. Die Höchstgeschwindigkeit liegt bei 460 km/h. Der normale Aktionsradius ist bei 1270 km. Die Dienstgipfelhöhe beträgt 7100 m.

Yak-18 – Der einmotorige und freitragende Tiefdecker ist das Übungsflugzeug für Anfänger bei den sowjetischen und Satellitenluftstreitkräften. Die Höchstgeschwindigkeit beträgt 235 km/h. Der normale Aktionsradius ist 1000 km. Die Dienstgipfelhöhe beträgt 4000 m.

L-60 – Das einmotorige tschechische Beobachtungs-, Verbindungs- und Sanitätsflugzeug ist auch bei den sowjetzonalen Luftstreitkräften im Einsatz. Es kann außer 2 Piloten noch 2–3 Passagiere oder 2 Tragbahren und 1 Begleitperson befördern. Das Flugzeug zeichnet sich besonders durch Kurzstart aus. Es ist mit einem luftgekühlten Zylinder-Reihenmotor ausgestattet. Die Höchstgeschwindigkeit liegt bei 200 km/h. Der normale Aktionsradius ist 710 km. Die Dienstgipfelhöhe beträgt 4500 m.

MiG-15 UTI – Diese Maschine ist lediglich eine Abwandlung der MiG-15 als 2sitziger Strahltrainer. Die Leistungen entsprechen etwa denen der normalen MiG-15.

Mi-1 – Der 4sitzige Mehrzweckhubschrauber wurde 1949 von dem sowjetischen Konstrukteur Mil entwickelt. Er wird als Verbindungs- und Sanitätsflugzeug eingesetzt, wobei sich zum Verwundetentransport außerhalb des Rumpfes korbähnliche Behälter anbringen lassen. Die Mi-1 wird von einem Sternmotor getrieben, hat eine Höchstgeschwindigkeit von 180 km/h und einen normalen Aktionsradius von 350 km. Die Dienstgipfelhöhe beträgt 4500 m.

Mi-4 – Diese Maschine wird als Transporthubschrauber eingesetzt. Sie bietet neben der 2köpfigen Besatzung Platz für 14 vollausgerüstete Soldaten oder entsprechendes Frachtgut (5220 kg). Durch den Einbau des Sternmotors im Bug ist das rückwärtige Rumpfteil schnell und leicht zugänglich. Die Höchstgeschwindigkeit der Mi-4 liegt bei 175 km/h. Der normale Aktionsradius ist 400 km. Die größte Flughöhe beträgt 5300 m. Die Bewaffnung besteht aus 1 Bord-MG. (Bild 85)

III. Volksmarine

In der NVA/VM werden folgende Schiffstypen sowjetischer bzw. sowjetzonaler Herkunft gefahren:

Küstenschutzschiffe (KSS)

Es handelt sich um sowjetische Geleitzerstörer vom Typ *Riga*, Baujahr 1950/53. Wasserverdrängung 1200 ts, Länge 91 m, Antrieb Getriebeturbine, Geschwindigkeit 28 sm, etwa 180 Mann Besatzung. Bewaffnung 3 x 100-mm-, 4 x 37-mm-Flak, 2 Torpedorohrsätze, 4 Wasserbombenwerfer, 50 Minen. Die 4 vorhandenen KSS tragen die Namen „Friedrich Engels", „Karl Marx", „Ernst Thälmann", „Karl Liebknecht". (Bild 87)

Minenleg- und Räumboote (MLR)

Habicht I-Klasse – Sowjetzonaler Eigenbau, der den „Minensuchbooten 40" der ehemaligen deutschen Kriegsmarine ähnlich ist. Baujahr 1952/54. Wasserverdrängung 610 ts, Länge 59 m, Dieselantrieb, Geschwindigkeit 17 sm, Besatzung 85 Mann. Bewaffnung: 1 x 85-mm-, 8 x 25-mm-Flak, 36 Minen und Wasserbomben. (Bild 88)

Habicht II-Klasse – Eine sowjetzonale Weiterentwicklung, die den „Minensuchbooten 43" der ehemaligen deutschen Kriegsmarine ähnlich ist. Baujahr 1954/56. Wasserverdrängung 700 ts, Länge 65 m, Dieselantrieb, Geschwindigkeit 17 sm, Besatzung 85 Mann. Bewaffnung: wie bei Habicht I-Klasse.

Krake-Klasse – Sowjetzonale Eigenentwicklung, die in ihrer äußeren Form große Ähnlichkeit mit modernen Bergungsschleppern hat. Baujahr 1956/58. Wasserverdrängung 740 ts, Länge 70 m, Dieselantrieb, Geschwindigkeit 17 sm, Besatzung 90 Mann. Bewaffnung: 1 x 85-mm-, 10 x 25-mm-Flak, 32 Minen und 32 Wasserbomben. (Bild 89)

Die 24 vorhandenen MLR tragen u. a. die Namen der Bezirkshaupt-städte ("Magdeburg", "Schwerin", "Halle", "Gera", "Erfurt", "Frankfurt", "Brandenburg", "Potsdam", "Cottbus" usw.).

Räumpinassen (R)

Schwalbe-I-Klasse – Sowjetzonaler Eigenbau der Jahre 1953/54. Wasser-verdrängung 75 ts, Länge 27 m, Dieselantrieb, Geschwindigkeit etwa 12 sm, Besatzung 14 Mann. Bewaffnung: 4 x Fla-MG. (Bild 91)

Schwalbe-II-Klasse – Sowjetzonaler Eigenbau der Jahre 1954/58. Wasser-verdrängung etwa 100 ts, Länge 32 m, Dieselantrieb, Geschwindigkeit etwa 13 sm, Besatzung 14 Mann. Bewaffnung: 2 x 25-mm-Flak.

Die VM verfügt etwa über 40 Räumpinassen.

U-Jäger

Neuerer sowjetischer Typ *(SO-1-Klasse)*, Baujahr 1957. Wasserverdrän-gung 215 ts, Länge 40 m, Dieselantrieb, Geschwindigkeit etwa 40 sm, Be-satzung 30–40 Mann. Bewaffnung: 4 x 25-mm-Flak, 4 x 5-U-Boot-Abwehr-raketen, 24 Wasserbomben (2 Wasserbombenwerfer). (Bild 90)

Die VM verfügt über 18 U-Jäger dieses Typs.

Torpedoschnellboote

Sowjetischer Typ *(P-6-Klasse)*, Baujahr 1952/53. Wasserverdrängung etwa 70 ts, Länge 27 m, Dieselantrieb, Geschwindigkeit etwa 42 sm, Besatzung 15 Mann. Bewaffnung: 4 x 25-mm-Flak, 2 Torpedorohre, 12 Wasserbomben. (Bild 93)

Die in der VM 34 vorhandenen TS wurden der VM 1958 zur Verfügung gestellt.

Unter den Decknamen *Seeteufel, Forelle* und *Iltis* befinden sich angeblich eigene Entwicklungen im Bau.

Küstenschutzboote (KS)

Sowjetzonaler Eigenbau der Jahre 1953/54. Wasserverdrängung etwa 78 ts, Länge 28 m, Dieselantrieb, Geschwindigkeit etwa 24 sm, Besatzung etwa 20 Mann. Bewaffnung: Fla-MG und Wasserbomben. (Bild 92)

Die VM verfügt über etwa 60 KS.

Wachboote

Tümmler-Klasse – Baujahr 1953/56. Wasserverdrängung 50 ts, Länge 23 m,

Dieselantrieb, Geschwindigkeit etwa 10 sm, Besatzung 7 Mann. Bewaffnung: 4 x 14,5-mm-Fla-MG.

Delphin-Klasse – Sowjetzonaler Eigenbau der Jahre 1953/54. Wasserverdrängung 50 ts, Länge 29 m, Dieselantrieb, Geschwindigkeit etwa 27 sm, Besatzung etwa 14 Mann. Bewaffnung: 1 Fla-MG.

Die VM verfügt über 28 Wachboote.

Landungsboote (LS)

Sowjetzonaler Eigenbau der Jahre 1960/62. Wasserverdrängung etwa 300 bis 400 ts, Länge 50–60 m, Dieselantrieb, Geschwindigkeit etwa 10–12 sm, Besatzung etwa 25–30 Mann. Bewaffnung: 2–4 x 25-mm-Flak. Ladefähigkeit 4 Panzer und entsprechendes Personal. (Bild 94)

Die VM verfügt etwa über 15 LS.

Bild 54 — 57-mm-Pak

Bild 55 — 85-mm-Pak mit Hilfsantrieb (oben), Bild 56 — 152-mm-Feldhaubitze M-1943

Bild 57 — Schwerer Raketenwerfer BM-24 auf LKW (240-mm-BM 24/LKW)

Bild 58 — Boden-Boden-Lenkrakete auf schwerer Selbstfahrlafette

Bild 59 — 14,5-mm-Fla-
MG (ZPU-4)

Bild 60 — 57-mm-Flak
M-1950

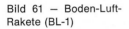

Bild 61 — Boden-Luft-
Rakete (BL-1)

Bild 62 — Flak-Panzer SU-57-2

Bild 63 — Schwimmpanzer PT-76

Bild 64 — Kampfpanzer T-34/85

Bild 65 — Kampfpanzer T-54 (oben)   Bild 66 — Kampfpanzer JS III (unten)

Bild 67 — Schützenpan-
zer bzw. Spähpanzer
BTR-40 (A)

Rechte Seite oben: Bild 69 — Schützenpanzer 50 (P) — Bild 70 — Jagdpanzer
SU-100 (Mitte)

Bild 68 — Schützenpan-
zer BTR-152 (oben)

Bild 71 — Brückenlege-
panzer T-54

Bild 72 — Schwimmwagen P2S

Bild 73 — Schwerer Schwimmwagen K-61 (oben) — Bild 74 — Schwimm-LKW BAV

Bild 75 — Grabenbagger auf dem Marsch und Bild 76 — bei der Arbeit (links)

Bild 77 — Grabenpflug bei der Arbeit (unten links)

Bild 78 — Maschinenbohrer bei der Arbeit (unten rechts)

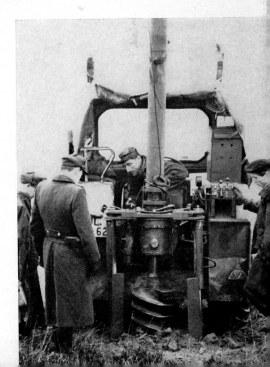

Bild 79 — MiG-17, das Standard - Einsatzflugzeug der NVA - Luftstreitkräfte

Bild 80 — MiG-15 (rechts)

Bild 81 — In den NVA-Luftstreitkräften verwendete Düsenjäger im Aufriß

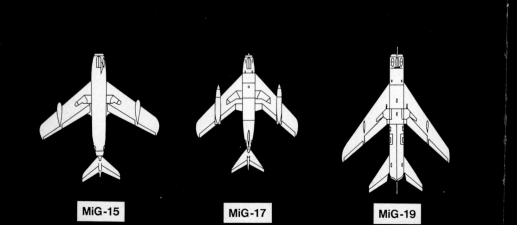

MiG-15   MiG-17   MiG-19

Bild 82 — Der leichte Bomber und Aufklärer Il-28

Bild 83 — Mehrzweckflugzeug An-2

Bild 84 — Transportflugzeug Il-14

Bild 85 — Transporthubschrauber Mi-4 bei einer Übung über dem Gefechtsfeld

Bild 86 — In den NVA-Luftstreitkräften verwendete Flugzeuge in der Aufrißzeichnung

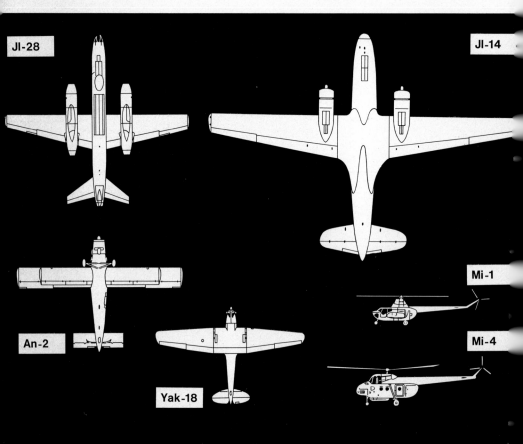

Teil III

Der Dienst

7. KAPITEL

Die Rekrutierung der Streitkräfte
Vom „freiwilligen Zwang"
zur allgemeinen Wehrpflicht

In allen Ostblockstaaten besteht – von Anfang an – die allgemeine Wehrpflicht. Lediglich die Sowjetzone Deutschlands bildete bis Januar 1962 eine Ausnahme. Dafür war eine Reihe von Gründen maßgebend:

In den ersten Jahren nach dem Zweiten Weltkrieg konnten die Sowjets allein schon aus außenpolitischen Gründen nicht gut in aller Form die allgemeine Wehrpflicht für eine Bevölkerung verkünden, die – nach dem Potsdamer Abkommen – ein für allemal waffenlos bleiben sollte. Die Sowjets wußten zudem, daß die Deutschen nicht mit dem ihnen aufgezwungenen kommunistischen Regime sympathisierten, also mußten erst einmal die politisch verläßlichen Kader für die neue Armee, deren Aufstellung bei den Sowjets schon früh beschlossene Sache war, herangebildet werden. Rücksicht auf die innere Abneigung der Deutschen gegen eine Wiederbewaffnung nach den schlimmen Erfahrungen eines verlorenen Krieges spielten für die Sowjets nur eine sehr nebensächliche Rolle. Dasselbe galt für die Abneigung der Polen und Tschechoslowaken gegen die Bildung einer großen Armee, deren Angehörige – wenn auch unter kommunistisch-sowjetischer Führung – dennoch Deutsche sein würden. Den Sowjets war zudem das Wirtschaftspotential der Zone wichtiger als das militärische Potential. Auch nachdem die Zone im Oktober 1949 von den Sowjets die „Souveränität" verliehen bekommen und im Januar 1956 die „Volksarmee" aufgestellt hatte, wurde noch lange auf die Einführung der allgemeinen Wehrpflicht verzichtet.

Dieser Verzicht fiel dem von den Sowjets errichteten SED-Regime um so leichter, als es glaubte, über die Partei und die Massenorganisationen genügend Machtmittel zur Verfügung zu haben, um „freiwillige" Meldungen für den Eintritt in die bewaffneten Kräfte erzwingen zu können.

Indirekter Zwang konnte dann auch durch das *Gesetz zur Ergänzung der Verfassung* ausgeübt werden. Danach wurde dem *Artikel Fünf der Verfassung der Deutschen Demokratischen Republik* hinzugefügt:

> Der Dienst zum Schutz des Vaterlandes und der Errungenschaften der Werktätigen ist eine ehrenvolle Pflicht der Bürger der DDR.[1]

Der Sowjetzonenregierung war und ist nach diesem Ergänzungsgesetz ein weiter Spielraum für Regierungsverordnungen und Beschlüsse gelassen, denn § 3 bestimmt:

> Die Organisation des Dienstes zum militärischen Schutz der Heimat und zum Schutz der Zivilbevölkerung wird durch Beschluß des Ministerrates geregelt.

Die Mitwirkung der Partei- und Massenorganisationen

Die Mitglieder der SED und der Massenorganisationen waren – und sind noch heute – durch die Statuten ihrer Organisationen besonders verpflichtet, bei Aufforderung in die Streitkräfte einzutreten oder sich aktiv an Werbekampagnen zu beteiligen. Eine solche Verpflichtung war indirekt schon in der strengen Parteidisziplin begründet, wie sie im *Statut der SED* von 1946[2] festgelegt wurde. In dem SED-Statut von 1950 ist die Pflicht des Parteimitgliedes „sich den Beschlüssen der Partei unterzuordnen" noch eindeutiger formuliert worden. Im Statut, das auf dem IV. Parteitag der SED 1954 angenommen wurde, ist schließlich die besondere Aufgabe der SED bei der Erfassung der Bevölkerung zum Militärdienst ausdrücklich festgestellt:

> Die Partei erzieht und organisiert die Werktätigen zur allseitigen aktiven Verteidigung der Heimat, des Staates der Arbeiter und Bauern, gegen alle aggressiven Aktionen ihrer Feinde.[3]

Ähnliche Bestimmungen – sowohl über die Pflicht zum eventuellen eigenen Eintritt des Mitgliedes in die Streitkräfte wie auch zur Werbung anderer – sind auch für die Mitglieder der Hilfsorganisationen der SED verbindlich.

Die militärischen Pflichten der Mitglieder der *Freien Deutschen Jugend (FDJ)* wurden schon in den im Mai 1955 beschlossenen FDJ-Statuten festgelegt:

---

1 Gesetzblatt der DDR I, Nr. 82, 6. 10. 1955, S. 653
2 *Dokumente der SED*, Bd. I, Dietz-Verlag, Ost-Berlin 1951, S. 11 f.
3 *Dokumente der SED*, Bd. V, 1956, S. 92

Die Mitglieder der FDJ betrachten es als ihre Ehre und Pflicht, sich vollmilitärische Kenntnisse und Fähigkeiten anzueignen. Der Dienst in den bewaffneten Organen der DDR ist für jedes Mitglied der FDJ eine Ehrenpflicht.[4]

Auch in den Satzungen des *Freien Deutschen Gewerkschaftsbundes (FDGB)* sind seit 1955 militärische Verpflichtungen enthalten:

Die Gewerkschaften erziehen die Werktätigen zum Patriotismus, zur Liebe zur Heimat, zur Wachsamkeit gegenüber Saboteuren und Agenten und zur Erfüllung ihrer Pflicht, die sozialistischen Errungenschaften ihres Arbeiter-und-Bauern-Staates zu verteidigen.[5]

Die Gewerkschaftsmitglieder wurden im übrigen vor allem zum Eintritt in die *Kampfgruppen* (KG) aufgefordert.

Da das SED-Regime durch seinen massiv ausgeübten Druck schon früh erreicht hatte, daß fast die gesamte Bevölkerung irgendwie „organisiert" ist, bestand für die Männer im wehrfähigen Alter praktisch auch schon eine Verpflichtung zum Militärdienst.

Die „Freiwilligenwerbung" wurde immer schwieriger

In der ersten Phase der sowjetzonalen Aufrüstung bis Ende 1951 war es noch verhältnismäßig einfach, das notwendige Personal für die als Polizeieinheiten getarnten bewaffneten Verbände zu gewinnen.

Ein Anreiz für freiwillige Meldungen zur *Volkspolizei* waren die bessere Versorgung ihrer Angehörigen mit Lebensmitteln und die hohe Besoldung. Während der Angehörige bewaffneter Verbände 120 g Butter oder Fett als Tagesration bekam, erhielt der Normalverbraucher zu dieser Zeit nur 29,5 g. Bei Fleischwaren war es ähnlich: 150 g gab es für den Angehörigen der bewaffneten Verbände, nur 44,5 g für den Normalverbraucher. Hinzu kam die Furcht jüngerer Arbeiter, zum Uranbergbau oder zu anderen gefährlichen Arbeiten verpflichtet zu werden. Auf diese Weise konnte immerhin in der ersten Zeit der Schein der Freiwilligkeit aufrechterhalten werden.

Damals wurden auch besonders ehemalige Angehörige der Wehrmacht, vornehmlich Berufssoldaten, unter politischem Druck angehalten, sich mit ihren militärischen Erfahrungen zur Verfügung zu stellen. Dabei wirkte die *National-Demokratische Partei Deutschlands (NDPD)* mit, die sich seit ihrer Gründung im Sommer 1948 (zur gleichen Zeit wurden die ersten kasernierten Verbände der Volkspolizei aufgestellt) nach ihren eigenen Erklärungen an den „Mittelstand, die ehemaligen Mitglieder der NSDAP, die Berufssoldaten

4 „Junge Welt", Ost-Berlin, Nr. 134 vom 8. 6. 1955, S. 3 f.

5 „Die Arbeit", Monatsschrift für Theorie und Praxis der deutschen Gewerkschaften, herausgegeben vom Bundesvorstand des FDGB, Ost-Berlin, Nr. 6 vom Juni 1955

und Offiziere" wandte. Zahlreiche ehemalige Offiziere und Soldaten, die während der Kriegsgefangenschaft in der Sowjetunion dem *Nationalkomitee „Freies Deutschland"* und dem *Bund Deutscher Offiziere* angehört und (oder) eine der *Antifa-Schulen* für deutsche Kriegsgefangene besucht hatten, wurden nach ihrer Entlassung in die NDPD delegiert. Ihnen wurde erklärt, sie hätten im Dienst des „verbrecherischen Militarismus" gestanden und könnten ihre Schuld durch den Eintritt in die sowjetzonalen Polizeistreitkräfte wieder gutmachen.

Der Mangel dieses Rekrutierungssystems wurde Ende 1951 sichtbar, als der Ausbau der bisherigen Kaderverbände zu vollgültigen militärischen Einheiten begann und zudem die Arbeitskräfte knapp wurden. Die von der SED gebildeten Werbekommissionen konnten nicht genügend Personal heranbringen. Es zeigte sich, daß für die Deckung des Personalbedarfs einer Armee ein gut funktionierendes Meldewesen Voraussetzung ist. Jetzt wurde zur Erfassung der militärdienstfähigen Jahrgänge und der in Bildung begriffenen Reserve ein entsprechendes System entwickelt.

Am 1. Oktober 1952 wurde die Rekrutierung den *Kreis-Registrierabteilungen* (= Wehrmeldeämtern) übertragen, die den *Bezirks-Registrierverwaltungen* unterstanden. Oberste militärische Erfassungsbehörde wurde die *Verwaltung für Rekrutierung* im Stab der *Kasernierten Volkspolizei (KVP)*. 1956 erhielten die örtlichen Rekrutierungsstellen die Bezeichnung *Bezirks- und Kreiskommandos*. Nach der Schaffung des *Ministeriums für Nationale Verteidigung* wurde in dessen Zuständigkeitsbereich die *Verwaltung Werbung und Auffüllung* gebildet.

Das Nebeneinander der Werbung für die verschiedenen „bewaffneten Kräfte" führte zu Unzuträglichkeiten, die das SED-Zentralkomitee (ZK) am 18. Februar 1958 zu folgendem Beschluß veranlaßte:

> Zwischen dem Ministerium für Nationale Verteidigung und dem Ministerium des Innern sind nach gegenseitiger Vereinbarung Schlüsselzahlen festzulegen und den Bezirkswerbekommissionen mitzuteilen. Für die Werbung sind nach wie vor die bewaffneten Organe selbst verantwortlich.
>
> Den Bezirks- und Kreiswerbekommissionen gehören Vertreter aller bewaffneten Organe sowie der Gesellschaft für Sport und Technik, der FDJ usw. an. Diese haben unter Aufsicht der Partei die Werbung zu koordinieren und für die Einhaltung der festgelegten Schwerpunkte zu sorgen.

Auch diese Maßnahme erwies sich als unzureichend, obwohl die Werbekampagnen nicht nur in die Massenorganisationen, sondern auch in die Schulen, die *Volkseigenen Betriebe (VEB)* und in die *Landwirtschaftlichen*

Rechts: Auch schon vor der Einführung der allgemeinen Wehrpflicht wurde häufig ein starker Druck zum Eintritt in die bewaffneten Kräfte ausgeübt. – Ein Montageschweißer in einem Betrieb in Magdeburg wurde fristlos entlassen, weil er sich weigerte, der Betriebskampfgruppe beizutreten.

VEB Stahl- und Apparatebau Magdeburg

Herrn Kollege

█████████████████

Magdeburg-██████████████████

zZt. VEB Chemie Coswig(Anh.)

Betriebs-Nr. 07/6452

MAGDEBURG, Wasserkunststraße

| Ihr Zeichen | Ihre Nachricht vom | Unser Zeichen Coswig, Den 30.9.1961 |

Betrifft:

Ihrer fristlosen Entlassung!

In dem Beschluß der Betriebsparteilei =
tung heißt es: Dem Kollegen ████████, ist
trotz wiederholter Aufklärung, über dem We =
sen unserer Betriebskampfgruppe, nicht zu
deren Beitritt zu bewegen. Wir sind nicht
gewillt,dem genannten seine passiven Weige =
rungen weiter zu dulden. Sein Verhalten,ge =
färdet die friedlichen Absichten unserem
Staat und die Arbeitsmoral in unseren Be =
trieb.

Der Bauleiter

I.A. *[Unterschrift]*

VEB Stahl- und Apparatebau
Magdeburg
Coswig (Anh.)

Telegr.-Adr.	Fernsprecher	Fernschreiber		Versandadresse
Abusstahlbau	5 1051/53	Abusförder 8849	DN Magdeburg Konto-Nr. 1302	Magdeburg-Neustadt
Magdeburg	Kontingentträger	(Mitbenutzer)	(Kenn-Nr. 107000)	Anschlußgleis ehem.
	Nr. 3103		VF-Verfahren Magdeburg u. Berlin	Junkersgelände

IV/14/83 Irrling, Magdeburg-SW

Nk 2048/59 7 5000

Produktionsgenossenschaften (LPG), also bis an den Arbeitsplatz, getragen wurden. Deshalb wurde 1959 den Kreisen und Gemeinden ein „Soll" an Freiwilligen auferlegt. Die Erfüllung dieses Solls aber war nur durch verstärkten politischen Druck auf die wehrfähigen Jugendlichen und Männer möglich. Schüler höherer Schulen wurde die Genehmigung zum Studium nur nach Ableistung des Wehrdienstes erteilt. Jungen Arbeitern wurde gedroht, sie kämen in eine schlechtere Lohnstufe; Facharbeitern, sie hätten keine Aufstiegsmöglichkeiten mehr, wenn sie sich nicht „freiwillig für den Ehrendienst in den bewaffneten Kräften" meldeten. Anderen wieder wurde in Aussicht gestellt, daß ein „schwebendes politisches Verfahren" gegen ihre Eltern eingestellt würde, wenn sie zur NVA gingen.

In den Schulen und Betrieben konnten sich die Anzuwerbenden den Werbern schwer entziehen. Die Werbung begann in der Regel mit Vorträgen, in denen vor allem die Notwendigkeit eines Militärdienstes ideologisch begründet wurde. Hierbei spielte die angebliche Bedrohung der „Errungenschaften der Arbeiter-und-Bauern-Macht in der DDR" durch den kapitalistischen Westen und den in der Bundesrepublik angeblich „wiedererstandenen deutschen Militarismus" eine große Rolle. Gleichzeitig wurde der Militärdienst in der Sowjetzone in den rosigsten Farben geschildert. Den Vorträgen schloß sich eine nachhaltige individuelle Bearbeitung des Anzuwerbenden durch den Einzelwerber der SED oder der Massenorganisation an. In den Schulen wurden auch die Lehrer dazu herangezogen.

In den Betrieben

Die Werbeaktionen führten in den Betrieben zu erheblichen Spannungen, weil oft durch das plötzliche Einrücken mehrerer Facharbeiter zu den bewaffneten Kräften das Produktionssoll nicht mehr erreicht werden konnte. Die Kaderleitungen in den Betrieben hatten aber kein Interesse daran, qualifizierte Kräfte, an denen es mangelte, aus ihrem Betrieb für 2 oder 3 Jahre an die Streitkräfte zu verlieren. Sie versuchten deshalb häufig, weniger brauchbare Arbeiter, die am leichtesten entbehrt werden konnten, an die Streitkräfte abzugeben bzw. abzuschieben.

Dem versuchte die SED dadurch zu begegnen, daß sie den FDGB veranlaßte, in den berüchtigten „Betriebskollektivverträgen" nicht nur solche unpopulären Anordnungen wie die Höhe der Arbeitsnormen und das Produktionssoll des Betriebes, sondern auch eine Verpflichtung der Werksleitung gegenüber den bewaffneten Kräften zu verankern. Die Betriebe erhielten die Auflage, eine festgelegte Zahl von „Freiwilligen" in die NVA zu „delegieren". Die „Lausitzer Rundschau", das Organ der SED-Bezirksleitung Cottbus, berichtete über die „Freiwilligenwerbung" am 27. 2. 1959:

Bild 87 — Küstenschutzschiff (KSS) Typ „Riga"

Bild 88 — Minenleg- und Räumboot (MLR) Typ „Habicht"

Bild 89 — MLR Typ „Krake" (oben)   Bild 90 — U-Jäger SO-1 (unten)

Von oben nach unten: Bild 91 — Räumpinasse (R) Typ „Schwalbe" — Bild 92 — Küstenschutzboot (KS) Typ „Sperber" — Bild 93 — Torpedoschnellboot (TS) Typ P VI (unten links)   Bild 94 — Landeboot (rechts)

In feierlicher Form fand am 26. Februar 1959 im Volkshaus der Vertragsabschluß zwischen den Volkseigenen Betrieben und den 15 Gemeindeverwaltungen unseres Landkreises einerseits und dem Kreiskommando der NVA und dem Volkspolizeikreisamt andererseits statt. Genosse Vietze, der Sekretär für Agitation und Propaganda, wies dabei die Teilnehmer darauf hin, daß in diesem Jahr erstmals die Zahl der Freiwilligen für die bewaffneten Kräfte vertraglich geregelt wird, um so die Verteidigungsbereitschaft des ersten Arbeiter-und-Bauernstaates auf deutschem Boden zu verstärken ... Der Abschluß von Verträgen war deshalb notwendig, da in den letzten Jahren einige Werkdirektoren aus egoistischen Gründen nur die Faulen und Drückeberger als Freiwillige für die NVA meldeten, um die tüchtigen Jugendlichen für den Betrieb zu erhalten. Doch mit dieser Methode muß Schluß gemacht werden.

Diese Erklärung zeigt deutlich, daß der NVA nur durch „freiwilligen Zwang" genügend Personal zugeführt werden konnte.

Die wenigen, die sich im eigentlichen Sinne des Wortes freiwillig meldeten, waren nach zwei Gruppen zu unterscheiden:

Die erste wurde von Freiwilligen gebildet, die von der „politischen Notwendigkeit des Militärdienstes" überzeugt waren. Es handelte sich dabei um die verhältnismäßig kleine Gruppe der Jugendlichen, die durch die FDJ und einseitige Umwelteinflüsse zu überzeugten Anhängern des Regimes erzogen worden waren.

Bei der zweiten, größeren Gruppe sind die Motive, die zur Meldung führten, sehr unterschiedlich. Die gute Besoldung und der Wunsch, „etwas zu erleben" oder auch „endlich aus dem Kaff herauszukommen", führten vor allem Jugendliche aus der Landwirtschaft und schlecht entlohnte ungelernte Arbeiter in die Reihen der bewaffneten Verbände. Weiter befanden sich unter den Freiwilligen auch diejenigen, die Seeleute oder Flieger werden wollten oder eine andere, sonst nur schlecht erreichbare Spezialausbildung anstrebten, wie Flugzeugmechaniker, Flugzeugbauer, Radartechniker, Funker usw.

Großeinsätze und ihre Folgen

In den Jahren von 1950 bis zur Einführung der allgemeinen Wehrpflicht 1962 unternahmen die SED und die FDJ immer wieder Werbeaktionen mit „Großeinsätzen". Solche Aktionen fanden – wie jede andere Zwangsmaßnahme des Regimes – in der Flüchtlingsstatistik ihren Niederschlag. Ein nicht unbeträchtlicher Teil der militärdienstfähigen Jahrgänge suchte sich dem Dienst in den bewaffneten Verbänden durch die Flucht zu entziehen. In Westberlin und im Bundesgebiet meldeten sich in der Zeit vom 4. Februar 1952 bis zum 31. Dezember 1959 insgesamt 234 157 männliche Flüchtlinge im Alter von 18 bis einschließlich 24 Jahren, also Angehörige der Jahrgänge, die von der Werbung zum Militärdienst erfaßt wurden. Dazu sind noch die 17jährigen Flüchtlinge zu rechnen, die in der Flüchtlingsstatistik nicht besonders ausgewiesen werden, in der sowjetzonalen Werbepraxis aber in der Regel einer intensiven „Bearbeitung" unterliegen.

Die Flüchtlingszahl schnellte besonders stark hoch, als im Frühjahr 1955 eine ausgedehnte Werbeaktion begann. Es galt, nicht nur die nach dreijährigem Dienst zur Entlassung anstehenden KVP-Soldaten zu ersetzen, sondern auch den durch die erhebliche Verstärkung der Grenzpolizei und die Aufstellung der *Inneren Truppen* ständig wachsenden Personalbedarf des Staatssicherheitsdienstes zu decken. Der Druck, unter dem damals die militärdienstfähige Jugend der Sowjetzone stand, wurde sogar von der SED zugegeben. Am 15. 7. 1955 gestand das Zentralorgan „Neues Deutschland" ein:

> ... Dadurch wurden Jugendliche irregeführt, ihr Vertrauen zu unserer Staatsmacht untergraben, so daß sie in manchen Fällen republikflüchtig wurden.

Die größte Werbeaktion begann am 28. 8. 1961, also 14 Tage nach der nahezu hermetischen Abschließung der Sowjetzone durch die Errichtung der Mauer gegenüber West-Berlin und der verstärkten Kontrolle an der Demarkationslinie gegenüber der Bundesrepublik. Jetzt, ein halbes Jahr vor Einführung der allgemeinen Wehrpflicht, wurde noch einmal durch einen „Kampfauftrag der FDJ" mit der propagandistisch-pathetischen Losung: „Das Vaterland ruft – schützt die sozialistische Republik" versucht, „Freiwillige" zu werben. In allen Schulen, Universitäten, Betrieben, Wohngebieten der Städte und in den Gemeinden wurde der „Kampfaufruf" des FDJ-Zentralrates verlesen. Diese Werbeaktion, in dem vom „Aufbruch der jungen Generation" die Rede war, hatte Ähnlichkeit mit der Mobilmachung für einen Krieg. Täglich füllten ausführliche Berichte die sowjetzonale Presse; Rundfunkkommentare und Fernsehsendungen befaßten sich mit diesem „nationalen Ereignis".

Die geworbenen „Freiwilligen" wurden in den Kreisstädten mit Feierstunden und Militärmusik verabschiedet. Bei solchen Szenerien fehlten weder der amtlich organisierte „Jubel" der Bevölkerung noch die von Mädchen überreichten Blumen. Kommunistische Traditionspflege kam in der Verleihung von Regimentsnamen wie *FDJ-Regiment Walter Ulbricht, FDJ-Regiment Karl Marx* und *FDJ-Regiment Berlin* zum Ausdruck. Angeblich meldeten sich 253 000 junge Männer freiwillig.

Das SED-Regime hatte mit dieser Werbeaktion eine bewußte psychologische Vorbereitung der Bevölkerung auf die bevorstehende Einführung der allgemeinen Wehrpflicht verbunden. In der gesamten sowjetzonalen Presse tauchten Ende 1961 Berichte auf, nach denen angeblich die „werktätige Bevölkerung" immer wieder von der Regierung forderte, endlich die Wehrpflicht einzuführen, weil es Aufgabe eines jeden sei, die „sozialistischen Errungenschaften und das Vaterland" zu verteidigen. Der Minister für Nationale Verteidigung, Hoffmann, hat zu dieser Frage wenige Tage nach Verkündung des *Gesetzes über die allgemeine Wehrpflicht* geäußert:

Gerade diese allgemeine Bereitschaft der Jugend zur Verteidigung des Vaterlandes ist die moralische Grundlage für die Einführung der allgemeinen Wehrpflicht.[6]

Das Wehrpflichtgesetz

Die *Volkskammer* beschloß am 24. 1. 1962 das *Gesetz über die allgemeine Wehrpflicht (Wehrpflichtgesetz)*. Der *Nationale Verteidigungsrat der DDR* unter Leitung des 1. Sekretärs des Zentralkomitees der SED und Vorsitzenden des *Staatsrates,* Walter Ulbricht, erließ gleichzeitig die *Erfassungsordnung,* die *Musterungsordnung* und die *Reservistenordnung.*

Die SED gestand damit ein, daß sich ihr bis dahin angewandtes Rekrutierungssystem trotz aller Anstrengungen der Partei- und Massenorganisationen als unzureichend erwiesen hatte. Für den Beschluß, die allgemeine Wehrpflicht einzuführen, waren entscheidend:

Das Drängen der Sowjets und der übrigen Mitglieder des Warschauer Paktes,

die wirtschaftlichen Schwierigkeiten in den einzelnen Betrieben, die durch die Abwerbung von Spezialisten entstanden waren,

eine erhebliche finanzielle Einsparung durch den niedrigen Wehrsold für Wehrpflichtige und

die Möglichkeit, eine Reservistenausbildung aufzubauen.

Außerdem aber verband das Regime mit der Einführung der allgemeinen Wehrpflicht die Absicht, alle jungen Männer eine „Politschule des Volkes" absolvieren zu lassen, eine Schulung, der sie als Soldaten im Gegensatz zu den Zivilisten nur sehr schwer ausweichen können.

Der Minister für Nationale Verteidigung, Armeegeneral Heinz Hoffmann, hat dies ebenso offen zugegeben, wie er das sowjetische Drängen nach Einführung der Wehrpflicht in der Sowjetzone bestätigte, als er sagte:

> Die hohe Verantwortung der DDR für die Wahrung ihrer Souveränität und die Unantastbarkeit ihres Territoriums, für die Erfüllung der Verpflichtungen im Warschauer Vertrag und die militärische Sicherung des deutschen Friedensvertrages gebieten uns, die allgemeine Wehrpflicht einzuführen.... Die reichen Kampferfahrungen der Sowjetarmee und die Erfahrungen aller anderen sozialistischen Bruderarmeen besagen, daß die allgemeine Wehrpflicht das zweckmäßigste System der Auffüllung einer sozialistischen Armee ist.[7]

Über die politischen Absichten, die das Regime mit der allgemeinen Wehrpflicht verband, sagte Heinz Hoffmann bei der Verkündung des Gesetzes am 24. 1. 1962 vor der Volkskammer:

---

6 „Nationalzeitung", Ost-Berlin, 28. 1. 1962: *Eine Frage bitte, Herr Minister. Telefonforum der „Jungen Welle"*

7 „Neues Deutschland", 25. 1. 1962

Mit der Einführung der allgemeinen Wehrpflicht in der DDR sind erstmalig die Voraussetzungen für die systematische militärische Ausbildung der wehrfähigen männlichen Bürger gegeben. Jeder Jugendliche wird eine Schule der politisch-militärischen Ausbildung und Erziehung absolvieren, die ihn befähigt, als Soldat des Volkes jederzeit zur Verteidigung seines sozialistischen Vaterlandes anzutreten.[8]

Der finanzielle Vorteil durch die Einführung der allgemeinen Wehrpflicht ergibt sich nach folgender einfachen Rechnung: Von den 165 000 Mann der NVA einschließlich des Kommandos Grenze sollen nach Angaben Minister Hoffmanns 50 bis 60 Prozent Wehrpflichtige sein. Da die Freiwilligen bisher monatlich 300 Mark bezogen, den Wehrpflichtigen aber nur ein Wehrsold von 80 Mark zusteht, ergibt sich bei den Personalkosten eine Einsparung von rund 211 Millionen Mark pro Jahr.

Schwieriger als der Erlaß des Gesetzes war jedoch die Aufgabe, ideologisch die Kehrtwendung von der bisher propagierten These zu begründen, in der „DDR" vollziehe sich der Wehrdienst auf der Grundlage der Freiwilligkeit, in der Bundesrepublik Deutschland aber herrsche der Zwang der Wehrpflicht. Die kommunistische Propaganda versuchte der Öffentlichkeit weiszumachen, die Wehrpflicht in ihrem Machtbereich sei etwas völlig anderes als die Wehrpflicht in der Bundesrepublik. So schrieb das Zentralorgan der SED „Neues Deutschland" am 26. 1. 1962:

> Die Militärpolitik unseres Staates dient deshalb so konsequent dem Frieden, weil sie die Politik eines sozialistischen Staates ist. Nicht Wehrpflicht ist gleich Wehrpflicht. Und das ist die Folgerung: In die imperialistische Armee der Todfeinde der Nation verpflichtet zu werden, das war und ist – unabhängig davon, ob der einzelne das verstanden hat oder nicht – eine Schmach. Das ist Dienst am eigenen Feind. Das ist der Weg ins Verderben. ... In unserer Armee der Verteidigung des Sozialismus und des Friedens verpflichtet zu sein, ist höchste Ehre, Dienst an sich selbst und am werktätigen Volk, das ist der Weg in die gesicherte Zukunft der Nation.

(Einige Wochen später wurde die Lebensmittelrationierung wieder eingeführt.)

Entsprechend der offiziellen Propaganda ist auch der § 1 (1) des *Gesetzes über die allgemeine Wehrpflicht vom 24. Januar 1962*[9] formuliert.

> Zur Erfüllung der ehrenvollen nationalen Pflicht, das Vaterland und die Errungenschaften der Werktätigen zu schützen, wird entsprechend dem Willen und der Entschlossenheit der Bürger der Deutschen Demokratischen Republik zur Verteidigung der sozialistischen Heimat die allgemeine Wehrpflicht eingeführt.

---

8 *Waffendienst – Ehrendienst für Frieden und Sozialismus – Rede des Ministers für Nationale Verteidigung, Armeegeneral Hoffmann, zur Begründung des Gesetzes über die allgemeine Wehrpflicht –* „Volksarmee", 1962/4

9 Zitiert nach „Volksarmee, Beilage", Nr. 2 1962, Ost-Berlin

Die Wehrpflicht erstreckt sich „auf die männlichen Bürger der DDR vom 18. bis zum vollendeten 50. Lebensjahr. Bei Offizieren endet sie mit der Vollendung des 60. Lebensjahres. Im Verteidigungszustand unterliegen der Wehrpflicht alle männlichen Bürger der DDR vom 18. bis zum vollendeten 60. Lebensjahr" (§ 3).

Im *Fünften Abschnitt – Sonderregelung für den Verteidigungszustand –* bestimmt das Gesetz sogar:

> Wenn es für die Verteidigung erforderlich ist, können Frauen, die diensttauglich sind, vom 18. bis zum vollendeten 50. Lebensjahr zum medizinischen, veterinärmedizinischen, zahnmedizinischen, technischen oder zu einem anderen Sonderdienst in der Nationalen Volksarmee verpflichtet werden (§ 31).

Der Wehrpflicht unterliegen auch die im Ausland lebenden Bürger der „DDR" (§ 4). Staatenlose (§ 3), die ihren Wohnsitz in der Sowjetzone haben, können ebenso wie Jugendliche im wehrdienstfähigen Alter, die aus der Bundesrepublik in die Sowjetzone übersiedeln, zum Wehrdienst herangezogen werden.

Zum *Grundwehrdienst,* der 18 Monate dauert (§ 21), werden gemusterte Wehrpflichtige vom vollendeten 18. bis zum 26. Lebensjahr einberufen, jeweils bis zum 31. 12. des Einberufungsjahres (§ 22). Bis zum 35. Lebensjahr kann eine solche Einberufung dann erfolgen, wenn sich der Wehrpflichtige der Ableistung des Grundwehrdienstes „böswillig" entzogen hat oder zeitweise davon ausgeschlossen war (§ 22).

Das Gesetz sieht auch die Möglichkeit vor, den Wehrdienst freiwillig abzuleisten (§ 1). Der freiwillige Dienst als *Soldat auf Zeit* bzw. *Berufssoldat* beginnt jedoch jeweils erst nach Ablauf des Grundwehrdienstes von 18 Monaten. Die Übernahme in den Status Soldat auf Zeit erfolgt auf Antrag (§ 23), wenn mindestens eine Verpflichtung für 3 Jahre eingegangen wird; die Übernahme als Berufssoldat bei einer Verpflichtung auf mindestens 12 Jahre.

Nach Ableistung des aktiven Wehrdienstes erfolgt die Versetzung in die Reserve (Vierter Abschnitt). Zur *Reserve I* gehören alle Mannschaften und Unteroffiziere bis zum 35. und Offiziere vom Major an aufwärts bis zum 60. Lebensjahr; zur *Reserve II* alle Reservisten vom 36. bis zum vollendeten 50. Lebensjahr und Offiziere bis zum Hauptmann bis zum vollendeten 60. Lebensjahr (§ 26). Außer zur *Ausbildung* (§ 28) und zu *Übungen* (§ 29) können Reservisten auf Anordnung des Nationalen Verteidigungsrates auch zur *Überprüfung ihrer Kampffähigkeit und Einsatzbereitschaft* kurzfristig einberufen werden (§ 30). Die *Entlassung* aus der NVA (§ 31) kann „im Verteidigungszustand oder bei gespannter internationaler Lage" durch Anordnung des Verteidigungsrates ausgesetzt werden.

Die *Strafbestimmungen* (§ 32) sehen für die Verletzung der Melde-, Musterungs- und Dienstpflicht öffentliche Tadel, Geldstrafen und Gefängnis bis zu 3 Jahren vor.

Im § 7 des Wehrpflichtgesetzes wird bestimmt, daß die Angehörigen der NVA verpflichtet sind, den *Fahneneid*[10] zu leisten, Befehle und Dienstvorschriften strikt einzuhalten, die *Gebote der sozialistischen Moral und Ethik*[11] zu beachten und die, wie es heißt, „Verbundenheit zwischen der NVA und der Arbeiterklasse, den Genossenschaftsbauern und den anderen Werktätigen unablässig zu festigen".

Eine Wehrdienstverweigerung (in der Bundesrepublik Deutschland möglich) ist in der „DDR" ausgeschlossen. Die offizielle Propaganda wendet sich mit Schärfe gegen jede Art von Wehrdienstverweigerung und setzt sie dem Pazifismus gleich, der bekämpft wird. So erklärt das Mitglied des Politbüros, Paul Fröhlich, der auch dem 1960 gebildeten *Ausschuß für Nationale Verteidigung der Volkskammer* vorsitzt:

> Im Grunde genommen sind Wehrdienstgegner Pazifisten. Aber ich kenne keinen Fall, daß selbst die couragiertesten Pazifisten in den letzten 2000 Jahren mit ihren Argumenten einen Krieg hätten verhindern können. Haben sie den 1. Weltkrieg verhindert? Nein. Bei aller Anerkennung ihres edlen Strebens waren sie nie dazu in der Lage. Es hat unter den Hitler-Gegnern viele Pazifisten gegeben, die auch ins Konzentrationslager gekommen sind. Haben sie den 2. Weltkrieg verhindert? Nein. Sie konnten es nicht. In gewissen Situationen, unter den Bedingungen der Arbeiter-und-Bauern-Macht, wenn das Volk für sich kämpft, sind die pazifistischen Auffassungen sehr schädlich. Besteht heute die Möglichkeit, Kriege zu verhindern? Ja – aber nicht mit der Losung der Pazifisten, kein Gewehr mehr in die Hand zu nehmen.
>
> Was dagegen Westdeutschland betrifft, so werde ich jeden Wehrdienstgegner dort unterstützen, weil er dazu beiträgt, die aggressive NATO-Armee zu schwächen. Die Wehrdienstgegner dort müssen aktiv beginnen, den Kampf gegen den Eintritt in die Bundeswehr zu führen.

Seit September 1964 könen jedoch Männer zwischen 18 und 50 Jahren als „Bausoldaten" eingezogen werden, wenn sie aus „religiösen Anschauungen oder aus ähnlichen Gründen den Wehrdienst mit der Waffe ablehnen". Die „Bausoldaten" leisten keinen Fahneneid, sondern ein Gelöbnis, in dem sie versprechen müssen, der „DDR", ihrem „Vaterland, allzeit treu zu dienen" und an der Seite der Sowjetarmee ihre ganze Kraft für „die Erhöhung der Verteidigungsbereitschaft" der Sowjetzone „gegen alle Feinde" einzusetzen. Obwohl diese Bestimmungen den „Bausoldaten" nicht viel Gewissensfreiheit lassen, schienen sie der Zeitung „Volksarmee" so wenig zu passen, daß sie diese Anordnung des um „Weltgeltung" bemühten Verteidigungsrates ignorierte. Die „Bausoldaten" unterstehen voll der militärischen Disziplin; in ihrer Uniform sollen sie aber als „Kriegsdienstverweigerer" zu erkennen sein.

10 Siehe 1. Kapitel, Seite 23
11 Siehe 8. Kapitel, Seite 149 f.

Zusammenfassung

Die Einführung der allgemeinen Wehrpflicht hat die SED vor Probleme gestellt, mit denen vorher nicht zu rechnen war. Vor allem muß sie sich mit der
Tatsache auseinandersetzen, daß nun noch mehr als zuvor auch Nichtkommunisten Soldaten werden, wenn auch die als „unzuverlässig" erkannten
nicht einberufen werden dürften. (Vor der Einberufung ist in einem Frage-
bogen z. B. über „Westkontakte" Auskunft zu geben.)

Zunächst hatte die Einberufung von jungen Menschen aus allen Schichten
der Bevölkerung äußerlich eine Annäherung zwischen Volk und Armee zur
Folge. Da jetzt fast jede Familie Angehörige in der NVA hat, wird niemand
diese Armee ohne weiteres verächtlich machen. Aber in der Truppe finden
sich Gleichgesinnte zusammen, die trotz verstärkter Kontrolle und Überwachung Möglichkeiten finden, sich ihre antikommunistische Haltung zu bestätigen. Die NVA-Führung hat darauf mit einer Reihe von Befehlen reagiert,
die – unter den verschiedensten Tarnbezeichnungen – die Kontrolle der
parteilosen Soldaten durch die SED und ihre Mitglieder zum Inhalt haben.
Konnte man vor der Einführung der allgemeinen Wehrpflicht die Truppe
grob in die drei Gruppen Kommunisten, Aktivisten und passive Elemente ein-
teilen, so gibt es jetzt die überwachenden Kommunisten, die Aktivisten und
die Masse der Überwachten.

Weil der Wehrdienst entscheidenden Einfluß auf das berufliche Fortkommen der jungen Menschen hat, verbreitet die Masse der Soldaten eine
Pseudoaktivität, mit der sie sich unter dem Vorwand, militärisch tüchtig zu
sein, vor der intensiven politischen Beeinflussung zu schützen sucht.

Damit steht die SED vor der schwer zu lösenden Frage, zwischen rein militärischer Leistung und der Leistung aus politischer Zweckmäßigkeit zu unterscheiden. Im Herbst 1963 haben die ersten Wehrpflichtigen die NVA verlassen, die entgegen der Erwartung von Verteidigungsminister Armeegeneral
Hoffmann nicht in ihrer kommunistischen Überzeugung gefestigt worden sind,
sondern durch ihre militärische „Haltung" Positionen im Berufsleben bekommen, die nach Absicht der SED eigentlich nur bewährten Kommunisten
vorbehalten sein sollen.

8. KAPITEL

Die politische Schulung und Erziehung der NVA

Die politische Schulung und Erziehung in der NVA erfolgt auf der Grundlage des Marxismus-Leninismus im Sinne der SED. Sie steht am Beginn der „gefechtsnahen Ausbildung"[1], ja sie ist der „Hauptbestandteil der militärischen Ausbildung"[2], denn:

> Dieses Wissen, das die Armeeangehörigen aus dem Programm unserer Partei schöpfen, gibt ihnen auch die Kraft zur Erfüllung aller Aufgaben, auch der schwierigsten, zur treuen Pflichterfüllung des Fahneneides.[3]

Grundsätzlich wird das Wesen der „politischen Ausbildung" folgendermaßen definiert:

> Die politische Ausbildung ist der Hauptbestandteil der militärischen Ausbildung mit dem Ziel, den Armeeangehörigen die Lehren des Marxismus-Leninismus zu vermitteln. In der politischen Ausbildung werden die Angehörigen der NVA zur Treue und Liebe gegenüber ihrem Arbeiter-und-Bauern-Staat und den Werktätigen, gegenüber der Sozialistischen Einheitspartei Deutschlands und zum proletarischen Internationalismus erzogen . . .[4]

1 *Unser Herz schlägt für die Partei.* Aus dem Referat des Stellvertreters des Ministers für Nationale Verteidigung und Chefs der Politischen Hauptverwaltung, Admiral Verner, auf der III. Delegiertenkonferenz der FDJ-Organisationen in der NVA. „Volksarmee". Sonderdruck 1963/2, 20. Juni, S. 13

2 *Deutsches Militärlexikon,* Herausgegeben von einem Kollektiv der Militärakademie der Nationalen Volksarmee „Friedrich Engels", Deutscher Militärverlag, Ost-Berlin 1961, S. 51

3 *Unser Herz schlägt für die Partei,* a. a. O., S. 13 – Fahneneid siehe 1. Kapitel, S. 23

4 *Deutsches Militärlexikon,* a. a. O., S. 51

Zur Erreichung dieses Zieles der politischen Ausbildung hat die SED eine vielfältige Schulung organisiert, da „das richtige politische Denken nicht von allein kommt"[5]. Diese Schulung beschränkt sich nicht auf den regelmäßigen dienstlichen Politunterricht, sondern wird auch während des normalen militärischen Dienstes und selbst in der Freizeit durch die Politorgane und die Partei- und FDJ-Organisationen fortgesetzt. Die Soldaten sollen ein höheres *sozialistisches Bewußtsein* erhalten und von der Notwendigkeit überzeugt werden, die „sozialistischen Errungenschaften" des „ersten Arbeiter-und-Bauern-Staates" und damit die „sozialistische Heimat", ja das ganze „Lager des Sozialismus" mit der Waffe zu verteidigen.

Dazu hält es die SED schon seit Jahren für notwendig, auch das „Gefühl"[6] der Armeeangehörigen anzusprechen, also nicht nur „Klarheit im Kopf" zu schaffen. Die SED beabsichtigt, „die Soldaten für die Sache des Sozialismus zu begeistern und mit tiefem Haß gegen den deutschen Militarismus zu erfüllen"[7]. Schließlich sollen die NVA-Angehörigen lernen, daß im kommunistischen Denken der Begriff der „Verteidigung" sehr weit gefaßt ist. Sie sollen bereit sein – wie es Politbüromitglied Honecker auf dem V. Parteitag der SED im Juli 1958 formulierte – „jederzeit den siegreichen Vormarsch des Sozialismus zu schützen"[8].

Wie in der militärischen Ausbildung der *Angriff* das eigentliche Ziel ist, so nimmt das *aggressive Denken* auch in der politischen Schulung einen hervorragenden Platz ein:

> Sollte uns der Gegner dazu zwingen, würde der NVA die historische Aufgabe zufallen, in Waffenbrüderschaft mit den sozialistischen Bruderarmeen den deutschen Militarismus ein für allemal zu zerschlagen und eine friedliche Ordnung in Westdeutschland errichten zu helfen.[9]

Da im kommunistischen Vokabular die Bundeswehr als „aggressive Revanchearmee der deutschen Imperialisten"[10] bezeichnet wird, ist klar, daß die Streitkräfte der Bundesrepublik „zerschlagen" werden sollen, damit das SED-Regime „seine" Ordnung in Westdeutschland errichten und so einen Beitrag für den „Sieg des Sozialismus in der ganzen Welt" leisten kann.

---

5 *Unser Herz schlägt für die Partei,* a. a. O., S. 13

6 ebenda

7 Walter Herkner, *Die politisch-ideologische Arbeit in der NVA wirksam unterstützen,* „Der Politarbeiter", herausgegeben von der Politischen Verwaltung im Ministerium für Nationale Verteidigung, Ost-Berlin, Heft 13, Juli 1956

8 *Protokoll des V. SED-Parteitages,* Ost-Berlin 1959, S. 727

9 „Volksarmee", Organ des Ministeriums für Nationale Verteidigung, Nr. 127/60

10 *Deutsches Militärlexikon,* a. a. O., S. 81

„Deutsche Militärgeschichte"

Der Politunterricht, vor allem für die Mannschaften, bedient sich ebenso wie die allgemeine permanente Propaganda einer Mischung aus marxistisch-leninistischen Thesen und nationaler Phraseologie mit primitiver Geschichtsklitterung. Nur bestimmte Ausschnitte der deutschen Geschichte werden behandelt, und zwar so, daß sie in das kommunistische Schema passen. Es soll der Eindruck erweckt werden, als führe die Geschichte zwangsläufig zur „richtigen Gegenwart" und zur kommunistischen Weltherrschaft:

Die Geschichte beweist die Richtigkeit und Sieghaftigkeit uneres Kampfes.[11]

Dabei hatten – nach dem Chef der Politischen Hauptverwaltung, Admiral Verner, – die letzten „120 Jahre Klassenkampf" kein anderes Ziel als die Errichtung der „Deutschen Demokratischen Republik" und die Verkündung der „sozialistischen Perspektive ganz Deutschlands"[12].

Das *Institut für deutsche Militärgeschichte* liefert die erforderlichen Unterlagen auch für den Politunterricht. Das am 1. März 1961 in Potsdam eröffnete *Armee-Museum* bietet das Anschauungsmaterial.

Insgesamt werden folgende Abschnitte der Geschichte im Politunterricht herausgestellt:
- Die Bauernkriege um 1525,
- die deutschen Freiheitskriege 1812/15,
- die Bürgerkriegskämpfe nach dem Ersten Weltkrieg *(Spartakus, Rote Ruhrarmee,* Aufstände in Mitteldeutschland, Hamburger Aufstand),
- die Teilnahme deutscher Kommunisten am Spanischen Bürgerkrieg 1936/39 *(Internationale Brigaden)* und
- der „antifaschistische Kampf" 1933/45, vor allem auch des *Nationalkomitees „Freies Deutschland"* 1943/45.

Die Bauernkriege werden so dargestellt, als ob die Scharen Florian Geyers, Götz von Berlichingens und Thomas Münzers vor über 400 Jahren kein anderes Ziel gehabt hätten, als Wegbereiter des kommunistischen Kolchosensystems zu sein, wie es in der Zone 1961 unter unerhörtem Zwang verwirklicht wurde.

Die Freiheitskriege von 1812/15, in denen sich die Deutschen von dem Joch der allerdings schon zusammenbrechenden Napoleonischen Herrschaft befreiten, werden als das Paradebeispiel einer antiwestlichen deutsch-russischen Waffenbrüderschaft betrachtet. Die Freiheitskriege sollen ihre Anziehungskraft vor allem auf ehemalige und heutige national gesinnte Kreise ausüben, zumal sie auch in der bisherigen deutschen Geschichte einen bevorzugten Platz einnahmen.

11 *Unser Herz schlägt für die Partei,* a. a. O., S. 11
12 ebenda

Die Politschulung versucht, von diesen verfälschten historischen Ereignissen eine Brücke zur jüngeren Vergangenheit zu schlagen. Wenn auch die „überwiegende Mehrzahl unserer Soldaten, Unteroffiziere und Offiziere ... nicht in den harten Klassenauseinandersetzungen von vor 1945 gereift sind"[13], gibt es in der NVA doch noch genügend lebendige Zeugen – allein 7 Generale –, die auf kommunistischer Seite an den Bürgerkriegskämpfen in der Weimarer Republik, am Spanischen Bürgerkrieg oder am „antifaschistischen Freiheitskampf" im Nationalkomitee „Freies Deutschland" teilgenommen haben und die nun als Vorbilder hingestellt werden können.

Interessant ist, wie im Politunterricht die Behandlung des *Nationalkomitees „Freies Deutschland"* im Laufe der Zeit gewechselt hat.

Solange noch zahlreiche Offiziersstellen in den sowjetzonalen Streitkräften von ehemaligen Wehrmachtsoffizieren und Mitgliedern des in der sowjetischen Kriegsgefangenschaft gebildeten Nationalkomitees „Freies Deutschland" besetzt waren, wurde das Nationalkomitee in der Politschulung so gut wie nicht erwähnt. Das um so mehr, als die Altkommunisten im sowjetzonalen Offizierskorps die ehemaligen Wehrmachtsoffiziere innerlich ablehnten und lediglich als „Militärspezialisten" gelten lassen wollten. Erst als die Wehrmachtsoffiziere aus der NVA, zum größten Teil aus Altersgründen, ausgeschieden waren und keine, wenn auch nur vermeintliche politische Gefahr für die kommunistische Führung der Armee bedeuteten, wurde auch das Nationalkomitee von den um Traditionspflege verlegenen Kommunisten stärker herausgestellt.

Während im Kriege von seiten des Nationalkomitees betont wurde, es sei eine überparteiliche Sammlungsbewegung zur Befreiung Deutschlands von der Hitlerherrschaft, halten es jetzt die Kommunisten für angebracht, herauszustellen, wer die Führung im Nationalkomitee hatte.

> Unter Leitung von Wilhelm Pieck und Walter Ulbricht wurde die Gründung des Nationalkomitees „Freies Deutschland" durch die KPD politisch-programmatisch und organisatorisch vorbereitet. Im Nationalkomitee „Freies Deutschland" bekleidete Walter Ulbricht als Mitglied des Geschäftsführenden Ausschusses die Funktion des Vorsitzenden der operativen Abteilung. Das Politbüro hatte ihn dafür vorgeschlagen, weil diese Funktion für die Orientierung der Gesamttätigkeit des Nationalkomitees von entscheidender Bedeutung war.[14]

Auch der *Bund Deutscher Offiziere,* der am 12. 9. 1943, also 8 Wochen nach dem Nationalkomitee, in Lunowo bei Moskau gegründet wurde und der eine Reihe umworbener Hitlergegner des Offizierskorps und des bürgerlichen

---

13 ebenda

14 Major Willy Wolff, *Für die Lebensinteressen der deutschen Nation – zur Rolle des Genossen Walter Ulbricht im Nationalkomitee „Freies Deutschland",* „Volksarmee", Sonderdruck 1963/3, 20. Juli, S. 2

Lagers an das Nationalkomitee heranführen sollte, wird heute in der Polit-schulung offen als eine Organisation herausgestellt, die weniger auf die Initiative kriegsgefangener deutscher Offiziere, sondern auf die Aktivität des Kommunisten Ulbricht zurückging:

> Durch seine überzeugende Argumentation, seine revolutionäre Unduldsam-keit, seinen offenen und kämpferischen Charakter verstand es Genosse Ulbricht, sich Achtung und Ansehen auch in diesen Kreisen zu verschaffen. So kehrte er von Gorki mit 25 Delegierten zur Gründungskonferenz des Bundes Deutscher Offiziere nach Moskau zurück.[15]

Nur gelegentlich kommt heute in der Politschulung über das National-komitee zum Ausdruck, daß auch Ulbricht die „antifaschistische Umerzie-hung" der kriegsgefangenen deutschen Soldaten und Offiziere nicht auf eigene oder wenigstens deutsche kommunistische Initiative hin betrieb, son-dern auf Befehl der Sowjets. Immerhin heißt es in der Zeitung „Volksarmee":

> Es ist das große Verdienst der sowjetischen Freunde, daß die auf Anregung der sowjetischen Behörden in den Kriegsgefangenenlagern geschaffenen Schu-len so hervorragende Erfolge zu verzeichnen hatten.[16]

Zum 20. Jahrestag der Gründung des Nationalkomitees „Freies Deutsch-land" erklärte Ulbricht:

> Mit Stolz können wir heute feststellen, daß die geschichtliche Aufgabe des Komitees in einem Teil Deutschlands erfüllt ist, in dem wir Imperialismus und Militarismus mit der Wurzel beseitigt haben. Wie glücklich könnten die Menschen Europas und der Welt sein, wenn die Politik des Nationalkomitees heute auch in Westdeutschland verwirklicht wäre.[17]

Zusammenfassend schrieb der heutige Minister für Nationale Verteidi-gung, General Hoffmann, zum 3. Jahrestag der NVA über die Traditionspflege:

> Die NVA setzt die ruhmreichen militärischen Traditionen der deutschen Arbeiterklasse fort, die revolutionären Traditionen des Kampfes gegen den deutschen Imperialismus und Militarismus, die Tradition Karl Liebknechts, Rosa Luxemburgs und Ernst Thälmanns.[18]

---

15 ebenda

16 *Der Ruf an das Gewissen der deutschen Nation – Aus dem Kapitel X des Buches von Johannes R. Becher: „Walter Ulbricht – ein Arbeitersohn": Der Überfall Hitler-deutschlands auf die Sowjetunion – Der große vaterländische Krieg der Sowjetunion,* „Volksarmee", Sonderdruck 1963/3, 20. Juli, S. 10

17 „Volksarmee", Sonderdruck 1963/3, 20. Juli, S. 9

18 Heinz Hoffmann, *Die Nationale Volksarmee – eine Armee des Friedens,* „Die Volksarmee", 28. 2. 1959 (Sondernummer zum 1. 3. 1959)

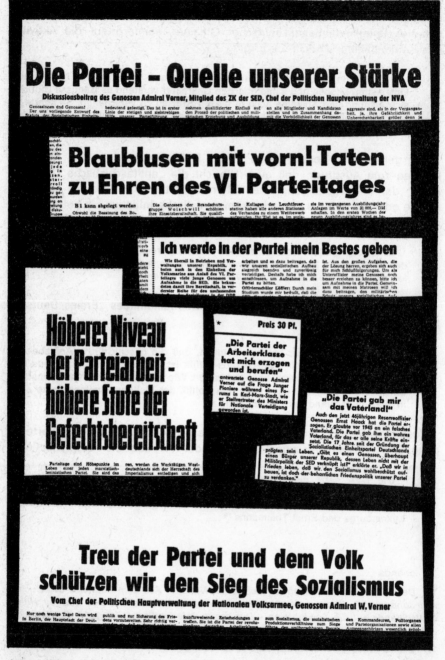

Ausschnitte aus der Zeitung „Volksarmee": Danach gebührt der Partei im Bewußtsein des Soldaten der erste Platz.

Die Uniformen

Zu welchen Winkelzügen und Verschrobenheiten die Partei im Politunterricht, der ja auch in der Geschichtsdarstellung vielfach nur eine Auswalzung der Tagespropaganda bedeutet, kommen kann, zeigen die Erklärungen, die offiziell bei der Einführung der Uniformen abgegeben wurden. Diese Uniformen, die nach Schnitt und Farbe den alten deutschen Wehrmachtsuniformen sehr ähnlich sind, als in Übereinstimmung mit der „militärischen Tradition der deutschen Arbeiterklasse" hinzustellen, kann man nur dialektisch verstehen. Verteidigungsminister Stoph begründete die Einführung der neuen Uniformen in seiner Rede vor der Volkskammer am 18. 1. 1956 folgendermaßen:

> In der militärischen Geschichte unseres Volkes gibt es bedeutende fortschrittliche Traditionen, die auch in der Uniform ihren Ausdruck fanden. Der deutsche Imperialismus und Faschismus gaben jedoch die Uniform als Symbol der militärischen und patriotischen Ehre preis ... In der Nationalen Volksarmee wird die deutsche Uniform als Ausdruck der entschlossenen Verteidigungsbereitschaft unserer demokratischen Errungenschaften einen wirklich patriotischen Sinn erhalten. Die Ausstattung unserer Volksarmee mit einer Uniform, die im Farbton, Schnitt und in der Trageweise der nationalen Tradition des deutschen Volkes entspricht, soll den gesellschaftlichen Fortschritt in unserem Staat manifestieren und unterstreichen, daß eine neue Armee des Deutschen Volkes entsteht, frei von aggressiven Zielen.[19]

Die Unlogik dieser Begründung ist frappierend. In Wirklichkeit wurde die „deutsche Uniform" vornehmlich eingeführt, um die Tatsache zu verschleiern, daß es sich bei den sowjetzonalen Streitkräften um eine kommunistische Truppe unter letzthin sowjetischem Oberbefehl handelt, für die es in der deutschen Vorgeschichte kein Vorbild gibt. Die Tatsache, daß Millionen deutscher Soldaten in dieser „deutschen Uniform" in zwei Weltkriegen hervorragende Beweise persönlicher Tapferkeit erbracht haben, soll vergessen werden. Vielmehr soll sich – nach Stoph – mit der Uniform eine andere, parteipolitisch umgemünzte Erinnerung verbinden:

> In diesen Uniformen, mit roten Abzeichen aber, verjagten 1918 bewaffnete Arbeiter den Kaiser, kämpften Hamburger Arbeiter, Bergarbeiter aus dem Ruhrgebiet, sächsische und thüringische Arbeiter und Bauern gegen die nationalistischen Freikorps und die reaktionären Truppen der Reichswehr. In diesen Uniformen traten im Zweiten Weltkrieg viele Offiziere und Soldaten im Nationalkomitee „Freies Deutschland" gegen die hitlerfaschistische Armee auf ...

Monatelang vor der Einführung der neuen Uniformen waren im Zentralkomitee der SED lange Debatten geführt worden. Man entschied sich zunächst dafür, abzuwarten, wie die Bevölkerung die neuen Polizeiuniformen

---

19 „Neues Deutschland", 19. 1. 1956

aufnehmen würde, die sich ebenfalls eng an die früheren Uniformen an-
lehnten. Angeblich trat mit der neuen Uniform eine Steigerung der Autorität
der Polizei bei der Bevölkerung ein. Danach entschloß sich das ZK, auch der
Uniform für die NVA den traditionellen Schnitt und die alte Farbe zu geben.

Für genauere Kenner des Marxismus-Leninismus ließe sich die „deutsche
Uniform" allenfalls dialektisch so erklären: Das Zurückgreifen auf Formen
einer überwundenen Einrichtung wie der deutschen Wehrmacht geschieht in
Übereinstimmung mit der These, nach der die aufsteigende Klasse auch nach
ihrem Sieg noch eine Weile die von der überwundenen Klasse entwickelten
Formen beibehält, ehe sie neue schafft.

Schließlich dürften bei der Einführung der Uniformen Gründe der militärischen Zweckmäßigkeit mitgesprochen haben.

Bei der Behandlung der Geschichte des Zweiten Weltkrieges und der
Nachkriegszeit dient die dialektische Geschichtsklitterung dazu, die Lehre
von der „Unbesiegbarkeit der Sowjetarmee und des sozialistischen Lagers"
zu untermauern. Im übrigen wird die „Unbesiegbarkeit der Sowjetarmee"
auf die These von der „Unbesiegbarkeit des Marxismus-Leninismus" zurück-
geführt, dem historisch zwangsläufig die Zukunft gehört.[20]

Daß die Sowjetarmee im Zweiten Weltkrieg nur mit Hilfe ihrer damaligen
westlichen Alliierten siegen konnte, wird in der Politschulung verschwiegen.
Wenn die westlichen Kriegsalliierten überhaupt erwähnt werden, dann wird
ihr Kampf, besonders die Bildung der Zweiten Front durch die Invasion in
Italien und in der Normandie, nicht etwa dem freien Willen der Regierungen,
sondern dem Verlangen der westlichen Völker zugeschrieben; denn die Völker stehen nach der kommunistischen Propaganda immer auf seiten der
„fortschrittlichen Sowjetunion" und ihrer Armee.

Ideologisch wird die These von der Unbesiegbarkeit der Sowjetarmee
auch von der Behauptung abgeleitet, die Sowjetarmee sei niemals ein Werkzeug der Aggression gewesen und könne als Bestandteil des „ersten sozialistischen Staates" niemals zum Aggressor werden.

Was aber eine Aggression im kommunistischen Sinne ist, ergibt sich aus
den Thesen über den Krieg.

---

20 Vergleiche Politbüromitglied Kurt Hager, *Die Sowjetarmee ist unbezwingbar*,
„Neues Deutschland", 8. 5. 1955

Bild 95 — Das Armeemuseum der NVA im Marmorpalais in Potsdam steht im Dienst der Pflege kommunistischer Militärtraditionen. — Bild 96 — Der stellv. Leiter des Museums, Altkommunist Oberst Bartz (Mitte), Armeegeneral Hoffmann (links) und ein Unteroffizier, der das Modell einer Flak-Selbstfahrlafette für das Museum bastelte.

Bild 97 — Russische Kavallerie und preuß. Landwehr 1813 auf dem Berliner Kreuzberg

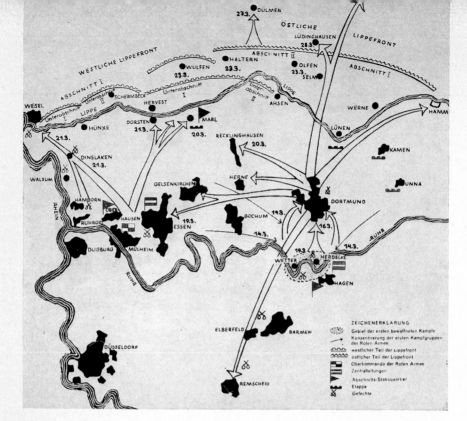

Bild 98 — Der Operationsplan der Roten Ruhrarmee 1920 als Bürgerkriegsplanung
Bild 99 — Rote Frontkämpfer bei einer Schlägerei mit der preußischen Polizei 1927,
(Die Tradition des Roten Frontkämpferbundes sollen die SED-Kampfgruppen pflegen.)

Gerechte und ungerechte Kriege

Im Polittunterricht der NVA wird zwischen „gerechten" und „ungerechten" Kriegen unterschieden; eine Unterscheidung, die das bis 1956 offizielle und auf Stalins Urheberschaft zurückgehende Lehrbuch der *Geschichte der KPdSU (B)*[21] vornimmt.

Gerechte Kriege sind:
1. Kriege des Proletariats gegen die Bourgeoisie des eigenen Landes zur Befreiung der Werktätigen vom Joch der kapitalistischen Ausbeutung ...
2. nationale Befreiungskriege der unterdrückten Völker und abhängigen Länder gegen den Imperialismus ...
3. nationale Befreiungskriege gegen imperialistische Okkupanten ...
4. Kriege sozialistischer Staaten gegen die kapitalistische Welt zur Sicherung der sozialistischen Errungenschaften ...

Ungerechte Kriege sind:
1. Kriege der Ausbeuterklasse gegen die Werktätigen im Innern des Landes ...
2. Kriege imperialistischer Staaten gegen die nationale Befreiungsbewegung der Völker ...
3. Kriege der imperialistischen Staaten untereinander um die Neuaufteilung der Welt, die Eroberung von Kolonien und die Versklavung der Völker ...
4. Kriege imperialistischer Staaten gegen die Sowjetunion und die anderen Länder der Volksdemokratie ...[22]

Die Definitionen von den „gerechten" und „ungerechten" Kriegen sind auch 1961 als Lehrsätze in das NVA-Militärlexikon aufgenommen worden. Dort heißt es:

Krieg, gerechter (fortschrittlicher Krieg)
Справедливая война

Krieg einer unterdrückten Klasse gegen die Unterdrückerklasse, nationale und koloniale Befreiungskriege. K. der Völker gegen drohende nationale Versklavung, K. des siegreichen Proletariats zur Verteidigung des Sozialismus gegen imperialistische Staaten. Verschiedene Arten gerechter K. können sich zu einem gemeinsamen Ziel vereinigen.
Gerechte K. hat es in allen Gesellschaftsordnungen gegeben, besonders häufig aber sind sie in der Gegenwart. Gerechte K. werden von der internationalen Arbeiterklasse und den kommunistischen und Arbeiterparteien entschieden unterstützt. [23]

21 *Geschichte der Kommunistischen Partei der Sowjetunion (Bolschewiki)*, Kurzer Lehrgang. Ost-Berlin 1952, S. 210

22 Karl-Heinz Lehmann und Fritz Wendt, *Militaristisch oder militärisch*, Ost-Berlin 1956, S. 15–17

23 *Deutsches Militärlexikon*, a. a. O., S. 227

Das Lied der Sowjetarmee*

1. Du hast herrliche Siege erstritten
   unsrer jungen Sowjetrepublik.
   Interventen und weißen Banditen,
   allen fuhr deine Faust ins Genick.
   > Gestählt in Sturm und Schlacht
   > stehst du auf Friedenswacht,
   > bist unbesiegbar und stärker als je!
   > Wir singen dir dies Lied;
   > und unser Herz singt mit:
   > Hurra! Du ruhmreiche Sowjetarmee.
   > Hurra! Du ruhmreiche Sowjetarmee.

2. Bist im achtzehner Jahre geboren,
   die Partei hat dich siegen gelehrt!
   Auch die Brut, die den Tod uns geschworen:
   Die Faschisten zermalmte dein Schwert!
   > Gestählt in . . .

3. Wie die Väter wir Stalingrad schirmten,
   kein Faschist zog in Leningrad ein!
   Ja, Berlin wir mit Stalin erstürmten,
   um auch Deutschland vom Krieg zu befrein!
   > Gestählt in . . .

4. Vaterland, – jetzt in friedlichen Tagen
   sind wir wachsam wie stets und bereit;
   kühne Schlachten der Arbeit wir schlagen:
   Unsre Heimat, sie blüht und gedeiht!
   > Gestählt in . . .

* Entnommen dem Liederbuch der NVA „Soldaten singen", Verlag des Ministeriums für Nationale Verteidigung, Ost-Berlin 1957

Ungerechte Kriege dagegen sind nach dieser Definition:

> Imperialistische Eroberungskriege, K. zur Niederschlagung der revolutionären Bewegung der unterdrückten und ausgebeuteten Klassen, K. zur Niederschlagung der nationalen und kolonialen Befreiungsbewegung, K. zur Festigung der Ausbeuterordnung; K. gegen die errichtete Macht der Arbeiter und Bauern, gegen sozialistische Staaten.
> Ungerechte K. werden von der internationalen Arbeiterklasse und den kommunistischen und Arbeiterparteien entschieden bekämpft, wenn es nicht gelingt, deren Entfesselung zu verhindern.[24]

Während der Krieg allgemein als die „Fortsetzung der Politik bestimmter Klassen mit gewaltsamen Mitteln" bezeichnet wird, gilt der Krieg zur „Verteidigung des sozialistischen Vaterlandes" als die „höchste Form, eine neue Qualität des gerechten Krieges"[25].

Nach diesen Definitionen kann jede von Kommunisten entfachte kriegerische Handlung zum „gerechten Krieg" erklärt werden. Die Kommunisten nennen auch den Angriffskrieg des kommunistischen Nordkorea gegen das nichtkommunistische Südkorea im Sommer 1950 einen „gerechten Krieg"; die Abwehr Südkoreas und die Hilfsaktionen der Vereinten Nationen dagegen einen „ungerechten Krieg".

So würde jeder andere Krieg, der z. B. damit begönne, daß starke Panzerverbände einer „Volksdemokratie" die unbewaffnete schutzlose Bevölkerung einer parlamentarischen Demokratie überfielen, ein „gerechter Krieg" sein, „ungerecht" dagegen wäre der Abwehrkampf des angegriffenen Staates. Die kommunistische Lehre läuft darauf hinaus, daß „der sozialistische Staat seinem Wesen nach nur gerechte Kriege führen kann"[26]. So war der sowjetische Überfall auf Finnland 1939 ein „gerechter Krieg"; und so war auch das Niederschlagen des ungarischen Volksaufstandes im Herbst 1956 durch sowjetische Truppen „gerecht".

Emotionelle Elemente

Die Politschulung ist bemüht, den dialektischen Thesen auch ein emotionelles Element hinzuzufügen.

> Die gleiche, mitunter sogar eine größere Bedeutung haben die Gefühle, die die Lebensintensität steigern. Der Zorn oder Haß – das Objekt des Zornes, der Gegner, ist ja anwesend – zwingen manchmal geradezu, die Furcht zu vergessen und verdrängen sie vollständig. Aber auch solche Gefühle wie Vaterlandsliebe und Liebe zum Volk, für dessen Leben und Freiheit man kämpft,

24 *Deutsches Militärlexikon,* a. a. O., S. 234

25 ebenda, S. 222, S. 234

26 *Große Sowjet-Enzyklopädie,* 2. Ausgabe 1951, S. 533

wirken dem Einfluß der Furcht entgegen. Sehr zweckmäßig sind im Kampf also solche Maßnahmen, die bei den Untergebenen ein starkes Gefühl des Zornes auf den Feind hervorrufen. Natürlich wird die Stärke des Zornes von dem politisch-moralischen Zustand der Soldaten als Ausdruck der ganzen vorangegangenen politischen Erziehung abhängen.[27]

Welche Bedeutung der *Haß* in der Politschulung spielt, kann an Hunderten von Zitaten gezeigt werden. Insbesondere werden die Angehörigen der Grenztruppen zum „unversöhnlichen Haß" erzogen:

> ...Das moralische Antlitz jedes Grenzsoldaten muß von abgrundtiefem Haß gegen die Feinde gekennzeichnet sein.[28]

Die Grenzsoldaten werden nicht im unklaren darüber gelassen, wen die SED mit den „Feinden" meint:

> Dort drüben in Westdeutschland sind die Feinde unserer Republik. Jeder wußte, daß er jetzt ganz nahe am Feind steht.[29]

Bei der Eröffnung der sowjetzonalen Militärakademie „Friedrich Engels" in Dresden erklärte Ulbricht:

> Seit der Eingliederung Westdeutschlands in die NATO muß die westdeutsche NATO-Armee als der mögliche Feind erkannt werden.[30]

Der damalige Verteidigungsminister, Generaloberst Willi Stoph, verlangte im gleichen Zusammenhang in der Zeitung „Die Volksarmee":

> Unsere Offiziersschüler müssen eine gründliche Kenntnis unseres Feindes, des deutschen Imperialismus und Militarismus und dessen Machtinstrumentes, der Bundeswehr, besitzen. Dadurch erziehen wir in den Offiziersschülern und Offiziershörern den unerbittlichen Haß gegen den Feind.[31]

Auf der III. Delegiertenkonferenz der Parteigrundorganisationen in der NVA wurde auf Betreiben des Chefs der Polithauptverwaltung, Admiral Verner, beschlossen:

---

27 I. E. Budowski, *Erziehung der Offiziere zur Willensstärke,* Verlag des Ministeriums für Nationale Verteidigung, Ost-Berlin 1957, S. 154

28 „Der Grenzpolizist", Herausgegeben von der Politischen Verwaltung der Deutschen Grenzpolizei, Ost-Berlin

29 ebenda

30 Zitiert nach „Einheit", Zeitschrift für Theorie und Praxis des wissenschaftlichen Sozialismus, Herausgegeben vom ZK der SED, Ost-Berlin, 3. Heft, 14. Jahrgang, März 1959

31 „Die Volksarmee", Nr. 104, 1959

... auch den letzten Armeeangehörigen mit einem tiefen Haß und offenen Kampfwillen gegen den deutschen Imperialismus und Militarismus zu erfüllen.[32]

Eine wichtige Rolle spielt bei der Erziehung zum Haß die ständig wiederkehrende Behauptung, die Bundesrepublik plane einen Angriffskrieg gegen die Sowjetzone. Diese Behauptung bietet gleichzeitig den Vorteil, die Ursachen für die wirtschaftlichen Schwierigkeiten im eigenen Machtbereich auf das Schuldkonto der „Imperialisten" und „Kapitalisten" zu buchen.

Eine besonders intensive Haßkampagne wird gegen die Führung der Bundeswehr betrieben. Unermüdlich wird behauptet, die Bundeswehr werde „von faschistischen Generalen und Offizieren"[33] geführt.

Durch die Erziehung zum Haß in der Politschulung hofft die SED, sich jene starken Antriebsmomente zunutze machen zu können, die darin liegen, daß der Haß auf Vernichtung gerichtete Affekte besitzt. Die SED weiß genau, daß auch Begeisterung ein Antriebsmoment für den Kampf sein kann, die aber oft schnell in Gefahrensituationen verfliegt. Der Haß dagegen kann im Kampfgeschehen nur noch stärker werden.

Die Politschule des Volkes

Mit der Einführung der allgemeinen Wehrpflicht im Januar 1962 hat die Politschulung in der NVA eine erweiterte Bedeutung bekommen. In allen Offizieren sehen die „Werktätigen" jetzt

nicht nur die militärischen Ausbilder, sondern zugleich die Erzieher ihrer Söhne in einem sehr wichtigen und bedeutsamen Lebensabschnitt.[34]

Der Erziehung des „neuen sozialistischen Menschen" dienen auch die *10 Gebote der sozialistischen Moral,* die Ulbricht auf dem V. Parteitag der SED 1958 verkündete und die auf dem VI. Parteitag, im Januar 1963, in das neue Parteiprogramm aufgenommen wurden:

1. Du sollst Dich stets für die internationale Solidarität der Arbeiterklasse und aller Werktätigen sowie für die unverbrüchliche Verbundenheit aller sozialistischen Länder einsetzen.
2. Du sollst Dein Vaterland lieben und stets bereit sein, Deine ganze Kraft und Fähigkeit für die Verteidigung der Arbeiter-und-Bauern-Macht einzusetzen.

32 Delegiertenkonferenz am 10./11. 6. 1960

33 *Deutsches Militärlexikon,* a. a. O., 80

34 *Vorwärts unter der Führung der SED zu neuen Siegen! Aus dem Referat des Ministers für Nationale Verteidigung, Armeegeneral Hoffmann, anläßlich der Verabschiedung der Absolventen der Militärakademie der Nationalen Volksarmee „Friedrich Engels" am 28. September 1962. „Volksarmee",* Sonderdruck 15/1962, S. 29

3. Du sollst helfen, die Ausbeutung des Menschen durch den Menschen zu beseitigen.

4. Du sollst gute Taten für den Sozialismus vollbringen, denn der Sozialismus führt zu einem besseren Leben für alle Werktätigen.

5. Du sollst beim Aufbau des Sozialismus im Geiste der gegenseitigen Hilfe und der kameradschaftlichen Zusammenarbeit handeln, das Kollektiv achten und seine Kritik beherzigen.

6. Du sollst das Volkseigentum schützen und mehren.

7. Du sollst stets nach Verbesserung Deiner Leistungen streben, sparsam sein und die sozialistische Arbeitsdisziplin festigen.

8. Du sollst Deine Kinder im Geiste des Friedens und des Sozialismus zu allseitig gebildeten, charakterfesten und körperlich gestählten Menschen erziehen.

9. Du sollst sauber und anständig leben und Deine Familie achten.

10. Du sollst Solidarität mit den um ihre nationale Befreiung kämpfenden und ihre nationale Unabhängigkeit verteidigenden Völkern üben.[35]

Mit diesen 10 Geboten der sozialistischen Moral will die SED die christlichen Zehn Gebote beiseiteschieben. Sie seien nur ein Werkzeug zur Unterstützung der Sklavenhalter, Feudalherren, Kapitalisten und Imperialisten.

Die *atheistische Propaganda* hat – wenn auch mit wechselnder Stärke – in der Politschulung stets einen gewissen Raum eingenommen.

Offene Angriffe, wie sie beispielsweise 1958 die Zeitung „Die Volksarmee" unter der Überschrift *Religion– Opium des Volkes* brachte, sind heute seltener: Die FDJ-Leitung einer Einheit hatte ein Jugendforum gebildet, an dem etwa 40 Soldaten teilnahmen,

> um sich Klarheit über die Rolle der Religion in der Gegenwart zu verschaffen.
> Aus den vielen Fragen konnte man ersehen, daß viele Genossen das Wesen der Religion noch nicht erkannt haben. Deshalb verstehen sie auch nicht, daß die Religion das Opium des Volkes ist, wie Karl Marx uns lehrt. Wer aber ein wirklicher junger Sozialist sein will, der muß sich auch darüber Klarheit verschaffen. [36]

Die kirchliche Trauung durch eine „sozialistische Form der Eheschließung" zu ersetzen, hilft auch die Volksarmee eifrig mit. Armeegeneral Hoffmann erklärte:

> Wir werden den Soldaten der NVA eine sehr schöne sozialistische Hochzeit ausstatten.[37]

35 Zitiert nach „Volksarmee", Beilage 15/1962, S. 21

36 Oberleutnant Kramer, *Religion – Opium des Volkes – Eine gute Form der Aufklärung – Andere Einheiten sollten diesem Beispiel folgen*, „Die Volksarmee", 17. 4. 1958

37 Aus dem Telefonforum der „Jungen Welle" mit Armeegeneral Hoffmann im Januar 1962

Die illustrierte Soldatenzeitschrift „Armee-Rundschau" brachte einen Bild-
bericht über eine solche „schöne sozialistische Hochzeit", bei der gleichzeitig 8 Soldaten die Ehe schlossen, mit den folgenden Versen:

Paarweise angetreten!

Schön ist es, wenn sich eine Braut
vertrauensvoll zur Trauung traut
in dem beachtlichen Bestreben,
die Hand fürs Leben hinzugeben.

Wenn man in Biesdorf Hochzeit macht,
dann macht man das da gleich zu acht
und feiert forsch und optimistisch
die Hochzeitsfeier sozialistisch.

Der Pauker paukt noch einmal ein,
getreulich lieb und treu zu sein,
und das ist schließlich und letztendlich
(zunächst einmal) sehr selbstverständlich.[38]

Politunterricht für den Rekruten ebenso wie für den General

Neben der umfassenden Politerziehung, die den gesamten Dienst, aber
auch die Freizeit der Soldaten durchdringen und prägen soll, gibt es den
speziellen Politunterricht. Die Teilnahme ist für alle Angehörigen der NVA
Pflicht.

Die Mannschaften erhalten wöchentlich 4 Stunden Politunterricht durch
ihre Zugführer (Schulungsgruppenleiter). Die Unteroffiziere ebenfalls wöchentlich 4 Stunden durch den Politstellvertreter oder den Kompaniechef.
Die Offiziere werden monatlich 8 Stunden durch den Politstellvertreter des
Regimentskommandeurs oder dessen Stellvertreter unterrichtet. Ihnen wird
außerdem zur Pflicht gemacht, sich ständig politisch weiterzubilden. Dabei
werden auch für den Selbstunterricht bestimmte Themen als Pflichtstudium
genannt. Generale werden ebenfalls regelmäßig politisch unterrichtet.

Zu Beginn jeden Ausbildungsjahres werden von der Politischen Hauptverwaltung Standardthemen für die politische Schulung in der Truppe angeordnet. Sie geben gleichzeitig die politische Generallinie für das betreffende
Jahr an.

Ständig werden von der Polithauptverwaltung außerdem Anleitungen zur
Behandlung der aktuellen politischen Tagesfragen an die Schulungsgruppenleiter gegeben. Sinnentstellte oder gefälschte Zitate aus westdeutschen Zeitungen sollen dabei helfen, die Richtigkeit der Politik des SED-Regimes zu

38 „Armee-Rundschau", Zeitschrift für politische, militärische und kulturelle Fragen
in der Nationalen Volksarmee, Ost-Berlin, Nr. 10/1960, S. 492

bestätigen. Fragen des dialektischen und historischen Materialismus bleiben immer auf der Tagesordnung des politischen Unterrichts.

Zur Festigung des sozialistischen Geschichtsbewußtseins werden im Politunterricht folgende historische Ereignisse aus kommunistischer Sicht behandelt:

- Die Bauernkriege um 1525,
- die Freiheitskriege 1812/15,
- die Revolution 1848,
- die Deutsche Arbeiterbewegung,
- die Spartakusbewegung 1917–1919,
- die KPD in der Weimarer Republik 1919–1933,
- die Internationalen Brigaden im Spanischen Bürgerkrieg 1936–1939.

Die Hauptgegenwartsthemen sind:

- Gerechte und ungerechte Kriege,
- Imperialismus und Militarismus als die Todfeinde des deutschen Volkes,
- die Angriffsabsichten der Bundesrepublik auf die DDR,
- das Nationale Dokument[39]
- die 10 Gebote der sozialistischen Ethik und Moral,
- der Fahneneid in der NVA,
- die Übergangsperiode vom Sozialismus zum Kommunismus,
- wer ist mein Freund, wer mein Feind?

Die Politschulung wird außerhalb des Dienstes vor allem von den FDJ-Funktionären fortgesetzt. Die FDJ vergibt auch das *Abzeichen für gutes Wissen* und wirbt für den Bezug von Zeitschriften, das Lesen kommunistischer Literatur und die Beteiligung an „Kulturveranstaltungen".

Kontrolle

Die SED verläßt sich aber nicht darauf, daß die Politschulung und die Politerziehung im „Selbstlauf" ihre Wirkung haben. Fortlaufend kontrolliert sie die Wirkungen ihrer Erziehungsmaßnahmen, indem sie vor allem folgende Punkte im Verhalten der Soldaten überprüft:
- Die Teilnahme am Politunterricht,
- die privaten politischen Gespräche mit negativen und positiven Äußerungen,
- das regelmäßige Lesen kommunistischer Literatur,
- den Bezug von kommunistischen Zeitungen,
- die Teilnahme an Veranstaltungen der Parteiorganisationen,
- die Teilnahme an den FDJ-Veranstaltungen,

39 Eine 48seitige Broschüre, die auf der 15. Tagung des ZK der SED im März 1962 beschlossen wurde. Sie ist eine nationalgeschichtlich frisierte, im Kern kommunistisch-klassenkämpferische Propagandaschrift zur Unterstützung der sowjetischen Deutschlandpolitik.

- die Beteiligung an Spenden,
- die äußere Haltung und Dienstfreudigkeit,
- die Dienstdurchführung der Vorgesetzten,
- den Umgang mit nichtkommunistischen Kreisen,
- das Lesen westlicher Bücher und anderer Druckschriften,
- das Abhören westlicher Rundfunksendungen,
- das Verhältnis der Soldaten zur Kirche,
- die soziale Herkunft und die politischen Anschauungen im Elternhaus des Soldaten.

Zur Sicherung dieser Kontrolle hat die SED ein ausgeklügeltes System geschaffen, dem jeder Soldat, ohne Rücksicht auf Dienstgrad und Dienststellung, unterliegt. Dazu gehören:
-- Der Generalauftrag aller Parteimitglieder in der NVA,
- die Parteisekretäre, die täglich ihre Meldungen auf eigenen Dienstwegen abgeben,
- die Parteikontrollkommission,
- die Politoffiziere,
- die Beauftragten der Abteilung Sicherheit in den Parteibezirken außerhalb der NVA, die das Recht besitzen, in den Kasernen die Soldaten und Offiziere zu überprüfen. Sie berichten unmittelbar an die Abteilung des ZK der SED,
- die Geheimen Informanten des Staatssicherheitsdienstes innerhalb der NVA.

Besondere Bedeutung unter diesen verschiedenen Kontrollorganen haben die Beauftragten des Staatssicherheitsdienstes. Das *Ministerium für Staatssicherheit (MfS)* hat bis zu den Bataillonen hinunter *Verbindungsoffiziere,* die zwar die Uniform der militärischen Einheiten, in denen sie Dienst tun, tragen, im übrigen aber ihren eigenen Dienst- und Meldeweg haben. In jeder Kompanie sitzt mindestens ein den Soldaten unbekannter *Geheimer Informant,* der dem Verbindungsoffizier des Staatssicherheitsdienstes schriftlich seine Wahrnehmungen über die Offiziere, Unteroffiziere und Mannschaften meldet.

Diese Bespitzelung führt unter den Soldaten zu einem großen gegenseitigen Mißtrauen. Es verhindert eine wirkliche Kameradschaft.

Die Politschule und Erziehung wird zwar durch diese alles durchdringende Kontrolle wesentlich intensiviert. Sie wird aber auf diese Weise von Anfang an um ihren eigentlichen Sinn gebracht: Die Menschen in ihrer innersten Gesinnung zu erfassen und so zu wandeln. Jeder ist – aus Furcht vor der Kontrolle und ihren Folgen – ängstlich bemüht, seine wahre Gesinnung zu verbergen.

Was ist der Politunterricht wert?

Der Politunterricht ist bei den Soldaten außerordentlich unbeliebt. Selbst in den Zeitungen der NVA wird gelegentlich davon gesprochen, daß der Politunterricht interessanter gestaltet werden müsse. So schreibt ein Angehöriger der Grenztruppen in einem Artikel unter der Überschrift *Wie wir die Langeweile aus dem Schulungsraum verbannten* u. a. folgendes:

> Unter den Genossen, die zu uns kamen, gibt es einige, die sich wenig mit politischen Grundfragen beschäftigt haben. Es ist deshalb nicht leicht, geeignete Formen zu finden, um eine gemeinsame Diskussionsgrundlage zu haben.
> Anschauungstafeln, Bilder, Dias und der Erwerb des Abzeichens (für gutes Wissen) bewirken, daß die Politschulung interessant geworden ist. Die Langeweile ist aus dem Schulungsraum gewichen.[40]

Aber es geht nicht nur um die Vertreibung der Langeweile beim Politunterricht. Die Politführung ist sich klar darüber, daß die Soldaten mit kritischen Fragen zurückhalten. Immer dann, wenn es im „sozialistischen Lager" Schwierigkeiten gegeben hat – und die Schwierigkeiten wachsen – wird eine verstärkte politische Schulung gefordert; meist verbunden mit der Erklärung, daß der Politunterricht jetzt offener und mit Entschiedenheit betrieben werden sollte.

Als sich im Frühjahr 1962 für das SED-Regime erhebliche Schwierigkeiten in der Versorgung der Bevölkerung abzeichneten, erklärte beispielsweise der Stellvertreter des Chefs der Politischen Hauptverwaltung, Oberst Helbig, die politische Erziehung zum *Hauptkampfplatz.*

Auch in der Sowjetarmee ist der Politunterricht – trotz über 40jähriger Praxis – noch immer ein Sorgenkind. Zwar erklärte der Verteidigungsminister, Marschall der Sowjetunion R. J. Malinowski, auf einer Beratung von Vertretern aller sowjetischen Streitkräfte zu ideologischen Fragen im Herbst 1962:

> Genossen! Groß und ehrenvoll ist die Rolle eines Propagandisten der Ideen des Kommunismus, des guten Freundes und Lehrers des Sowjetsoldaten. Was ist es doch für eine edle Aufgabe, die Herzen der Erbauer und Beschützer einer neuen Welt mit der unauslöschlichen Flamme der erhabensten Ideale zu entzünden! Das wahre parteiliche Wort, wie Wladimir Majakowski treffend sagte, ist „der Feldherr der menschlichen Stärke".
> Die Erkenntnis der großen Wichtigkeit und Nützlichkeit Ihrer Arbeit muß Sie zu einem noch beharrlicheren Kampf für die Verwirklichung der von der Partei gestellten Aufgaben beflügeln.[41]

---

40 Soldat Neuherr, Verband Homuth, Dienstbereich der Grenztruppen, *Wie wir die Langeweile aus dem Schulungsraum verbannten,* „Volksarmee", 1963/19

41 *Die militärpolitische Erziehung entschieden verbessern, die Wachsamkeit und die Gefechtsbereitschaft der Truppen erhöhen,* „Volksarmee", Sonderdruck 16/1962

42 ebenda

Kritisch meinte der Sowjetmarschall :

Man muß die Langeweile, Eintönigkeit und Ausdruckslosigkeit entschlossen aus den Lektionssälen, Seminaren und Politunterrichtsgruppen wie aus den Zeitungen und Zeitschriften verbannen. Man muß immer daran denken, daß die Aneignung des Marxismus-Leninismus nicht nur eine notwendige, sondern auch eine interessante und spannende Angelegenheit ist.[42]

Abgesehen davon, daß der Politunterricht bei den Soldaten unbeliebt ist, weil die Phraseologie abstoßend statt anziehend wirkt, bringt sie für die Führung der Armee auch eine besondere Gefahr mit sich. Indem die Soldaten zur Bildung des Bewußtseins, also unvermeidlicherweise auch zum Denken, veranlaßt werden, beginnt ein Prozeß, der von den Lehrern des Marxismus-Leninismus angesichts der Widersprüche zwischen ihrer Ideologie und Praxis am Ende nicht mehr kontrolliert werden kann.

9. KAPITEL

Die militärische Ausbildung der NVA

Die theoretischen Grundlagen der Ausbildung

Unter den vielen Tausenden NVA-Angehörigen, die im Laufe der letzten Jahre in die Bundesrepublik geflohen sind, befanden sich auch zahlreiche Unteroffiziere und Offiziere bis zur Dienststellung selbständiger Bataillons- und Regimentskommandeure. Sie haben von ihren Erlebnissen und Erfahrungen berichtet und der Öffentlichkeit im Westen ein lebendiges Bild der NVA vermittelt. Dennoch ist es nicht einfach, eine umfassende Darstellung über ein so wichtiges Gebiet wie die Ausbildung der NVA zu geben.

Die Gründe hierfür sind allgemein die vielen Ungereimtheiten und Widersprüche, die ihre Ursache in der heterogenen Zusammensetzung der NVA haben. Ein besonderer Grund aber ist der Übergang von der sogenannten Freiwilligenarmee zu einer auf der allgemeinen Wehrpflicht basierenden Streitmacht, wie er sich 1962 vollzog.

Die sich hieraus ergebenden strukturellen Wandlungen wirken sich auf Gestaltung und zeitlichen Ablauf der Ausbildung aus. Dieser Prozeß kann hier nicht lückenlos dargestellt werden, weil er noch nicht abgeschlossen ist und seine Entwicklung von einigen Imponderabilien abhängig ist. Das Schwergewicht dieser Darstellung liegt darauf, die Grundzüge, Besonderheiten und Zielsetzungen der Ausbildung der NVA aufzuzeigen. Sie folgen unveränderlich dem ihr erteilten Auftrag, „sozialistische Kämpfer" heranzuziehen.

Im *Deutschen Militärlexikon,* herausgegeben von einem *Kollektiv der Militärakademie der Nationalen Volksarmee „Friedrich Engels"* in Dresden, steht unter:

Ausbildung, militärische
Военная подготовка

Gesamtheit all der in den sozialistischen Armeen planmäßig organisierten Maßnahmen zur Heranbildung von sozialistischen Kämpfern (Einheiten, Truppenteilen, Verbänden und Stäben), deren Ausstattung mit einem System von wissenschaftlich-technischen, politischen und militärischen Kenntnissen, Fähigkeiten und Fertigkeiten sowie die Formung ihres sozialistischen Bewußtseins und Verhaltens, darunter der militärischen Disziplin. Das Ausbildungsziel wird durch die Erfordernisse der Verteidigung des sozialistischen Vaterlandes unter den Bedingungen eines Raketen-Kernwaffen-Krieges bestimmt.

Der Ausbildungsprozeß umfaßt die Erziehung und Bildung als eine untrennbare Einheit. Wichtige Zweige der militärischen A. sind die politische A., die taktische A., die militärische Körperertüchtigung und die Schießausbildung.[1]

Lehrmeisterin und Vorbild – wie auf allen Gebieten so auch in der Ausbildung – ist die Sowjetarmee. Die ersten sowjetzonalen Kader entstammten der Roten Armee oder wurden von ihr ausgebildet. An Ausbildungshilfen lassen es die Sowjets auch heute noch nicht fehlen, sei es durch Fachschul- und Akademieausbildung für Offiziere, Spezialausbildung für Sondereinheiten oder durch eigene Verbindungsoffiziere in den höheren Stäben der NVA. Auch die gemeinsame Übungstätigkeit von NVA und sowjetischen Land-, Luft- und Seestreitkräften ist in diesem Zusammenhang zu nennen.

Das äußere Erscheinungsbild der NVA könnte über die totale Abhängigkeit vom sowjetischen Vorbild vielleicht noch hinwegtäuschen. Eine aus innerpolitischen Gründen mit traditionellen Abzeichen und Farben versehene *deutsche Uniform* soll den Eindruck eigenständiger deutscher Streitkräfte vermitteln. Die Vorschriften, Fachliteratur und Veröffentlichungen der Sowjetzonen-Presse aber geben schwarz auf weiß das wirkliche Bild.

Die Mitwirkung der Renegaten des *Nationalkomitees „Freies Deutschland"* in den Kinderjahren der bewaffneten Kräfte der Sowjetzone wirkt bestenfalls noch in einigen Innendienstvorschriften und Formaldienstvorschriften nach. Aus der Gefechtsausbildung, der allgemeinen soldatischen Erziehung, der Führerausbildung und den Führungsgrundsätzen ist typisch deutsches Gedankengut, soweit es nicht über den Weg der früheren zaristischen und späteren sowjetischen Militärreformen Eingang gefunden hat, radikal ferngehalten.

In welchem Ausmaß das sowjetische Militärwesen Vorbild ist, darüber gibt das oben zitierte Deutsche Militärlexikon Aufschluß. Dieses Nachschlagewerk für die Hand des NVA-Soldaten ist – wie das Vorwort sagt – „vom Standpunkt der marxistisch-leninistischen Militärwissenschaft bestimmt". Es soll die Einheitlichkeit der militärischen Terminologie in der Volksarmee und die Verständigung zwischen den „sozialistischen Armeen" erleichtern. In der Praxis führt das dazu, daß zahlreiche Begriffe mit ganz anderem Inhalt gefüllt werden, als sie die deutsche Sprache bisher kennt.

1 *Deutsches Militärlexikon*, a. a. O., S. 50/51

Das zeigen auch die Veröffentlichungen des *Deutschen Militärverlags,* der dem Ministerium für Nationale Verteidigung untersteht (früher: *Verlag des Ministeriums für Nationale Verteidigung).* Ein beträchtlicher Teil seiner Publikationen[2] sind unveränderte Nachdrucke sowjetischer Originale.

Soweit es sich um Schriften vornehmlich für Mannschaften und Unteroffiziere handelt, erweist sich, wie weit die angeblich traditionellen deutschen Bindungen nicht anderes als Fassade sind. Die Beispiele und Vorbilder, die den deutschen NVA-Soldaten gegeben werden, sind durchweg sowjetischen Erlebnisberichten entnommen. So findet sich beispielsweise in dem Heft *Kriegslist und Findigkeit:*

> In den Kämpfen des Großen Vaterländischen Krieges verstanden es die Sowjetsoldaten, schlau den Gegner zu überrumpeln, ihn zu verwirren, durch Überraschung und Schnelligkeit ihrer Operationen den Feind zu bluffen und Pläne und Maßnahmen des Gegners zu vereiteln.
> Diese vielen Kampferfahrungen sorgfältig zu studieren und auszuwerten ist Aufgabe eines jeden Soldaten.[3]

Da sich aus dem Leben der in der NVA verehrten „Soldaten" wie Engels, Thälmann oder Reichpietsch nicht viel Kampferfahrungen gewinnen lassen, finden sich als militärische Beispiele der deutschen Geschichte allenfalls noch solche aus den Freiheitskriegen 1812/15, in denen Deutsche und Russen gemeinsam kämpften.

Fachbücher für die Offiziere der NVA sind größtenteils dem umfangreichen militärwissenschaftlichen Schrifttum der Sowjets entnommen. Da sie unverändert übernommen werden, übertragen sie sowjetisches Gedankengut und Praktiken, die weithin auf die Mentalität der eben erst einer typischen Agrargesellschaft entwachsenden Sowjetvölker zugeschnitten sind, auf die Menschen in Mitteldeutschland, die seit langem – jedenfalls vor dem Beginn der sowjetischen Besetzung – mit einer modernen Industrie und Technik leben.

So überbewertet nach deutschem und allgemein westlichem militärischen Denken auch die sowjetische Schrift *Mensch und Technik im modernen Kriege* die Technik, wenn sie erklärt:

> Von starker moralischer Wirkung ist der unerwartete Einsatz bisher unbekannter Waffen, da die Truppen psychologisch nicht auf sie vorbereitet sind und ihre wirkliche Stärke, aber auch ihre schwachen Seiten unbekannt sind und die Bekämpfung schwierig ist.
> Auf die Truppenmoral wirkt auch die Qualität der Kampftechnik ein ... Mindere Qualität, Unzuverlässigkeit, die geringste Unzulänglichkeit der modernen

---

2 Siehe Anhang II, Was sollen die Soldaten lesen?, Die Bibliographie des Deutschen Militärverlages

3 *Kriegslist und Findigkeit,* Verlag des Ministeriums für Nationale Verteidigung, Ost-Berlin 1956, S. 23

Ausrüstung können den Wert aller Bemühungen des Menschen erheblich herabsetzen oder sie zunichte machen.[4]

Da die *marxistisch-leninistische Militärwissenschaft* aber – übrigens im Gegensatz zur ursprünglichen Lehre von Marx – immer wieder betont, daß nach wie vor der Mensch im Kampf die entscheidende Rolle spielt und nicht die Waffen, gipfeln schließlich die theoretischen Grundsätze der Heranbildung des Soldaten in der Forderung, durch Erziehung und Ausbildung einen Soldatentypus zu schaffen, der in Theorie und Praxis die Technik beherrscht und sich nicht von ihr beherrschen oder Furcht einflößen läßt.

In den 7 Jahren der Existenz der NVA haben sich aber für die Ausbildung der jungen Deutschen in der Sowjetzone einige besondere Probleme ergeben. wie sie weder in der Sowjetarmee noch in den Streitkräften irgendeines anderen sowjetischen Satelliten zu finden sind. Das schwierigste ist das Verhalten des NVA-Soldaten im Einsatz gegen Deutsche und zwar gegen Zonenbewohner, Berliner oder Einwohner der Bundesrepublik, gegen Zivilisten, Polizei- und Grenzorgane oder die Bundeswehr. Diese Frage ist nicht nur eine theoretische, denn im Juni-Aufstand 1953 hatten die bewaffneten Kräfte als Schutztruppe des Ulbricht-Regimes teilweise versagt. Besonders die NVA-Grenztruppen stehen vor der Frage, ob sie auf ihre Landsleute schießen sollen[5].

Die Sowjetzonenmachthaber sind sich darüber klar, daß die Frage der Einsatzbereitschaft ihrer Soldaten gegen Deutsche das Kriterium der NVA ist. Hier aber zeigt sich, wie sehr diese NVA keine Armee im herkömmlichen Sinne, sondern eine Bürgerkriegstruppe werden soll:

> Jedem Angehörigen der Nationalen Volksarmee muß es in Fleisch und Blut übergehen, daß jeder NATO-Soldat auch deutscher Herkunft, der die Waffe gegen das sozialitische Lager erhebt, nicht sein Bruder, sondern sein Feind ist.
> Unsere Brüder in Westdeutschland sind die unter Führung der illegalen Kommunistischen Partei Deutschlands kämpfenden Patrioten...[6]

Zur Beseitigung letzter Skrupel der NVA-Soldaten dienen auch Erlebnisberichte sowjetischer Kämpfer des Zweiten Weltkrieges darüber, wie man im Einsatz deutsche Offiziere abschießt:

> Seine Stellung wählte Gontscharow immer in einem Eckhaus, weil er dort gute Beobachtungsmöglichkeiten hatte. Er ließ feindliche Soldaten vorübergehen und wartete auf Offiziere. Sobald sich ein faschistischer Offizier zeigte, lag er auch schon, von dem genauen Schuß des Scharfschützen getroffen, am Boden.[7]

4   W. K. Abramow, *Mensch und Technik im modernen Kriege,* Deutscher Militärverlag, Ost-Berlin 1961, S. 56

5   Vergleiche „Schießbefehl", Seite 177

6   Götz Scharf, *Über den moralischen Faktor im modernen Krieg,* Verlag des Ministeriums für Nationale Verteidigung, Ost-Berlin 1959

7   *Kriegslist und Findigkeit,* a. a. O.

Theoretische Grundlage für die Ausbildung in den Einheiten der NVA sind die *Dienstvorschriften (DV)* und sonstige sogenannte *Ausbildungsgrundsätze* wie Direktiven, Anordnungen, Programme usw. Sie sind sehr eingehend, schematisieren die Ausbildung für zusammengehörende Bereiche (Waffengattungen, Truppenteile und Verbände) und binden die Ausbilder zeitlich und thematisch.

Die Vorschriften sind im allgemeinen kurz und knapp gehalten, instruktiv und mit guten Fotos und Skizzen versehen. Stilistisch sind sie allerdings oft nicht einwandfrei, zuweilen enthalten sie auch Wiederholungen und Widersprüche.

Auch die sonstigen zahlreichen *Ausbildungsgrundsätze* (-Weisungen) sind nicht ohne Mängel, z. T. äußerst umfangreich, unübersichtlich und hier und da fehlerhaft. In ihnen werden der zeitliche Ablauf der Ausbildung, die Themen der Ausbildung in den „Programmen" genau festgelegt und dazu organisatorische und methodische Hinweise gegeben.

In den folgenden Abschnitten dieses Kapitels wird von der Praxis der militärischen Ausbildung – im westlichen Sinne – berichtet. Es sei aber nochmals an das vorhergehende Kapitel über die politische Erziehung und Schulung erinnert, die in den Streitkräften des Sowjetblocks ein integraler Bestandteil der militärischen Ausbildung ist. Nach dem *Deutschen Militärlexikon* „Hauptbestandteil der militärischen Ausbildung"!

Permanente politische Bearbeitung gepaart mit einer sich fast ausschließlich auf sowjetische Methoden abstützenden technisch-taktischen Ausbildung sollen das Ausbildungsziel der NVA-Führung erreichen helfen:
- aus den Soldaten überzeugte Kommunisten zu machen,
- sie zu eiserner Disziplin und unbedingtem Gehorsam zu erziehen,
- hervorragende Waffenspezialisten heranzubilden,
- einsatzfähige Einheiten zusammenzufügen,
- Geschlossenheit der Verbände zur Führung des Kampfes zu schaffen und
- eine hohe, ständige Gefechtsbereitschaft zu gewährleisten.

Hierzu werden von dem Ausbildungspersonal gefordert:
- zielstrebige politische Arbeit,
- strenge militärische Disziplin,
- zielgerichtete Planung,
- gute Vorbereitungsarbeit,
- Eigeninitiative und
- Unnachsichtigkeit.

Planung und Vorbereitung der Ausbildung

Die einheitlichen Grundsätze für die Ausbildung werden von dem Stellvertreter des Ministers für die Ausbildung festgelegt. Diese Ausbildungsprogramme werden fast alljährlich verändert. Es ist anzunehmen, daß das auch in den nächsten Jahren noch so bleiben wird. Erkenntnisse aus der Arbeit des Vorjahres und strukturelle Wandlungen der NVA und auch politische Lageentwicklungen machen Änderungen der Programme immer wieder erforderlich.

Die *Verwaltung Ausbildung* im Ministerium für Nationale Verteidigung ist nicht allein für die Ausbildung verantwortlich. Ein gewisses Mitspracherecht haben noch für Spezialverbände und Spezialisten die Spitzen dieser Spezialdienste, z. B. die Chefs der Verwaltungen Panzer, Kfz-Wesen oder Rückwärtige Dienste im Ministerium, sinngemäß die Kommandos der NVA/Luftstreitkräfte und Luftverteidigung sowie der NVA/Volksmarine.

Obgleich das Ministerium die Ausbildung bereits im einzelnen festlegt, wird von den Truppenteilen und Einheiten eine noch darüber hinausgehende Planung der in der Verantwortlichkeit des Kommandeurs bzw. Einheitsführers liegenden Ausbildungsabschnitte gefordert.

Nach dem Prinzip der sogenannten *Einzelleitung* sind die Kommandeure und Einheitsführer voll verantwortlich für Anlage und Durchführung der Ausbildung ihrer Soldaten. Z. B. haben schlechte Ausbildungsergebnisse einer Einheit oder eines Truppenteiles die disziplinare Bestrafung des Führers bzw. Kommandeurs zur Folge. Besichtigungen und überraschende Besuche von Vorgesetzten und besonderen Kommissionen sind daher gefürchtet.

Der Vorbereitung der Ausbildung dienen Tagungen und Lehrgänge. Von allen Ausbildern und Vorgesetzten wird zudem ein permanentes Freizeitstudium der einschlägigen Ausbildungsrichtlinien gefordert. Die allgemeine dienstliche Beanspruchung und das Freizeitstudium überfordern die Kader der NVA. Der Umfang des durchzuarbeitenden Schrifttums stellt sich als ein Hemmschuh für die befehlsgemäße Vorbereitung und Durchführung der Ausbildung heraus.

Bei der Planung und Vorbereitung der Ausbildung ebenso wie bei der Überwachung wirken auch die bei den höheren Stäben der NVA befindlichen *sowjetischen Berater* mit. Diese Offiziere, die mindestens den gleichen Rang haben wie die Kommandeure der Verbände, denen sie zugeteilt sind, haben besondere Qualifikationen für ihr Amt und gelten als Autoritäten. Sie sind ein weiterer Beweis für die Gleichschaltung der NVA-Ausbildung mit der sowjetischen.

In der Vorbereitungszeit der Ausbildungsabschnitte wird die Truppe nicht selten dazu angesetzt, die vorhandenen Ausbildungseinrichtungen zu überholen oder neue Anlagen zu schaffen. Mit großem Einfallsreichtum – und unter Beachtung größter Sparsamkeit – werden für die Gefechtsausbildung, für die Schießausbildung, die Fahrausbildung und für die körperliche Ertüchtigung Anlagen gebaut, die den Übenden ein möglichst wirklichkeitsnahes Gefechtsbild vermitteln sollen.

Theoretische Übungsmittel wie Sandkasten, Fahrzeug- und Gerätmodelle usw. werden zwar ebenfalls von der Truppe angefertigt, doch treten diese Ausbildungsmittel hinter den Bau von Übungsanlagen im Gelände zurück. Besonders werden auch Anlagen für Nachtübungen geschaffen.

Neben methodischer Vorbereitung und Anfertigung zweckmäßiger Übungsanlagen ist die personelle Einsatzplanung der Ausbilder ein ernsthaftes Problem der verantwortlichen Einheitsführer, da der ständige Mangel an Kaderpersonal zu Aushilfen und Notlösungen zwingt. Das gilt vor allem für die Zeit der Grund- und Einzelausbildung, in der die Rekruten in Ausbildungseinheiten (Zügen) bei ihren Stammtruppenteilen zusammengefaßt sind.

Der Ausbildungsablauf

Das *Ausbildungsjahr* ist der zeitliche Rahmen, in den die Einzel- und Verbandsausbildung, bis ins einzelne durch verbindliche Pläne festgelegt, eingepaßt ist.

Bis 1962 bestand der Ersatz der NVA ausschließlich aus „Freiwilligen", die sich für mindestens 2 Dienstjahre verpflichten mußten und deren Gesamtausbildung sich daher auf 2 Ausbildungsjahre verteilte. Für die Soldaten des 2. Dienstjahres gab es in der Zeit, in der die Soldaten des 1. Dienstjahres ihre Grund- und Einzelausbildung erhielten, besondere Ausbildungsprogramme. Die Ausbildung der Besatzung, Bedienung bzw. Gruppe, des Zuges, der Kompanie, Batterie usw., erfolgte dann gemeinsam.

Eine gewisse Schwierigkeit war, daß im Laufe eines Ausbildungsjahres zweimal Rekruten eingezogen wurden.

Das Ausbildungsjahr begann bisher am 1. Januar und endete im Oktober. Die Zeit zwischen 2 Ausbildungsjahren diente der Grundausbildung der im Oktober neu eingezogenen Rekruten und wurde bei den Soldaten des 2. Dienstjahres für Arbeitsdienst, Spezialausbildung und Vorbereitungen auf das nächste Ausbildungsjahr (Unterführerausbildung, Bau von Ausbildungsanlagen usw.) verwendet.

Die Rekruten des 2. Einzugtermins (Frühjahr) erhielten in ihren Einheiten zunächst ebenfalls eine Grundausbildung, währenddessen lief die planmäßige Ausbildung der Einheiten nach dem Jahresturnus aber weiter. Die Frühjahrsrekruten wurden im allgemeinen sehr viel früher als die Herbstrekruten in die Einheiten eingegliedert und nahmen schon bald an der Verbandsausbildung teil. Die fehlenden Kenntnisse und Fertigkeiten der Einzelausbildung wurden ihnen nach und nach vermittelt.

Nach Einführung der allgemeinen Wehrpflicht im Januar 1962 mußte der Jahresturnus geändert werden, weil die Dienstpflichtigen nicht 2 Jahre wie die „Freiwilligen", sondern nur noch 1¹/₂ Jahre dienen. Die Ausbildung mußte also verkürzt, das Programm gestrafft werden. Praktisch wirkte sich das erst ab Herbst 1962 aus.

Nach der sowjetzonalen Presse sind Ende 1962 die Rekruten zwar fast 1 Monat später eingezogen worden, ihre Grundausbildung hat aber auch nur 4 statt 6 Wochen gedauert. Außerdem ist der Beginn des Ausbildungsjahres auf Dezember vorverlegt worden. Weitere Kürzungsmöglichkeiten ergeben sich bei der Verbandsausbildung und eventuell auch dadurch, daß auf Zeitreserven, die im bisherigen Ausbildungsplan anscheinend für den eventuellen Einsatz „in der sozialistischen Arbeit" (Erntehilfe, Industriearbeit) vorgesehen waren, verzichtet wird.

Es ist infolgedessen nicht anzunehmen, daß die künftigen Ausbildungspläne und ihr zeitlicher Ablauf wesentlich abweichen von den in der Vergangenheit üblichen Ausbildungsprogrammen, über die im Nachstehenden berichtet wird.

Mitte Oktober wurden die Rekruten des Herbsteinziehungspunkts einberufen. Sie kamen sofort in die Einheiten, für die sie vorgesehen waren, und erhielten dort ihre militärische Grundausbildung. Sie dauerte im allgemeinen etwa 6 Wochen bis Anfang Dezember; daran schloß sich die Einzelausbildung bis zum März an. Bis April wurden die Bedienungen, Besatzungen bzw. Gruppen eingeübt, die Ausbildung im Rahmen des Zuges bzw. vergleichbarer Einheiten schloß sich an und dauerte bis Juni. Der Sommer bis in den Herbst hinein gehörte dann der Ausbildung im Kompanie- bzw. Batterierahmen, auf Bataillons- bzw. Regimentsebene und bei den Truppenübungen und Manövern im großen Verbande.

Die Soldaten des 2. Dienstjahres begannen ebenfalls ab Oktober nochmals mit Einzelausbildung zur Vertiefung des Gelernten; im Rahmen der Ausbildung der *gegenseitigen Ersetzbarkeit* erlernten sie noch eine zweite Funktion.

Die in den Frühjahrseinzugsterminen zur Truppe gekommenen Rekruten wurden bis zum Abschluß der verkürzten Grundausbildung in getrennten Gruppen oder Zügen ausgebildet, dann nahmen sie an der Gesamtausbildung ihrer Einheiten teil.

Mit Beginn der Ausbildung der Besatzung, Bedienung, Gruppe wurden die jungen und alten Soldaten gemeinschaftlich in gemischten Einheiten ausgebildet.

Für Sondereinheiten, bestimmte Dienstzweige wie z. B. die Grenztruppen und die Luftstreitkräfte/Luftverteidigung und die Volksmarine gilt z. T. ein anderer Ausbildungsturnus. Er ist bestimmt durch den besonderen Einsatz und die strukturellen Unterschiede gegenüber der großen Mehrheit der NVA-Einheiten, z. B. durch die Zusammensetzung aus langdienenden Freiwilligen bei der Volksmarine und den fliegenden Verbänden der Luftstreitkräfte. Hierüber wird getrennt berichtet.

Von der zur Verfügung stehenden Ausbildungszeit wird mehr als die Hälfte für die sogenannte *Gefechtsausbildung* verwendet. Zu ihr gehören:

- Militärische Körperertüchtigung,
- Formalausbildung (Exerzierdienst),
- Waffenkunde, Schießlehre, Schießdienst,
- Geländedienst, genannt *Taktik,*
- Spezialausbildung der Waffengattungen,
- Kfz-technische Ausbildung,
- Sonderausbildung wie z. B. Geländekunde *(Topografie),* ABC-Schutzaus-
bildung, Pionierausbildung usw.

Zur Gefechtsausbildung gehört aber auch, mit dem größten zeitlichen
Aufwand,
- die *Politische Schulung.*

Im Rahmen der Gefechtsausbildung nimmt die *Nachtausbildung* einen
außerordentlich wichtigen Platz ein. Ein Drittel bis zur Hälfte der Geländeausbildung, Spezialausbildung, Schießausbildung, Fahrausbildung und Sonderausbildung findet nachts, fast ausnahmslos im Gelände, statt.

Hinter die Gefechtsausbildung treten die sonstigen Dienstzweige zurück.
Der gesamte Innendienst, obwohl straff gehandhabt, ist zeitlich scharf begrenzt.

Die *Verwaltung, Wartung und Pflege von Waffen, Gerät und Fahrzeugen*
sowie sonstiger Ausrüstung und Bekleidung nehmen einen breiteren Raum
ein. Besondere *Parktage,* vor allem nach größeren Übungen, werden gleichzeitig für die technische Ausbildung und die Schulung des Kaderpersonals
benutzt.

Für das Erlernen der Dienstvorschriften, der Lehrsätze und Daten aus der
taktischen (= Gelände-), technischen und politischen Ausbildung ist in den
Dienstplänen nur wenig Zeit gelassen. Dieser Stoff muß in der Hauptsache
in der Freizeit erlernt werden.

In genormten, umfangreichen Zwischenberichten und Meldungen ist über
die einzelnen Ausbildungsabschnitte, Verlauf und Ergebnisse auf dem
Dienstweg laufend zu melden. Besichtigungen, Überprüfungen und Kontrollen schließen die Ausbildungsabschnitte ab und dienen der Vorbereitung von
Leistungsvergleichen.

Die militärische Grundausbildung

Die ersten 4–6 Wochen werden die Rekruten innerhalb ihrer Einheiten,
aber in besonderen Gruppen oder Zügen, ausgebildet. In dieser Zeit soll den
jungen Soldaten – wie in allen Armeen der Welt – militärische Disziplin und
Ordnung anerzogen werden. In den verschiedenen Ausbildungszweigen
werden die Grundkenntnisse vermittelt.

Schon in diesem frühen Stadium werden die künftigen Spezialisten und
auch die für die Unteroffizierslaufbahn vorzusehenden Soldaten ausgewählt.

Von Anbeginn der Ausbildung an werden zeitlich, geistig und körperlich den Rekruten große Leistungen abgefordert. Das Ausbildungspensum wird täglich in etwa 8 Dienststunden absolviert. Innendienst wie Revierreinigen, Putz- und Flickstunden usw. zählen nicht mit. Nur an Sonnabenden gibt es Diensterleichterungen. Die Sonntage sind meistens dienstfrei.

Im Durchschnitt sind an der Gesamtzeit der Grundausbildung beteiligt:
- Exerzier- (Formal-)ausbildung   15%
- Gelände- (taktische)ausbildung   10%
- Körperertüchtigung (Mil-Sport)   12%
- Waffenausbildung und Schießen   20%
- Sonderausbildung u. a.   18%
- Politische Schulung und Unterricht
  über Verhalten in und außer Dienst   25%

Der Dienst in der Grundausbildung der jungen NVA-Soldaten verläuft also bereits anders als in westlichen Armeen. Der Schwerpunkt der politischen Erziehung und die unlösbare Verknüpfung von politischem und militärischem Drill sind unverkennbar.

Themen der einzelnen Ausbildungszweige sind:

a) Exerzierausbildung: Antreteordnung, Ehrenbezeigungen mit und ohne Kopfbedeckung, mit und ohne Waffe, allein und in der Kolonne. Grundstellung, Wendungen und Marsch. Dabei auch Exerzierschritt.

Jeder Dienst wird für Antreteübungen und andere Teile der Exerzierausbildung benützt.

b) Geländeausbildung (sogenannte taktische Ausbildung): Verhalten und Bewegen des Soldaten im Gelände. Gefechtsfeldbeobachtung und Beobachtungsmeldung. Deckung, Tarnung und Stellungsbau.

In der Regel wird den Rekruten, schon bald nachdem sie ihre Grundausbildung begonnen haben, in einer Lehrvorführung der Einsatz ihrer Einheit oder gar eines größeren Truppenteils ihrer Waffengattung vorgeführt. Kampfverbände führen diese Übung nicht selten mit scharfem Schuß vor.

c) Körperertüchtigung: Übungen zur Lockerung und Förderung von Beweglichkeit und Ausdauer, dazu Partnerschaftsübungen und Kampfspiele.

Zum Schluß der Grundausbildung wird in einer Prüfung die körperliche Tüchtigkeit der Rekruten festgestellt.

d) Waffenausbildung und Schießen: Waffenkunde über Handfeuerwaffen wie Karabiner, Pistole und Maschinenpistole, einschließlich der Munition. Schießlehre, Anschlagarten, Feuerstellung und Durchführung eines 1. Schulschießens mit Handfeuerwaffen.

e) Sonderausbildung: Hierzu rechnen das Zurechtfinden im Gelände, ABC-Waffenkenntnis und -Schutzausbildung, Sanitätsausbildung mit Körperhygiene und Erster Hilfe.

f) In die Politische Schulung und „Soldatische Grundunterweisung" sind an rein militärischen Themen eingebaut:
- Disziplinar- und Beschwerdeordnung,
- Verhalten im und außer Dienst,
- Pflichten und Rechte des Soldaten,
- Urlaubs-, Verpflegungs- und Versorgungsrechte des Soldaten,
- Standort- und Wachdienst. (Wachdienst selbst brauchen die Soldaten in der Grundausbildung noch nicht zu leisten.)

Die Grundausbildung ist im großen und ganzen einheitlich, ganz gleich zu welcher Waffengattung oder Teilstreitkraft die Soldaten kommen. Das Ziel dieser kurzen aber straffen Ausbildungszeit ist:
- dem Soldaten die Aufgaben und Verpflichtungen der NVA gegenüber der „DDR" klarzumachen und ihn politisch gleichzuschalten;
- dem Soldaten die Grundlagen militärischer Disziplin und die ersten theoretischen und praktischen Anfangskenntnisse zu vermitteln.

Mit strengem Drill und in allgemein unbequemen Unterkünften (nicht selten liegen Rekruteneinheiten in Zelten) soll der junge Soldat von vornherein an Härte und Leistungsforderungen gewöhnt werden.

Am Schluß der Grundausbildung soll der NVA-Angehörige innerhalb und außerhalb des Dienstes ein straffes, militärisches Verhalten an den Tag legen.

Ausgang und Urlaub gibt es für die Rekruten während der Zeit der Grundausbildung im allgemeinen nicht. Die Länge des Dienstes und die hohen Anforderungen ebenso wie das Ausbildungsziel lassen - nach NVA-Ansicht - solche Ablenkungen nicht zu.

Die Einzelausbildung im 1. und 2. Dienstjahr

In der unmittelbar der Grundausbildung folgenden Phase der Einzelausbildung tritt nun die Sonderausbildung für die einzelnen Waffengattungen vorrangig in Erscheinung. Etwa 30% der Ausbildungszeit des 1. Dienstjahres ist der Rekrut an seiner Spezialwaffe, seinem Gerät oder seinem Fahrzeug.

Die Exerzierausbildung, die Körperertüchtigung und selbst die politische Ausbildung treten während der Einzelausbildung des 1. Dienstjahres etwas zurück. Zusammen mit der Spezialausbildung der einzelnen Waffengattungen - die größtenteils im Gelände durchgeführt wird - gewinnt die sogenannte *taktische Ausbildung,* d. h. der Geländedienst, an Bedeutung. Etwa die Hälfte der Ausbildungszeit verbringt der junge Soldat mit seinen Ausbildern jetzt im Gelände; auch die Nachtausbildung nimmt fortgesetzt zu.

Die Ausbildung an der Waffe im Gelände und der sonstige Geländedienst erfolgen drillmäßig, wie überhaupt dem Drill entscheidende Bedeutung beigemessen wird. Exerzier-Drill, Waffen-Drill, Gefechts-Drill sind die Stufen-leitern des Drilles. Das *Deutsche Militär-Lexikon* bezeichnet den Drill als

Methode der militärischen Bildung. Der Drill beinhaltet das gleichmäßige Wie-derholen einer elementaren militärischen Handlung bis zur Entwicklung einer entsprechenden Fertigkeit, diese Handlung automatisch, auch unter den höch-sten psychologischen Belastungen des Raketen-Kernwaffen-Krieges auszu-führen. In den sozialistischen Streitkräften wird der Drill auf die militärische Bildung beschränkt und mit der Ausbildung zur bewußten Durchführung aller Aufgaben und der Entwicklung der schöpferischen Masseninitiative verbun-den . . .[8]

Über den Drill als Ausbildungsmethode zur Erzielung unbedingten Gehor-sams und exerziermäßiger Ausführung von Handlungen und Befehlen im Gefecht als ein typisches Merkmal der Erziehung kommunistischer Soldaten, wird am Schluß dieses Kapitels zu sprechen sein.

Im 2. Dienstjahr unterscheidet sich die Einzelausbildung der Soldaten von der des 1. Dienstjahres darin, daß
a) das Pensum des 1. Dienstjahres wiederholt, vertieft und ergänzt wird;
b) die „gegenseitige Ersetzbarkeit" erreicht wird. Die Soldaten erhalten also im 2. Dienstjahr noch eine Einzelausbildung in einer zweiten Funktion. Es werden z. B. Kanoniere als Fahrer, Fahrer als Sanitäter, Funker als Fahrer usw. ausgebildet.
Hinzu kommt noch, daß in der Einzelausbildung des 2. Dienstjahres alle Soldaten, die keine *Fernmeldeausbildung* erhielten, in die Grundzüge des Verbindungswesens eingewiesen werden. Sie müssen die Qualifikationen erwerben, im Bedarfsfalle auch als Fernmelder eingesetzt zu werden. Bei der Verbandsausbildung in ihrem 2. Dienstjahr werden sie gelegentlich zum Fernmeldedienst eingeteilt.
Zeitlich sind die Ausbildungsstunden der Einzelausbildung im 2. Dienst-jahr in etwa verteilt wie die im 1. Dienstjahr. Absoluter Schwerpunkt ist auch hier wieder der Dienst im Gelände, gleichmäßig bei Tag und Nacht.

Die Ausbildung in der Gruppe bzw. Bedienung oder Besatzung

Die Phase der Einzelausbildung der alten und neuen Soldaten wird durch gelegentliche Übungen größerer Verbände unterbrochen. Es handelt sich hierbei nicht nur um die Lehrübungen, mit denen den Rekruten Einsatz und Wirkung der Waffen ihrer Truppe gezeigt werden, sondern um Verbands-übungen, zu denen auch die Rekruten mitgenommen werden.
Nach Abschluß der Einzelausbildung beginnt das Zusammenwirken der Soldaten in den kleinsten Einheiten, z. B. in der Bedienung, in der Besatzung

8 *Deutsches Militärlexikon,* a. a. O., S. 99

Das kleine 1 x 1

Bild 100 – „Das kleine 1 x 1" nennt die „Armee-Rundschau" die Exerzierausbildung.

Bild 101-102 – „Treffen mit dem ersten Schuß" ist das Ziel der Schießausbildung.

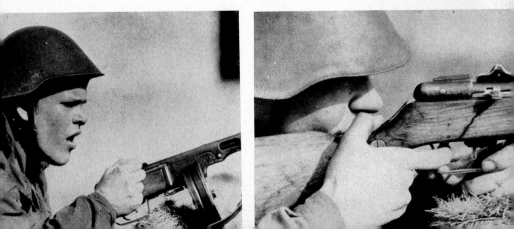

Bild 103 — Die Ausbildung findet oft nachts statt. — Überwinden einer Drahtsperre

Bild 104 — Flußüberquerung mit Hilfe eines Seils unter kriegsnahen Bedingungen

Bild 105 — Die Bedienung des mittleren Granatwerfers verläßt das Zugmittel, um ihn in Feuerstellung zu bringen.

Bild 106 — Ein leichter Granatwerfer wird feuerbereit gemacht. (Die Schutzausbildung nimmt einen breiten Raum ein.)

Bild 107 — Gemeinsame Ausbildung von Soldaten der Sowjetarmee und der NVA in einer sowjetischen Haubitzenbatterie (112-mm-FH M-1938). Sie soll die Voraussetzung dafür schaffen, „daß auch im Ernstfall das Zusammenwirken funktioniert" (unten).

Bild 108 — Das Bild auf den nächsten beiden Seiten zeigt eine Truppenübung: Infanterie geht im Schutz von Panzern vor.

Bild 109 — Offiziers-schüler beim Unterricht am Funkgerät. — In der Einzelausbildung des 2. Dienstjahres werden Soldaten, die noch keine Fernmeldeausbildung erhielten, in die Grund-züge eingewiesen.

Bild 110 — Soldat einer Aufklärungsgruppe der NVA-Grenztruppe bei der Übung eines Stoß-truppunternehmens.

Bild 111 — Fluglehrer und Offiziersschüler bei einem Übungsflug vor der Landung.

Bild 112 — Angehöriger der Sektion Fallschirmspringen der Armeesportgemeinschaft „Vorwärts" beim Sprung. (Das Fallschirmspringen ist nicht nur ein Teil der Dienstausbildung der Fallschirmjäger, sondern kann auch in der „Freizeit" geübt werden.)

Bild 113 — „Roter Matrose", eine Zeichnung in der „Armee-Rundschau" im Dienste der roten Traditionspflege.

Bild 114 — Aber bei der Parade will die NVA/Volksmarine zeigen, daß mehr Wert auf strenge Formaldisziplin als auf revoluzzerhaftes Auftreten gelegt werden soll.

oder der Gruppe. Das ist die 1. Phase der sogenannten *Felddienstausbildung*. Jetzt werden erstmals die alten Soldaten mit den Angehörigen des jüngsten Rekrutenkontingents in denselben Einheiten ausgebildet. Der Felddienst bzw. die Spezialwaffenausbildung beanspruchen nun weit mehr als die Hälfte der verfügbaren Ausbildungszeit. An die 2. Stelle, vor der Körperertüchtigung und der Exerzierausbildung, tritt die Politische Schulung.

Die Themen der Felddienstausbildung entsprechen denen, die auch in anderen Armeen behandelt werden, wenn man vom Politunterricht absieht. Die Nachtausbildung beansprucht fast den gleichen Zeitraum wie die Tagesausbildung; auch die Gefechtsschießen erfolgen bei Tag und bei Nacht. Ortskampf, Überwinden von Wasserhindernissen, Kampf mit einem überraschend auftauchenden Feind finden sich als wichtige Übungsthemen bei allen Waffengattungen. Technischer Dienst unter feldmäßigen Umständen und Gefechtsexerzieren sind häufig im Ausbildungsprogramm.

Die Ausbildung der Züge

Dieser im Gesamtausbildungsjahr kürzeste Zeitabschnitt wird wie die vorhergehende Ausbildungsphase größtenteils mit Ausbildung im Gelände ausgefüllt.

Die Truppenteile befinden sich dabei zeitweilig auf Übungsplätzen, in Ausbildungslagern oder betreiben die Ausbildung in Standortnähe.

Neben der Gefechtsausbildung sind noch Wiederholungen in der Einzel- und Gruppenausbildung vorgesehen. Ehe die Kompanie-(Batterie-)Ausbildung beginnt, soll sichergestellt sein, daß der Waffen- und Gefechtsdrill vollkommen ist.

Erstmalig wird in diesem Stadium das Zusammenwirken verschiedenartiger Waffen eingeübt, auch Fernmelder und sonstige Verbindungsorgane werden auf Zusammenarbeit eingespielt.

Selbst bei andauernder Ausbildung im Feldlager kommt die Politische Schulung nicht zu kurz.

Die Militärische Körperertüchtigung ist jetzt eindeutig auf Leistungssport abgestellt. Individuelle, aber besonders „kollektive Hochleistungen" wie Geländeläufe, Uniformschwimmen ganzer Einheiten (Züge) stehen auf dem Ausbildungsprogramm.

In dem noch überschaubaren Rahmen des Zuges bekommt in diesem Ausbildungsabschnitt der Soldat den letzten Schliff, ehe die Ausbildung im größeren Rahmen beginnt.

Die Kompanie- (Batterie-)Ausbildung

Die Ausbildung im Kompanie- (Batterie-)Rahmen ist nicht nur die längste im Ablauf des Ausbildungsjahres, sie ist auch die wichtigste. Etwa 5 Monate hindurch steht die Gefechtsausbildung der Kompanien (Batterien) im Mittelpunkt. In diesem Zeitraum liegen aber auch die das Ausbildungsjahr abschließenden Übungen und Manöver vom Bataillons- bis zum Divisionsrahmen. Sie sind vorgeplante Unterbrechungen, nach denen die Truppe immer wieder sofort zur Kompanie- (Batterie-)Ausbildung zurückkehrt.

In der Phase der Kompanie- (Batterie-)Ausbildung fallen zeitlich auf die einzelnen Sparten:

– Feld- und Gefechtsdienst, einschließlich der Verbandsübungen   50 %
– Politischer Unterricht   10 %
– Körperertüchtigung   8 %
– Formalausbildung u. ä.   5 %

Der Rest von 27 % mag sich auf Wiederholung der Einzel-, Gruppen- und Zugausbildung verteilen und umschließt auch eine Reserve, die für besondere Einsätze (Erntehilfen, Arbeitsdienst, größere Manövervorhaben usw.) vorbehalten bleibt.

Auf jeden Fall ist die *kriegsnahe Feldausbildung,* die mit allerhand Entbehrungen und Anstrengungen verbunden ist, der Schwerpunkt der Ausbildung.

Ein Überblick über Ausbildungsthemen der Waffengattungen in der Gefechtsausbildung gibt Aufschluß über die Ausbildungsziele der NVA.

a) Die Gefechtsausbildung der *infanteristischen Einheiten,* also der Motorisierten Schützenkompanien, Aufklärungskompanien usw., hat als Hauptthemen:

– Bewegen der Kompanie in geöffneter Ordnung mit und ohne Gefechtsfahrzeuge im Gelände,
– Angriff von der Annäherung an den Feind bis zum Sturm, Kampf in der Tiefe, Ausnutzung und Verhalten bei A-Waffenschlägen, Verfolgung,
– Angriff nach Bereitstellung mit Ablösung in einer festen Stellung, Tarnung des Angriffsvorhabens, Vorbereitung, Sturm, Kampf um Stützpunkte, Abwehr von Gegenangriffen des Feindes, Angriff in Flanken und Rücken des Gegners, Nachziehen der Gefechtsfahrzeuge und Übergang zur Verfolgung bzw. zum Durchstoß,
– Angriff über ein Wasserhindernis mit Vorbereitung von Waffen und Fahrzeugen zum Durchwaten, Stoß in die Tiefe,
– Kampf mit Fallschirmjägern und „Konterrevolutionären", Aufklärung, Einkesselung, Angriff und Vernichtung,
– Verteidigung mit Beziehen einer Verteidigungsstellung, Ausbau der Stellung, Organisation der Feuerpläne, Vorbereitung der Kampfführung ein-

schließlich des Übergangs zum Angriff,
- Aufklärung und Sicherungseinsatz der Kompanie,
- Einrichten und Verhalten im Feldlager,
- Verhalten beim Eisenbahn-, See- und Lufttransport.
Dazu kommt dann als wichtiges und besonders vorbereitetes Gebiet das Gefechtsschießen mit unterschiedlichen Lagen.

b) Die *Panzereinheiten* haben ein entsprechendes Programm. Unter den Themen ragen hervor:
Die Panzerkompanie
- im Angriff aus dem Bereitschaftsraum über den Entfaltungsabschnitt bis zum Sturm, Abschlagen von Gegenangriffen und Verfolgung des weichenden Gegners,
- im Angriff über ein Wasserhindernis und schweres panzerfeindliches Gelände, Vorbereitung der Panzer, Annäherung, „Forcieren der Haupthindernisse", Bilden von Brückenköpfen und Durchstoß,
- als Feuer- und Gegenstoßkraft in der Verteidigung mit Eingraben, Feuerplänen, Festlegen der Zusammenarbeit und Geländevorbereitungen für den Stoßeinsatz,
- beim Marsch, Transport und im Feldlager,
- Gefechtsschießen.

c) Die *Artillerieeinheiten* üben entsprechend:
Die Batterie
- in der Bewegung in geöffneter Ordnung,
- im Angriff bei Artillerievorbereitung und bei der Begleitung der Panzer- und Mot. Schützeneinheiten,
- bei der Bekämpfung von Gegenangriffen, bei der Panzerabwehr, bei der Fliegerabwehr,
- beim Einsatz in der Verteidigung, zur Sicherung und als Reserve,
- beim Marsch, Transport und Feldlager,
- beim Gefechtsschießen.

Es muß noch hinzugefügt werden, daß die Nachtausbildung besonders umfangreich ist. Auf das Wetter wird bewußt keine Rücksicht genommen.
Viel Zeit wird bei allen Waffengattungen auf das Gefechtsschießen verwendet, besonders mit vorangehenden oder folgenden Übungen.
Ein Vergleich der Übungsthemen zeigt, wie sehr die Einübung der *Angriffsverfahren* im Mittelpunkt der ganzen Gefechtsausbildung steht. Nur durch den Angriff kann – auch nach der NVA-Vorschrift über die Gefechtsausbildung – ein militärischer Einsatz zum Erfolg werden.
Bei der *Körperertüchtigung* kann im Stadium der Kompanie- (Batterie-) Ausbildung von Sport keine Rede mehr sein. Hindernisläufe von 3–10 km Länge, am längsten bei den infanteristischen Verbänden, haben noch einen

gewissen sportlichen Charakter. Was dann kommt, ist reines körperliches Training für die Gefechtsausbildung, wie

- Gefechtsbahnläufe mit Klettern, Überwinden von Wasserhindernissen, Drahtsperren, Minengürteln, mit Handgranatenwurf und Nahkampf.
- Bau von Feldstellungen im Wettbewerb, oft in erschwerenden Körperlagen,
- Wettbewerbsmäßiger Munitionstransport, Minenlegen, Minenaufnehmen, Sperrenbeseitigen, Durchfahren von Wasserhindernissen usw.,
- Waffendrill-Wettbewerbe bei allen Spezialdiensten wie Fahrern, Funkern, Pionieren, Kommandantendiensten (Militärpolizei), Chemischem und Technischem Personal usw.

Die Grundsätze dieser „Körperertüchtigung" sind wie folgt niedergelegt:

> Natürlich wirkt sich die gesamte Körpererziehung auf die Erhöhung der Verteidigungsbereitschaft aus. Die Körperertüchtigung ist bereits eine Spezialisierung ... Sie beruht auf der Forderung, daß die körperlichen und moralischen Eigenschaften des Soldaten den Besonderheiten des modernen Gefechts Rechnung tragen müssen ... Auf Grund der hohen Beanspruchung des Soldaten müssen alle körperlichen Eigenschaften, wie Ausdauer, Kraft, Schnelligkeit, Gewandtheit und Reaktionsvermögen maximal entwickelt werden ... Die militärische Körperertüchtigung ist auf dem System der schulischen Körpererziehung in der DDR aufgebaut ...[9]

In der Formalausbildung (Exerzierdienst) wird weiterhin auf Straffheit im gesamten Dienstablauf Wert gelegt. Auch das häufige Leben im Feldlager und die zahlreichen Übungen im Gelände nehmen der Truppe nichts an äußerer Straffheit. Antreteübungen und Exerzieren der Kompanie, dazu jetzt die exerziermäßige Durchführung von Bewegungen mit und ohne Fahrzeugen sind besonders zu erwähnen.

In der Phase der Kompanie- (Batterie-) Ausbildung suchen die zu den Führungs- und Unterstützungstruppen gehörigen Einheiten häufigen Kontakt mit den ausbildenden Panzer- und Schützenkompanien bzw. den Artilleriebatterien. Sie treten nicht nur bei den in dieser Periode häufig stattfindenden Bataillons-, Regiments- und Divisionsübungen auf, sondern üben die Zusammenarbeit in den größeren Verbänden bereits mit den in Ausbildung befindlichen Kompanien und Batterien ein.

Schon an der Ausbildung einer Schützenkompanie nehmen daher Fernmeldetrupps, Panzer, Artillerie, Stabselemente, Rückwärtige Dienste, ja Luftwaffenverbindungsorgane teil. Die Mischung der Waffen auf Regimentsebene und die oft enge Unterbringung in Standorten und auf Übungsplätzen begünstigen dieses Verfahren.

9 Joachim Tappert, *Körperertüchtigung in der NVA*, Deutscher Militärverlag, Ost-Berlin 1960, S, 14–16

Die Ausbildung im Kompanie- (Batterie-)Rahmen, häufig unterbrochen von Bataillons- oder Regimentsübungen, von einer oder mehreren größeren Übungen und von Manövern, nimmt fast die Hälfte des Ausbildungsjahres in Anspruch.

Ausbildung im taktisch/operativen Rahmen

Über die Ausbildung der Truppenteile und Verbände, das heißt im Rahmen der Bataillone bis zur Armee, ist in den vorhergehenden Abschnitten schon hin und wieder berichtet worden. In den Sommermonaten, also in der Zeit der Ausbildung im Kompanierahmen, erfolgt regelmäßig der systematische Übergang zur Verbandsausbildung. Von da ab nimmt die Zahl der Übungen im größeren Rahmen ebenso wie die der beteiligten Truppenverbände zu.

Die NVA kennt den Begriff „Verbandsausbildung" nicht (unter „Verband" werden Korps, Divisionen und Brigaden, d. h. „strukturmäßige Vereinigungen mehrerer Truppenteile" verstanden). Die Ausbildung im taktisch/operativen Rahmen ist im Militärlexikon der NVA unter *Truppenübung* zu finden:

> Form der taktischen Ausbildung der Truppen zur Qualifizierung in der Organisation und Durchführung von fortlaufenden Gefechtshandlungen. Truppenübungen werden unterteilt in einseitige und zweiseitige Übungen.[10]

Ebenso wie die Einzelausbildung und Gefechtsausbildung bis ins einzelne „von oben", d. h. in diesem Falle durch die Ausbildungsverwaltung des Verteidigungsministeriums, gesteuert wird, geschieht das auch mit der Ausbildung im operativ/taktischen Rahmen. Es ist nicht allein das dem kommunistischen System eigene schematische Plandenken, das die offensichtliche Vereinheitlichung aller Vorhaben dieser Ausbildungsphase verursacht. Auch praktische Gründe zwingen zur zentral gesteuerten Planung der Truppenübungen:

In der Sowjetzone sind seit Ende des Krieges starke sowjetische Kräfte stationiert. Die *Gruppe der sowjetischen Truppen in Deutschland (GSTD)* ist die stärkste sowjetische Kräftekonzentration auf engem Raum überhaupt. Ihre 20 Divisionen und zahlreichen Unterstützungsverbände füllen die Sowjetzone schon randvoll. Hinzu kommt die NVA mit ihren 6 Divisionen, den starken Grenztruppen, der Volksmarine, den Luftstreitkräften und Luftverteidigungstruppen, dazu die – zum Teil kasernierten – Sicherheitsverbände. Kurzum, hier ballen sich so zahlreiche Truppenverbände zusammen, daß eine Beeinträchtigung ihrer Bewegungsfreiheit und damit ihrer großräumigen Übungstätigkeit zwangsläufig ist. Eine genaue Festlegung von Zeit und Ort ihrer Übungen ist daher auch aus diesem Grunde unumgänglich.

10 *Deutsches Militärlexikon*, a. a. O., S. 407

Die mit der Durchführung der Truppenübungen befaßte Zentralstelle im Ministerium legt frühzeitig auch die Übungsthemen und die teilnehmenden Truppenteile fest und gibt generelle Ausbildungsrichtlinien. Der Plan über den zeitlichen Ablauf und die Art der Übungen wird den zuständigen Kommandeuren nur zum Teil vorher bekanntgegeben, keinesfalls aber geht er auf deren Initiative zurück. Viele Übungen beginnen mit einem Alarm, von dem auch der Truppenkommandeur überrascht wird.

Die angestrebte Kriegsnähe ist bei den Truppenübungen ganz besonders erkennbar. Grundsätzlich gehen alle Soldaten mit. Restkommandos und Garnisonsdienste sind denkbar gering. Urlaub, Ausgang oder Freizeit gibt es praktisch nicht. Auch bei länger andauernden Übungen oder einer ganzen Folge von Übungsvorhaben wird die übende Truppe in der Regel feldmäßig untergebracht.

Sommer- und Winterlager sind gleichermaßen üblich und ohne jeden Komfort. Bei Unterbringung auf Truppenübungsplätzen werden gelegentlich Barackenlager bezogen. Im allgemeinen bauen sich die übenden Truppen Zeltlager, dabei werden gelegentlich auch Fahrzeugplanen oder sonstige Behelfsmittel verwendet. Aufbau, Sicherung und Tarnung der Lager erfolgen wiederum kriegsmäßig.

Die Truppenübungen erfordern viel Zeit. So rückte ein Bataillon in einem Jahr 4mal mehrere Tage zu Truppenübungen aus und wurde 5mal je 2 Wochen auf Übungsplätze verlegt. Nun sind sicherlich die ganzen 2–3 Monate nicht bei Truppenübungen zugebracht worden. Pausen zwischen den einzelnen Übungen wurden durch Einzelausbildung, Ausbildung in den Einheiten und Scharfschießen ausgefüllt. Dennoch nehmen die Truppenübungen einen beachtenswert großen Teil der Ausbildungszeit in Anspruch.

Zu den Truppenübungen wird auch die gesamte Kriegsausstattung mitgenommen, um die Beweglichkeit und Einsatzbereitschaft der Truppe zu überprüfen.

Der Hauptwert wird auf die *Manövrierfähigkeit* der Truppe, d. h. auf die Fähigkeit von Truppe und Führung, Bewegungen und Kampfhandlungen schnell und in großer Ordnung durchzuführen, gelegt.

Lange Märsche, motorisiert oder abgesessen, Gefechtshandlungen in großen Abschnitten, ununterbrochen bei Tag und Nacht und bei jedem Wetter, sind bezeichnend für Truppenübungen bis in den Rahmen der Division oder auf der Ebene des Militärbezirkes.

Die NVA folgt auch bei Anlage und Schwerpunktbestimmung für die Truppenübungen den aus Kriegserfahrungen resultierenden sowjetischen Richtlinien. Daß der kritische Punkt der Kampfführung bei kommunistischen Verbänden in der selbständigen, ideenreichen Tätigkeit der Führer aller Grade liegt, geht aus Vorschriften und Fachschrifttum deutlich hervor. So heißt es beispielsweise:

174

Große Beweglichkeit und Manövrierfähigkeit der Truppen werden nicht allein durch technische Mittel erreicht, sondern ebenso wichtig sind die Übereinstimmungen aller Aktionen und das genaue Kennen der Kampfaufgabe durch jeden einzelnen sowie Aktivität, Initiative, Härte und Entschlossenheit bei deren Erfüllung.[11]

Die Erzielung einer möglichst geistigen und technischen Beweglichkeit ist offensichtlich Schwerpunkt der Verbandsausbildung. Zweifellos wird aber die „Manövrierfähigkeit und Manövrierfreude" von Truppe und Führung durch den Schematismus – den Wesenskern des kommunistischen Systems – schwer erreichbar.

Die Themen der Truppenübungen und „taktischen Manöver"

Über die größeren Truppenübungen und Übungen großer Verbände, z. T. übernationalen Rahmens (taktische Manöver), gibt es nur ungenaue Verlautbarungen und propagandistisch verfärbte Berichte in der Presse.

Die Übungen der Bataillone und Regimenter folgen in der Themenstellung der Ausbildung im Rahmen der Einheiten. Schwerpunkt ist der Angriff in jeder Form, jedem Gelände bis Mittelgebirge, jeder Jahres- und jeder Tageszeit. Aus Marschübungen, Einrichten zur Verteidigung oder Sicherungsaufgaben entwickeln sich zum Schluß fast regelmäßig Abschlußphasen, die den Angriff oder die Vorbereitung des Angriffes beinhalten.

Seit einigen Jahren führt die NVA hin und wieder gemeinsam mit sowjetischen Stationierungstruppen Übungen durch, die offensichtlich unter sowjetischer Leitung stehen und nicht zuletzt der Überprüfung und dem Vergleich der Leistungsfähigkeit dienen sollen.

1961 nahmen nahezu alle Teilstreitkräfte der NVA an einer großen Herbstübung der *Vereinten Streitkräfte* des Warschauer Paktes teil. Es war die erste ihrer Art. Diese Manöver hatten einen deutlichen politischen Akzent, denn sie spielten sich gleichzeitig, bzw. kurz nach der Errichtung der Mauer und der Berlin-Krise ab und sollten Drohung und Pression sein. Immerhin zeigen sie, daß die NVA im Rahmen der Gesamtkriegsvorbereitungen der Sowjets eine wichtige Rolle spielt.

Eine besonders enge „Zusammenarbeit" hat sich für die NVA mit „der Sowjetarmee, der Polnischen Armee und der Volksarmee der CSSR entwickelt"[12]. Das Organ der NVA spricht in diesem Zusammenhang von „hervorragenden Leistungen" der NVA bei Übungen und Manövern.

Auch 1962 fanden „gemeinsame Herbstmanöver" statt. Aber sie erreichten bei weitem nicht das Ausmaß der Übungen des Vorjahres. Daran mögen die

11 W. K. Abramow, *Mensch und Technik im modernen Kriege,* a. a. O., S. 63

12 Major H. Spies, *Unsere machtvolle Militärkoalition,* „Volksarmee", Beilage 1963/5, 23. August, Seite 15

Kuba-Krise, vielleicht auch Ernährungsschwierigkeiten in der Zone, die den Einsatz starker Teile der NVA zur Erntehilfe erforderten, schuld sein. Es ist anzunehmen, daß durch die Kuba-Krise das Ausbildungs- und Übungsprogramm aller Sowjetblockstreitkräfte, die am 23. 10. 62 in Bereitschaft versetzt wurden[13], beträchtlich durcheinander geriet.

Das im September 1963 in Sachsen veranstaltete Manöver „Quartett" (Sowjetarmee, Polnische Volksarmee, Tschechoslowakische Volksarmee, NVA) war die bisher größte Truppenübung der NVA (mit 60 000 Teilnehmern dem NATO-Manöver Winterschild II vergleichbar). Erstmals standen hier größere fremde Verbände und Truppenteile unter dem Oberbefehl eines NVA-Generals, des Ministers Hoffmann – ein Zeichen dafür, daß das Ansehen der NVA aufgewertet werden soll.

Faßt man alle bekanntgewordenen Einzelheiten über den Übungs- und Manövereinsatz der NVA zusammen, so ergeben sich als Hauptübungsthemen eigentlich immer wieder dieselben:
– Auffangen eines feindlichen Angriffes über die „Staatsgrenze" (Demarkationslinie zur Bundesrepublik),
– Gegenangriff über die „Staatsgrenze" in das „Aggressorland",
– Vernichtung von „Diversionsgruppen" und Luftlandeverbänden.

In den Übungen der operativen Verbände scheint das Abfangen eines feindlichen Angriffes in der Anfangsphase eines bewaffneten Konflikts mehr ein psychologisches Moment zu sein („Wir werden angegriffen und müssen uns verteidigen"). Der (Gegen-) Angriff ist die eigentliche, taktische Aufgabe („Nur durch Angriffsoperationen ist ein bewaffneter Konflikt zu entscheiden").

Besonderheiten der Ausbildung der NVA-Grenztruppen

Hauptaufgabe der *Grenztruppen* der NVA ist, die Demarkationslinie gegenüber Westdeutschland und West-Berlin vor der eigenen mitteldeutschen Bevölkerung zu sichern. Die Grenztruppen, deren Anfänge bis Mitte 1946 zurückgehen, wurden in den letzten Jahren fortgesetzt verstärkt, vor allem, um der Massenflucht nach dem Westen Herr zu werden.

Das Hauptproblem für die NVA-Grenztruppen ist daher, im Sinn des Regimes zuverlässiges Personal zu erhalten und die Soldaten, die durch ihren Grenzdienst selbst am leichtesten fliehen können, zu bedingungsloser Erfüllung ihrer Verpflichtungen zu erziehen. Durch unaufhörliche politische Beeinflussung und besonders strenge Handhabung der Disziplinarstrafgewalt werden die Soldaten zu unbedingtem Gehorsam angehalten.

Die jungen Rekruten werden, zusammen mit den anderen Rekruten der NVA, jeweils im Frühjahr und Herbst einberufen, dann aber *Ausbildungs-*

13 *Tass* vom 23. 10. 1962

einheiten zu einem sechsmonatigen Einweisungslehrgang zugewiesen, in dem sie ihre militärische Grundausbildung und eine intensive Politschulung erhalten. Während dieser Zeit werden sie besonders sorgfältig, auch von Organen des Staatssicherheitsdienstes, auf ihre politische Zuverlässigkeit überprüft. Danach werden die Rekruten zu den einzelnen Grenzkompanien und den Sondereinheiten versetzt. Sie nehmen dann am normalen Dienst teil.

Die Grenztruppen, die erst im September 1961 der NVA eingegliedert wurden — bis dahin gehörten sie als *Deutsche Grenzpolizei* in den Dienstbereich des Ministeriums des Innern – sind in ihrer Ausbildung im großen und ganzen der übrigen NVA angeglichen. Die früher bestehenden Schulen der Grenztruppen wurden mit den Schulen der NVA vereinigt. Für die notwendige Spezialausbildung der Offiziere der Grenztruppe wurde im Dezember 1963 eine eigene Offiziersschule in Plauen eröffnet. Nach dem Gesamtausbildungsprogramm sind die Grenztruppen fast reine Grenzsperr- und Verteidigungsverbände, aber keine Grenzpolizeiorgane im westlichen Sinne.

Eine besondere Schwierigkeit besteht in der Ausbildung darin, die Grenzsoldaten zum unbedingten Gehorsam gegenüber den rigorosen Schießbefehlen zu zwingen. Nach dem am 14. September 1961, noch vom Ministerium des Innern erlassenen Befehl Nr. 000464 (39/61) über die *Gewährleistung der Sicherheit an der Westgrenze der Deutschen Demokratischen Republik* galt für die Praxis vieler Fanatiker beim Dienst an der „Staatsgrenze":

> Auf Deserteure ist das Feuer *sofort* zu eröffnen (d. h. ohne Anruf und ohne Warnschuß). Auf Flüchtlinge, die sich der Festnahme durch die Flucht in die Bundesrepublik zu entziehen versuchen, dürfen nach *einem* Warnschuß gezielte Schüsse abgegeben werden.
>
> Befindet sich eine flüchtende Person bereits auf bundesdeutschem Gebiet und sind keine westdeutschen Sicherheitsorgane in der Nähe, so ist die Person nach Möglichkeit anzuschießen und sofort zu bergen.
>
> Befindet sich ein Flüchtling kurz vor dem Grenzübertritt in die Bundesrepulik, und es werden westdeutsche Sicherheitsorgane festgestellt, so ist die Person zu erschießen und anschließend sofort zu bergen, damit eine westdeutsche Propaganda nicht möglich ist.
>
> Auf Angehörige der Sicherheitsorgane der Bundesrepublik, die die Fluchtlinie der Demarkationslinie nach Osten überschreiten, ist *sofort* das Feuer zu eröffnen mit dem Ziel, den Betreffenden zu erschießen bzw. so zu verwunden, daß er nicht mehr in die Bundesrepublik zurückgelangen kann.

Besondere Ausbildung für Spezialtruppenteile

Nach ihrer Verwendungsart sind für bestimmte Spezialtruppenteile besondere Ausbildungsrichtlinien erlassen. Hierzu zählen z. B. Luftlande-Einheiten (Fallschirmjäger). Die Fallschirmjägerausbildung innerhalb der NVA scheint aber weniger der Ausbildung geschlossener Verbände für den Luftlandeeinsatz als viel mehr der Ausbildung kleiner Einheiten und Einzelspringer für den Spionage- und Sabotage-Einsatz zu dienen.

Eine besondere Ausbildung erhalten auch Transport-, Technische Truppenteile und Wacheinheiten. Sie ergibt sich aus der jeweiligen Aufgabenstellung und bedarf keiner besonderen Darstellung.

Die Ausbildung der Soldaten der Luftstreitkräfte/Luftverteidigung

Die Luftstreit- und Luftverteidigungskräfte der NVA unterstehen einem eigenen Kommando, das auch eine Reihe ministerieller Aufgaben den Luftstreitkräften und den Truppen der Luftverteidigung gegenüber wahrnimmt. Hierzu gehört auch die Ausbildung.

Eine Ausbildungsabteilung steuert die Erziehung und Ausbildung der Soldaten und Einheiten und regelt die Übungsvorhaben der Truppenteile.

Da der Dienst in Spezialeinheiten die Verpflichtung zum Längerdienen voraussetzt und die Soldaten der Luftstreitkräfte und der Luftverteidigung zum weit überwiegenden Teil mindestens 3 Jahre dienen, ist ein besonderer Ausbildungsturnus festgesetzt. Die allgemeine militärische Grundausbildung weicht von der aller anderen Rekruten nicht ab, dann aber kommt die stark spezialisierte Einzelausbildung der verschiedenen Dienstzweige.

Die fliegerische Ausbildung erhalten die jungen Soldaten in der *Fliegerausbildungsdivision*. Dort werden auch Angehörige des technischen Personals geschult. Fernmeldepersonal erhält in den Spezialtruppenteilen, den *Funktechnischen Regimentern* und *Bataillonen* oder in der *Radarschule* seine Ausbildung. Auch die *Fliegertechnischen Bataillone* und *Kompanien* haben Ausbildungsaufgaben.

Die Ausrüstung der relativ kleinen und lange Zeit unbedeutenden Luftstreitkräfte und Luftverteidigungstruppen ist in den letzten Jahren merklich verbessert worden. Entsprechende Fortschritte hat auch die früher nicht sehr hoch eingeschätzte Ausbildung der Soldaten gemacht.

Flugzeuge, Waffen und Gerät sind ausschließlich sowjetischen Ursprungs. Daher ist auch die Ausbildung nach dem sowjetischen Vorbild ausgerichtet.

Nach 1953 kamen die ersten Flugzeugführer für die bewaffneten Kräfte der Sowjetzone aus der UdSSR. Sie tauchten in *Aero-Clubs* in Cottbus, Bautzen und Drewitz unter und bildeten die Kader für die NVA-Luftstreitkräfte. Die Ausbildung des Personals der Luftstreitkräfte erfolgte auch noch nach der Verkündigung der Errichtung von Land-, Luft- und Seestreitkräften (Januar 1956) in der UdSSR. Heute führt die NVA die Aufgabe weitgehend selbständig durch. Es besteht aber kein Zweifel, daß die Luftstreitkräfte der NVA sich nach wie vor am meisten auf sowjetische Hilfe abstützen müssen. Sie sind schwerpunktmäßig für die Luftverteidigung bestimmt und werden entsprechend ausgebildet. In letzter Zeit sind jedoch mehr und mehr Bestrebungen zu erkennen, sie auf Zusammenarbeit mit den Landstreitkräften zu schulen.

Die Ausbildung der Volksmarine

Auch die Volksmarine der NVA untersteht einem eigenen Kommando mit zum Teil ministeriellen Aufgaben. Hierzu gehört ebenfalls die Ausbildung. Die Volksmarine dürfte personell etwas stärker als die Luftstreitkräfte und Luftverteidigungskräfte sein, ist aber ebenfalls, gemessen an der Stärke der NVA-Landstreitkräfte, nur klein.

Die größten der rund 260 Schiffe und Boote sind Geleitzerstörer (Fregatten). Als Aufgaben kommen demzufolge nur Küstensicherung und Geleitschutz in Frage. Die Küstenverhältnisse und der Charakter der Ostsee als Binnenmeer begrenzen die Aufgabe der Volksmarine zusätzlich. Die unmittelbare Seegrenze mit westlichen Ländern geben der Volksmarine andererseits eine besondere Bedeutung.

Die seemännische und waffentechnische Ausbildung und die politische Erziehung werden bei der Volksmarine gerade wegen ihrer in mancher Beziehung den NVA-Grenztruppen ähnlichen Stellung besonders intensiv betrieben.

In der Volksmarine dienen ausschließlich Soldaten, die sich *auf Zeit* oder als *Berufssoldaten* verpflichtet haben. Alle Soldaten müssen daher eine Mindestdienstzeit von 3 Jahren abdienen.

Das Kommando der Volksmarine verfügt an Ausbildungseinrichtungen bzw. Truppenteilen über die *Flottenschule I* in Parow, die *Flottenschule II* in Kühlungsborn und die *Seeoffiziersschule* in Stralsund.

Ausbildung und dienstliche Beanspruchung des Personals der Volksmarine sind hart. Zusätzliche Leistungen werden den Besatzungen in Wettbewerben und durch Selbstverpflichtungen häufig abgefordert. Der Ausbildungsstand ist ausreichend, so daß sich die Volksmarine mit Teilen an gemeinsamen Übungen mit den Marinen anderer Warschauer-Pakt-Staaten beteiligen kann. Teile der Volksmarine haben beispielsweise Ende September/ Anfang Oktober 1962 an großen gemeinsamen Manövern in der mittleren Ostsee, zusammen mit sowjetischen und polnischen Seestreitkräften, teilgenommen. Darüber hinaus obliegen der NVA-Volksmarine ständig Seesicherungsaufgaben in der westlichen Ostsee.

Provokatorische Vorkommnisse, wie Belästigungen von westlichen Schiffen in der Ostsee, Mißachtung der internationalen Seestraßenordnung und Übungsangriffe auf Fahrzeuge der Bundeswehr sind nicht selten. Sie sind Beweise für die Wirkung der intensiven Politschulung. Die Volksmarine pflegt mit viel Pathos die „Tradition" deutscher Matrosenmeutereien. Es ist auch bezeichnend, daß der frühere Befehlshaber der Volksmarine, der Altkommunist und gelernte Dekorateur Admiral Verner, zum Chef der Polithauptverwaltung der NVA avancieren konnte.

Zusammenfassung

Unbestreitbar bildet die NVA ihre Soldaten an Waffe, Fahrzeug und Gerät intensiv aus. Es ist unverkennbar, daß sich diese Armee jetzt vor allem auf ehemalige Unteroffiziere der Wehrmacht oder auf in der Volkspolizei unter sowjetischer Leitung ausgebildete Kader gründet. Die Intelligenz und technische Aufgeschlossenheit der eingezogenen jungen Menschen erleichtern die Erreichung der Ausbildungsziele.

Das große Schwergewicht, das auf die Gefechtsausbildung gelegt wird, und die Systematik und Gründlichkeit, mit der die Handlungen des einzelnen und die Zusammenarbeit der Einheiten eingeübt werden, führen dazu, daß die NVA ihre Ausrüstung auch feldmäßig zu verwenden weiß und dabei gute Leistungen zeigt.

Große Mühe wird darauf verwendet, den Führern aller Grade beizubringen, wie die ihr Kriegshandwerk meisternden Einheiten und Truppenteile zweckentsprechend, wendig und zielbewußt zum Einsatz zu bringen sind. Die bisherigen Erfolge auf dem Gebiete der Ausbildung der *Führungsorgane* (siehe 10. Kapitel) aller Ebenen sind zweifellos nicht befriedigend und fordern Verbesserungen. Die gestellten Forderungen gehen anscheinend oft über die Leistungsfähigkeit der im allgemeinen nicht mehr als durchschnittlich intelligenten und nach Parteigesichtspunkten ausgewählten Offiziere hinaus.

Ausbildungsschwerpunkte sind:
– Technische Ausbildung an Waffen, Fahrzeugen und Gerät,
– Gefechtsausbildung unter feldmäßigen Umständen,
– Führerausbildung.

Das System des Drills in jeder Ausbildungssparte, in körperlicher, geistiger und moralischer Hinsicht, ist das Charakteristikum der Ausbildung der NVA.

Der Drill wird in der NVA besonders gepflegt, weil die in der Masse dem System ablehnend gegenüberstehenden Soldaten, die mit Mitteln der Belehrung oder Überredung nicht zur Wehrfreudigkeit und Einsatzbereitschaft für das kommunistische Staatswesen zu bringen sind, nur mit Drill zur Disziplin erzogen und im Ernstfall zusammengehalten werden können. Unnachsichtigkeit und Härte in Ausbildung und Erziehung sollen aus dem Soldaten ein Werkzeug in der Hand seines Vorgesetzten machen. Die Kampfmoral des Kämpfers gründet sich also nicht auf Gemeinschaftsgefühl, Kameradschaft und innere Einsatzbereitschaft, sondern auf Drill und Unterordnung.

Wie im Zivilleben in den kommunistischen Ländern schwebt auch über den Soldaten der NVA in der Ausbildung und im Einsatz die Peitsche der sogenannten *Selbstverpflichtung* zu höheren Leistungen, die von Einpeitschern (Parteiangehörigen, Politorganen) der Truppe aufgezwungen werden.

Von einer Armee, die seit ihrer Gründung viele Wandlungen durchgemacht hat und sich gerade in einer entscheidenden Wandlung – dem Übergang von der Freiwilligen- zur Berufsarmee – befindet, kann man unmöglich ein lückenlos zutreffendes Bild gewinnen, auch nicht über den Stand der Ausbildung ihrer Soldaten.

Der Erfolg des Ausbildungsbemühens ist abhängig von der Qualität der verfügbaren Ausrüstung, der Leistungsfähigkeit der Ausbilder und von Zahl und Bereitschaft der Soldaten.

Die materielle Ausrüstung der NVA kann sich zwar nicht mit der der Sowjetstreitkräfte messen – zweifellos eine Quelle vieler Ärgernisse –, sie ist aber im Verhältnis zu den Streitkräften anderer Satellitenstaaten als relativ gut zu bezeichnen.

Die Ausbilder, also das Führer- und Unterführerkorps der NVA, sind technisch gut ausgebildet; sie beherrschen das Waffenhandwerk, aber in Gegenwart und naher Zukunft sind ihrer taktischen Leistungsfähigkeit Grenzen gesetzt und damit auch der „Manövrierfähigkeit" der NVA-Verbände.

Die Soldaten der NVA nehmen ihre Dienstpflichten so, wie Menschen unerwünschte Aufträge, denen sie sich nicht entziehen können, ausführen. Sie gewinnen der einen oder anderen Sache einigen Geschmack ab, ohne sich innerlich an der „Verteidigung des sozialistischen Vaterlandes" zu beteiligen. Sie beherrschen infolgedessen ihre Waffen, wissen sie einzusetzen und zeigen gegebenenfalls sogar so etwas wie sportlichen Ehrgeiz. Den Typ des Soldaten, den sich die Zonenmachthaber wünschen und den sie durch intensives Waffentraining und ständige politische Berieselung, Beeinflussung und Verhetzung zu schaffen versuchen, haben sie bisher nicht prägen können. Da nur in einer Minderheit der Soldaten jene Form des blinden Hasses gegen den potentiellen Gegner, den Westen einschließlich der westdeutschen Brüder, erzeugt werden konnte, bleibt der Einsatzwert des NVA-Soldaten für die Sowjetzonenmachthaber und damit für die Sowjets relativ fragwürdig.

10. KAPITEL

Die Ausbildung der Kader

Die Offiziere

Der Offizier der NVA soll im Denken und Handeln Träger des kommunistischen SED-Staates sein. Seine Ausbildung muß daher auch – nach den Worten Ulbrichts[1] – der Erziehung zuverlässiger, ideologisch und fachlich hervorragend geschulter *militärischer Funktionäre* dienen. Die SED ist sich vermutlich darüber klar, daß die Kader der Armee eines der schwächsten Glieder in der alles umschließenden Kette der Führungs- und Kontrollorgane des kommunistischen Staatsgebildes sind.

Wie auch in anderen Bereichen der Sowjetzone wurden die Führungskader der bewaffneten Kräfte zunächst aus

– Altkommunisten mit und ohne militärische Kenntnisse,
– Opportunisten, z. T. ehemaligen Wehrmachtsangehörigen,
– begeisterungsfreudigen Jungkommunisten und
– einer als Individuum und in der Gruppe kaum zu erkennenden Art von „Mitläufern" gebildet.

Was diesem heterogenen Kaderpersonal an militärischen Kenntnissen fehlte, wurde ihm in Kurzlehrgängen – zumeist an sowjetischen militärischen Lehrinstituten – vermittelt. Damit war zwar die Grundlage für den Aufbau bewaffneter Kräfte gelegt. Ein in sich geschlossenes *Offizierskorps,* das einer Armee einen Kampfwillen und einem Kampfwert zu verleihen vermag, hatte man damit jedoch nicht.

Jede dieser Personengruppen reagiert gegenüber Kontrollen, Anforderungen, Belastungen und schließlich Einsatzproben anders. Ein Zusammen-

1 Bei der Eröffnung der Militärakademie „Friedrich Engels" in Dresden am 5. 1. 1959. Nach „Einheit", a. a. O.

schmelzen ist unmöglich, weil aus einer privilegierten Oberschicht (den Überzeugungskommunisten) und einer fachlich versierten Masse (den sonstigen) keine echte Gemeinschaft mit Korpsgeist entstehen kann. Dieses Dilemma, eine Führungsschicht zu haben, von deren einzelnen Angehörigen keiner weiß, was er wirklich vom andern zu halten hat, konnte der SED-Staat bis heute nicht beseitigen.

Ohne in ihrem Bemühen aufzuhören, den vorhandenen Offiziersbestand durch Privilegien, persönliche und dienstliche Förderungsmaßnahmen, Kontrollen und ideologische Beeinflussung an sich zu ketten, hat die Führung den Schwerpunkt auf die Heranbildung junger Offiziere gelegt.

Voraussetzungen, Methoden und Erfolge sowohl des einen als auch des anderen Bemühens werden die folgenden Abschnitte aufzeigen.

Die *Dienstlaufbahnordnung*[2] für die NVA unterscheidet die Offiziere in verschiedene Dienstlaufbahnen:
- Offiziere des *operativen Dienstes,* hierzu werden die im deutschen Sprachgebrauch als Truppenoffiziere und Offiziere im Generalstabsdienst Bezeichneten gezählt[3],
- Politoffiziere,
- Offiziere des *technischen Dienstes,*
- Offiziere des *Rückwärtigen Dienstes,*
- Offiziere des *medizinischen Dienstes,*
- Offiziere des *administrativen Dienstes,*
- Offiziere des *Justizdienstes,*
- Offiziere des *auswärtigen Dienstes.*

Alle führenden Positionen in Truppe und militärischer Verwaltung werden von Offizieren bekleidet, „Beamte" oder „Angestellte" mit einem Sonderstatus gibt es nicht. Für alle ist eine Offiziersausbildung vorgeschrieben, wenn auch z. T. auf besonderen Ausbildungsinstituten.

Alle Offiziere und auch schon die Offiziersschüler gelten als *Berufssoldaten.* Mit ihrer Verpflichtung haben sie sich zu mindestens 10jährigem Dienst bereiterklärt. In der Regel bleiben sie bis zu dem festgelegten Höchstalter, das ist z. B. für den Hauptmann 35, für den Oberst 50 Jahre.

Für die Förderung von Ausbildung und Leistung der Offiziere sind permanente *Qualifizierungen* vorgesehen. Das heißt, der Offizier hat sich dienstlich, aber auch außerdienstlich durch Selbst- (auch Fern-) studium politische,

---

2 *Erlaß des Staatsrates der DDR über den aktiven Wehrdienst in der Nationalen Volksarmee (Dienstlaufbahnordnung) vom 24. Januar 1962.* Im folgenden zitiert nach „Volksarmee", Beilage 3/1962, S. 1–4

3 Ausgenommen sind Offiziere im Rückwärtigen Dienst, bzw. im administrativen Dienst und im auswärtigen Dienst – worunter der Militärattaché- und Verbindungsdienst zu verstehen sind.

wissenschaftlich-technische und allgemeine Bildung sowie praktische Fähigkeiten sowohl für seine gegenwärtige als auch für höhere Dienststellungen anzueignen. Fehlt es ihm an Begabung oder an Fleiß, so kann er jederzeit in die *Reserve* versetzt oder gar ganz aus dem Wehrdienst *entlassen* werden. Daß mit diesen Bestimmungen, die leicht subjektiv auszulegen sind, ein erheblicher Druck ausgeübt werden kann, leuchtet ein.

Üblicherweise werden die Offiziere nach Beendigung ihrer aktiven Dienstzeit in die Reserve versetzt. Durch eine *Förderungsverordnung*[4] ist dafür gesorgt, daß sie nach ihrem Ausscheiden aus dem aktiven Dienst eine entsprechende Verwendung im staatlichen Bereich, in der Wirtschaft oder in den „gesellschaftlichen Organisationen" erhalten. Der Drang zu einer umfassenden, technisch qualifizierten Ausbildung wird dadurch naturgemäß gefördert.

Es ist auch möglich, daß Offiziere bei besonderer Eignung aus dem aktiven Dienst in die Reserve versetzt werden, um „wichtige staatliche oder gesellschaftliche Aufgaben" zu übernehmen. Andererseits ist vorgesehen, daß nicht nur Offiziersschüler Offiziere des aktiven Wehrdienstes werden können, sondern – nach Ableistung eines entsprechenden Sonderlehrgangs – andere „Bürger der DDR" auf Grund besonderer Leistungen oder Verdienste bzw. wegen bestimmter Fähigkeiten oder Spezialkenntnisse.

Ernennung und Beförderung der Offiziere der NVA ist somit allein von der Beurteilung ihrer politischen Zuverlässigkeit und ihrer dienstlichen Fähigkeiten und Leistungen durch höhere Stellen abhängig. Da es in diesem „Offizierskorps" einen auf das Menschliche bezogenen Gemeinschaftsgeist grundsätzlich nicht geben darf, sind dem Strebertum, dem Neid und der Mißgunst Tür und Tor geöffnet. Das um so mehr, als eine erfolgreiche Karriere in der NVA eine der wenigen Möglichkeiten ist, eine relativ hohe soziale Stufe zu erklimmen und zu halten.

Wenngleich die Nachwuchssorgen der NVA nicht klein sind, so bringt diese Aussicht doch eine beträchtliche Zahl junger Männer zu dem Entschluß, sich für die Offizierslaufbahn zu entscheiden.

Wer kann Offizier werden?

Der Übergang zur allgemeinen Wehrpflicht hat auch Einfluß auf die Auswahl und Ausbildung der Offiziersbewerber gehabt. Offizier der NVA kann werden, wer
– Absolvent einer *erweiterten Oberschule* oder

---

4 *Verordnung über die Förderung der aus dem aktiven Wehrdienst entlassenen Angehörigen der Nationalen Volksarmee (Förderungsverordnung) vom 24. Januar 1962.* Hier zitiert nach „Volksarmee", Beilage 3/1962, S. 14–16

- einer *allgemeinbildenden polytechnischen Oberschule* mit abgeschlossener Berufsausbildung oder
- besonders bewährter Soldat oder Unteroffizier *aus der Truppe* ist.

Voraussetzung ist weiter, daß er körperlich geeignet und politisch zuverlässig und aktiv ist (d. h. auch, daß er sich in einer der *Massenorganisationen* betätigt haben muß).

Hat der Bewerber diese Voraussetzungen erfüllt, wurde er bisher in Grundlehrgängen an einer der Offiziersschulen der Waffengattung oder Teilstreitkraft bzw. des Dienstzweiges, für den er vorgesehen war, ausgebildet.

In Zukunft scheint sich hier eine Änderung zu vollziehen. Bisher war schon bei Spezialdiensten (z. B. bei der Volksmarine) eine längere Dienstzeit als Soldat (Matrose) oder Unteroffizier (Maat) vorgeschrieben, ehe die eigentliche Offiziersausbildung begann. Jetzt scheint als Vorbereitungs- und Überprüfungszeit ein *Truppendienst vorweggehen* zu sollen, wie sonst nur bei den Bewerbern aus der Truppe. Nach einem Kommentar zur Durchführungsbestimmung für die Dienstlaufbahnordnung[5] werden die Offiziersbewerber in Zukunft zur Vorbereitung auf die Ausbildung an den Offiziersschulen zum aktiven Wehrdienst einberufen. Sie erhalten mit den anderen Rekruten zusammen ihre militärische Grundausbildung von 6 Wochen Dauer, die Einzelausbildung und die Ausbildung in der Kampfgemeinschaft der Gruppe, Besatzung bzw. Bedienung von zusammen 12 Wochen. Während dieser Zeit, also insgesamt etwa einem halben Jahre, unterliegen die Offiziersbewerber den Bestimmungen für Wehrpflichtige. Haben sie sich in der Truppendienstzeit nicht bewährt, erhalten sie auch nicht den Status des *Offiziersschülers* und verbleiben bis zur Ableistung ihrer Dienstzeit, also noch ein weiteres Jahr, bei der Truppe. Die Soldaten mit ausreichenden oder besseren Qualifikationsergebnissen werden, zusammen mit den Bewerbern aus der Truppe, auf die Offiziersschulen versetzt.

In der Vergangenheit ist die größere Zahl der Bewerber aus der Truppe gekommen. Durch intensive Werbung in den Truppenteilen wurden geeignet erscheinende Soldaten solange bearbeitet, bis sie sich für die Offizierslaufbahn meldeten. Die Schwierigkeiten, die sich aus dieser Auswahl ergaben, lagen oft in dem unterschiedlichen Bildungsniveau der Bewerber. 1962 soll erstmals jeder Offiziersbewerber das *Abitur* oder die *Mittlere Reife* gehabt haben.[6]

---

5 „Volksarmee", Nr. 25/62, S. 3

6 „Volksarmee", 1963/4

Die Offiziersschulen

Die Bedeutung, die der Offiziersausbildung beigemessen wird, zeigt sich auch in der hohen Zahl der Offiziersschulen:

– Infanterieoffiziersschule I	Plauen
– Infanterieoffiziersschule II	Frankenberg
– Panzeroffiziersschule	Großenhain
– Artillerieoffiziersschule	Dresden
– Pionieroffiziersschule (zgl. für Offiziere der Chemischen Truppen)	Dessau
– Fernmeldeoffiziersschule	Döbeln
– Kraftfahrzeugtechnische Schule	Stahnsdorf
– Schule der Rückwärtigen Dienste	Erfurt
– Seeoffiziersschule	Stralsund
– Fla-Offiziersschule	Wildpark

– zahlreiche Flugzeugführerschulen
– außerdem eine besondere Sektion für die Ausbildung von Sanitätsoffizieren an der Universität Greifswald.

Seit Ende 1963 ist jedoch eine Reorganisation des gesamten Offiziersschulwesen im Gange. Es scheint beabsichtigt zu sein, die zahlreichen, weit verstreut liegenden Offiziersschulen der einzelnen Waffengattungen und Dienste der Landstreitkräfte räumlich und organisatorisch in der südöstlichen Sowjetzone im Raum Löbau zu einem großen *Offiziersschulen-Kombinat* zusammenzufassen (Offz.-Schule der Landstreitkräfte „Ernst Thälmann").

Für die NVA/Grenztruppen wurde eine Offiziersschule in Plauen (Offz.-Schule der Grenztruppen „Rosa Luxemburg") und für die Luftstreitkräfte/ Luftverteidigung eine Offiziersschule im Bezirk Dresden (Offz.-Schule der Luftstreitkräfte „Franz Mehring") eingerichtet. (Die Seeoffiziersschule in Stralsund erhielt den Namen Offz.-Schule der Volksmarine „Karl Liebknecht".)

Der Offiziersschüler bleibt während seiner ganzen folgenden Ausbildungszeit, bis er das Abschlußzeugnis und den untersten Offiziersdienstgrad (Unterleutnant) erhalten hat, auf der Offiziersschule. Sie beträgt auf den Schulen der NVA-Landstreitkräfte 3 Jahre, bei der Volksmarine sogar 4 Jahre.

Der Lehrplan folgt auch hier dem sowjetischen Beispiele. Der Umfang des zu erlernenden theoretischen Wissens ist bedeutend. Technik und naturwissenschaftlichen Fächern wird viel Zeit eingeräumt. In der taktischen Ausbildung werden dem Offiziersschüler die Kenntnisse vermittelt, die er für die Führung der ersten Einheit (Zug), die er zu übernehmen haben wird, braucht.

Wenn auch Wert auf allgemeines taktisches Verständnis gelegt wird – z. B. durch Lehrplanspiele in größerem Rahmen –, so überläßt man doch die Praxis des Denkens und Handelns in größeren Zusammenhängen der späteren Arbeit bei der Truppe. Die Spezialisierung des Offiziersnachwuchses, vielleicht auch das ungleiche und im ganzen unbefriedigende Bildungsniveau haben bisher zu einer gewissen Bescheidung auf notwendigste Grundkenntnisse geführt.

Eingedenk der Mahnung, den Nachwuchs zu „militärischen Funktionären" zu erziehen, steht die Politarbeit an bedeutender Stelle.

Nach § 21 der Förderungsverordnung sind die Abschlußzeugnisse der Offiziersschulen den Zeugnissen anderer Fachschulen gleichgestellt und berechtigen auch zum Einsatz in entsprechenden Funktionen des Staats-, Wirtschafts- und übrigen Organisationsapparates, also nicht nur im militärischen Bereich.

In der Praxis sieht es anders aus

Die Unterleutnante, die die Schulen der NVA verlassen, bringen ein für die sie erwartende Aufgabe reichliches Maß an theoretischem Spezialwissen mit. Nicht selten wird von einer gewissen Arroganz des jungen Offiziers gesprochen. Die lange Zeit der Abwesenheit von der Truppe bringt es mit sich, daß das Einleben in den Truppendienst oft nicht ganz einfach ist.

Die Zusammenarbeit mit den älteren Offizieren – vor allem solange diese noch unterschiedlicher Herkunft, Bildungsart und Leistung sind – fällt dem jungen Offizier offensichtlich häufig nicht leicht.

Auch der große Umfang an theoretischem Wissen über Pädagogik, Psychologie und Truppenführung läßt sich oft nur schwer in die Praxis umsetzen, weil es an sachverständiger Anleitung durch alle Truppenoffiziere und Kommandeure fehlt. Die intensive Politschulung läßt den jungen Offizier der Truppe häufig verdächtig erscheinen und macht Kameraden und Untergebene mißtrauisch. Das hat nicht selten zur Folge, daß sich der junge Offizier in der Diskussion festrennt und Ziel der Angriffe und des Spottes seiner Diskussionsgegner wird.

Theorie und Praxis der Führerausbildung und Menschenführung klaffen ein beträchtliches Stück auseinander. Sie können eine Folge zu schematisch durchgeführter sowjetischer Grundsätze der Kaderausbildung sein, aber auch der fachlichen Mängel des Lehrkörpers.

Es ist bezeichnend, daß die tatsächliche Wirksamkeit der ständigen Ausbildungsmaßnahmen für die Offiziere im Gegensatz zu der Flut von Schrifttum über Führungs- und Erziehungsthemen steht. Der tägliche Routinebetrieb verlangt von dem Offizier viel. Der Truppenoffizier hat einen langen Arbeitstag, da er alles befehlen, alles beaufsichtigen, alle Ergebnisse auswerten soll. Weder für die dienstliche Offiziersausbildung noch für das Selbststudium ist ausreichend Zeit vorhanden. Allein die Tatsache, daß sich große Teile des Dienstbetriebes im Gelände, bei Nacht, in Behelfsunterkünften, auf Übungsplätzen abspielen, lassen die Möglichkeiten für die theoretische Offiziersausbildung zusammenschrumpfen.

Wenn im Laufe eines Ausbildungsjahres der Bataillonskommandeur seine Offiziere 3–4mal, also weniger als einmal in jedem Vierteljahr, zusammenholt, um mit ihnen Offiziersausbildung zu betreiben, so ist das viel. Auch der Regimentskommandeur hat keine Gelegenheit, mit seinen Bataillonskommandeuren und Führern der Regimentseinheiten mehr als etwa einmal in jedem Vierteljahr zusammenzukommen, dem Divisionskommandeur geht es für die ihm unmittelbar unterstellten Kommandeure ähnlich.

Es bleibt dem Offizier weitgehend nur das Selbststudium. Hierfür steht gutes, zahlreiches und – soweit nicht dienstlich verfügbar – auch billiges Lehrmaterial zur Verfügung. Der *Deutsche Militärverlag* bringt eine Fülle von Material, neben vielen ideologischen Werken auch rein militärische Abhandlungen, die, wenn man von den obligaten kommunistischen Phrasen absieht, eine Fundgrube für den Truppenführer sind.

Viele NVA-Offiziere, vor allem solche, die zu den „umgeschulten Kadern", also zu den ehemaligen Wehrmachtsangehörigen, den Altkommunisten, Opportunisten usw. gehören, stützen ihre dienstliche Tätigkeit auf das Gelernte und ihren „gesunden Menschenverstand". Sie bringen so keine Spitzenleistungen zustande, verstehen es aber, mit ihren Männern fertigzuwerden und das Soll an Forderungen zu erfüllen.

Eine militärakademische Bildung sollen 1962 rund 80% der Kommandeure der Mot. Schützen- und Panzerregimenter und 90% der Divisionskommandeure gehabt haben.[7]

Die Offiziere, die für ihre praktische Arbeit eine wissenschaftliche Grundlage zu legen versuchen, scheinen in der Minderheit zu sein. Das ist bei den Sowjets offensichtlich nicht anders. Auch dort klaffen Theorie der Erkenntnis und Praxis der Anwendung weit auseinander. Es wäre deshalb falsch, den Inhalt der sowjetzonalen militärischen Fachliteratur als allgemeingültige und zur Anwendung kommende Grundsätze der Kampfarten und Gefechtsführung der NVA anzusehen.

Da immerhin wichtig ist zu wissen, welche Gedanken und Prinzipien[8] auf Offiziere und Truppe der Nationalen Volksarmee einwirken und sich auswirken können, sei nachstehend eine typische Formulierung für die *Fähigkeiten des Truppenführers* wiedergegeben:

> Jede einzelne Kampfhandlung und der Krieg im allgemeinen verlangen eine strenge Zentralisierung der Führung, Disziplin, Organisiertheit, Zielstrebigkeit in den Aktionen – diese sind aber nur möglich, wenn an der Spitze der Truppen entschlossene Führer stehen, die ihre Sache verstehen ... Wenn der Marxismus-Leninismus das Militärwesen als ein System wissenschaftlicher Kenntnisse und Gesetze bezeichnet, das gründliches Lernen und höchst rationelle, zuweilen mathematisch genaue Berechnungen einer Vielzahl von Merkmalen, Faktoren usw. verlangt, so unterschätzt er dennoch nicht, daß die Kunst und das

---

7 „Volksarmee", 1963/4

8 Siehe auch die Bibliographie im Anhang dieses Buches.

Talent der militärischen Führer von größter Bedeutung sind ... Das Talent des Kommandeurs entwickelt sich durch langwieriges und allseitiges Studium des Militärwesens.[9]

Natürlich fehlt es nicht an Schriften, für die eine Verbindung allgemeiner militärischer Grundsätze mit ideologischen Glaubenssätzen charakteristisch ist:

> Wo die Beziehungen der Armeeangehörigen untereinander nicht von den Prinzipien sozialistischer Kameradschaft bestimmt sind, herrscht eine schädliche, der Einheit, Geschlossenheit und Kampfkraft der Armee abträgliche bürgerliche Verzerrung der Kameradschaft: Kumpelei, Cliquenwirtschaft, Disziplinlosigkeit, Abstumpfung der Klassenwachsamkeit, Kritiklosigkeit usw.
> Wo nicht der Festigung des Internationalismus ständig Aufmerksamkeit gewidmet wird, erhebt der bürgerliche Nationalismus sein Haupt ...
> Wo nicht den Armeeangehörigen die moralische Verantwortlichkeit um das Volksvermögen anerzogen wird, werden Waffen und Gerät mangelhaft gepflegt, verkommen und sind nicht mehr einsatzbereit.
> Wo nicht die Achtung vor der Frau vorhanden ist, greifen Fäulnis und Versumpfung um sich.[10]

Der Heranbildung eines von einem hohen Berufsethos getragenen Offizierskorps stehen aber nicht nur der ernüchternde Alltag in der Sowjetzone und die immer noch vorhandene Möglichkeit gegenüber, die Verhältnisse dort mit denen in der Bundesrepublik vergleichen zu können. Auch „die Entwicklung der Offiziersschulen zu sozialistischen militärischen Erziehungs- und Bildungsstätten"[11] sieht einen Offizier vor, der

> in erster Linie politischer Funktionär ist, fest mit der Arbeiterklasse verbunden seine Arbeit im Auftrag der Partei der Arbeiterklasse durchführt ... In seiner Tätigkeit hat sich der Offizier von den sozialistischen Prinzipien der Arbeit leiten zu lassen und danach zu streben, seine Pflicht im Kollektiv sozialistisch zu erfüllen, im Kollektiv zu lernen und zu leben.

Das ergibt eine Reihe von Schwierigkeiten. Obwohl das Offizierskorps der NVA angeblich nach seiner „sozialen Zusammensetzung" zu 88% aus Arbeitern und Bauern besteht[12] (die restlichen 12% gelten als „Angestellte"), gibt es „im Verhältnis zwischen Offizieren und Soldaten noch vieles in Ordnung zu bringen"[13]. Es gibt nach den Worten des Politbüro-Mitglieds Erich Honecker

9 Mensch und Technik im modernen Krieg, a. a. O.

10 Götz Scharf, Über den moralischen Faktor im modernen Krieg, Verlag des Ministeriums für Nationale Verteidigung, Ost-Berlin, 1959

11 Generalmajor Siegfried Weiß in der Zeitschrift für Militärpolitik und Militärtheorie „Militärwesen", Verlag des Ministeriums für Nationale Verteidigung, Heft 6/59

12 „Neues Deutschland", 1. 3. 1963

13 Protokoll des V. Parteitages der SED, a. a. O., S. 729

hier und da noch Genossen Offiziere, die in den Angehörigen des Mannschafts-standes nicht immer ihren Klassengenossen und gleichberechtigten Kämpfer für die Sache des Sozialismus und Frieden sehen, seine persönlichen Sorgen und Nöte nicht beachten und ihn auch außerdienstlich von oben herab behandeln.

Da gleichzeitig aber „der Kumpelgeist der Krebsschaden der Armee ist", haben es die Offiziere nicht leicht.

Um die Gefahr einer Absonderung des Offizierskorps von den übrigen Funktionären herabzusetzen, wurde die am 1. September 1956 in Naum-burg/Saale eröffnete „Kadettenschule der Nationalen Volksarmee" später wieder geschlossen.

In der Praxis des Truppendienstes, wie er im Kapitel 9 beschrieben wurde, erzielt der Offizier durch die hohen Anforderungen, die an ihn gestellt wer-den, ein großes Maß handwerklicher Fertigkeiten. Er beherrscht seine Vor-schriften, führt haargenau seine alles vorschreibenden Dienstanweisungen aus, kennt sich technisch und taktisch in der Handhabung der ihm anver-trauten Waffen und Geräte aus und drillt seine Mannschaft. Für die gefor-derte schöpferische Initiative bleibt dabei nicht der notwendige Raum.

Wie es in den Fachschriften heißt, fordern die große Truppenzahl, die weiten Entfernungen und die unterschiedlichsten Waffen eine selbständige Führung durch die Offiziere aller Grade. Schnelligkeit, Knappheit und Klarheit aller Befehle würden durch Tempo und Intensität neuzeitlicher Kampfhandlungen zwingend erforderlich.

Die Wirklichkeit der Truppenführung in der NVA sieht anders aus: Ge-fechtsbefehle erteilt der Kommandeur zwar unmittelbar seinen unterstellten Einheiten oder Truppenteilen, aber nur als Vorbefehl. Wirksam werden sie erst, wenn die vorgesetzte Stelle, der sie gleichzeitig zugeleitet werden, ihre Genehmigung gibt. Der Theorie einer hochentwickelten, sich auf die Sowjets stützenden Militärwissenschaft steht die Praxis des Systems entgegen – wie in so vielen Bereichen des kommunistischen Herrschaftsgefüges.

Sonderzweige

Es würde zu weit führen, wollte man die Einzelheiten der Offiziersausbil-dung der verschiedensten *Sonderzweige* ausführlicher behandeln. Soweit Technik und Naturwissenschaften dabei eine Rolle spielen, kann man grund-sätzlich unterstellen, daß die Ausbildung zweckentsprechend bis gut ist. Der Offiziersbestand der NVA wird unter anderem auch ergänzt durch Ab-solventen von zivilen Hochschulen oder Fachschulen, wenn ihre Ausbildung in einer besonderen Fachrichtung erfolgte, die für die NVA wichtig ist, zum Beispiel für Diplomingenieure.

Solche Offiziersbewerber werden sofort mit einem Offiziersdienstgrad in die NVA eingestellt, in der Regel als Unterleutnant. Die Offiziersschüler der *Militärmedizinischen Sektion* der Universität Greifswald werden nach Abschluß der Gesamtausbildung sofort Leutnant. Unter den Sanitätsoffizieren befinden sich vereinzelt Frauen und auch einige nichtpromovierte Mediziner.

Besonders charakteristisch für die intensive und langdauernde Ausbildung der Offiziere in bestimmten Sonderzweigen ist die der *Seeoffiziere*. Sie müssen zunächst 1–2 Jahre als Mannschaftsdienstgrad Dienst tun. Erst wenn das Gesamturteil, zu dem auch die politische Zuverlässigkeit und Aktivität ein wichtiger Faktor sind, positiv ausfällt, erfolgt die Ernennung zum Offiziersschüler. Die Ausbildung auf der Seeoffiziersschule mit eingeschlossenen Bordkommandos und Examenszeit beträgt 4 Jahre. Nach 5–6 Dienstjahren wird der Offiziersschüler zum untersten Offiziersdienstgrad (Unterleutnant) ernannt.

Offiziere der Grenztruppen

Zu der allgemeinen infanteristischen Offiziersausbildung der Offiziersbewerber der *Grenztruppen* tritt noch die Grenzdienstausbildung hinzu. Dabei spielt neben der Grenzverteidigung auch der Grenzpolizeidienst eine gewisse Rolle.

Die früher für die Ausbildung der Offiziere der Grenztruppen unterhaltenen Offiziersschulen (Zentrale Offiziersschule Glöwen, Grenzpolizeioffiziersschule Dömitz, Allgemeine Offiziersschule Sondershausen, Politoffiziersschule Groß-Glienicke) wurden aufgelöst, d. h. für andere Ausbildungszwecke der NVA übernommen. Seit Dezember 1963 gibt es nur noch eine spezielle Offiziersschule für die Grenztruppen in Plauen.

Wie bei keiner anderen Waffengattung – die Teilstreitkräfte Volksmarine und Luftstreitkräfte/Luftverteidigung ausgenommen – sind hier die politische Erziehung und Zuverlässigkeit entscheidend. Daß dennoch immer wieder auch Offiziere der Grenztruppen den Entschluß zur Flucht fassen und ihn durchführen konnten, ist bezeichnend für die schwer zu identifizierende Grundhaltung vieler Offiziere.

Bild 115 – Tafel mit den Uniformen der NVA und der übrigen bewaffneten Kräfte

Landstreitkräfte der NVA

Dienstuniform

Kampfanzug

Soldat
(Infanterie)

Unteroffizier
(Artillerie)

Unterleutnant
(Infanterie)

Soldat
(Panzer)

Ausgehuniform

Paradeuniform

Unteroffz.-Schüler
(Nachrichten)

Unterleutnant
(Rückwärtige Dienste)

Unteroffizier
(Infanterie)

Hauptmann
(Panzer)

Volksmarine der NVA

Kleiner Dienstanzug	Ausgehanzug	Ausgehanzug	Großer Dienstanzug

Obermatrose
(Winter)

Mannschaften
(Winter)

Unterführer
(Sommer)

Offizier
(Winter)

Volkspolizei
(Mannschaften)

Bereitschaftspolizei
(Mannschaften)

Transportpolizei

Kampfgruppen

Bewaffnete Kräfte des Ministeriums des Innern

An das Offizierskorps der Grenztruppen werden besondere Forderungen gestellt. Das geht auch aus der harten Kritik hervor, die der Minister, Armeegeneral Hoffmann, auf einer „Dienstversammlung in einem Truppenteil der Grenztruppen" vor den „Kommandeuren der Einheiten und der Truppenteile des ganzen Verbandes" äußerte und die – auffallenderweise – auch in der „Volksarmee" [14] veröffentlicht wurde:

> In Ihrer gesamten militärischen Tätigkeit müssen sie (Sie) sich stets davon leiten lassen, daß die Grenztruppen eine Elitetruppe der Nationalen Volksarmee darstellen sollen. Die Genossen der Grenztruppen, die an der Scheidelinie zwischen Kapitalismus und Sozialismus Dienst verrichten, sind jeden Tag dem ideologischen Einfluß des Gegners ausgesetzt ...
> Unsere politische Arbeit muß in der Auseinandersetzung mit dem Klassenfeind eine solche Kraft ausstrahlen, die jeden Soldaten von der Sieghaftigkeit des Sozialismus überzeugt und davon, daß derjenige, der auf den Kapitalismus setzt, seinen eigenen Untergang herbeiführt. Dazu ist eine große politische Erfahrung und viel Wissen notwendig. Wenn man den Beruf eines Offiziers der Grenztruppen gewählt hat, dann muß man mit ganzer Person und trotz aller Erschwernisse dafür einstehen.
> Aber was fehlt in Ihrer Arbeit?
> Der Genosse Kommandeur des Truppenteils ging bei seiner Einschätzung der disziplinaren Praxis im 1. Quartal nicht vom Positiven aus. Er nahm das Schlechte zum Ausgangspunkt. ... Es nützt uns doch gar nichts, wie die Feuerwehr hinter jedem Brand herzurennen. Wir müssen unsere ganze Kraft auf die Schaffung solcher Beispiele konzentrieren, die zum Fanal für die Verbesserung der gesamten Arbeit im Truppenteil werden ...
> Ich bin schon lange Kommandeur, und überall habe ich die Erfahrungen gemacht, daß die politische Arbeit nur dort wirksam ist, wo Ordnung herrscht. Deshalb muß der Kommandeur neben der politischen Arbeit seine ganze Aufmerksamkeit auf die militärische Ordnung konzentrieren. Das ist ein Kernproblem der Führungstätigkeit ...
> Der Kommandeur des Truppenteils sagte, die Hauptursache der ungenügenden Durchführung der Befehle seien ideologische Unklarheiten von Offizieren über die Rolle des Befehls. ... Aber bei aller Bedeutung des Bewußtseins darf man nicht vergessen, daß die Hauptfrage für die Durchführung der Befehle eine solche militärische Ordnung ist, wo es gar nicht möglich ist, einen Befehl nicht widerspruchslos, exakt und in der befohlenen Zeit durchzuführen.

Die Politoffiziere

Bedeutung, Aufgaben und Ausbildung der *Politoffiziere* haben in den kommunistischen Staaten häufig Wandlungen erfahren, die in ursächlichem Zusammenhang mit der politischen Entwicklung standen.

Die Stellung des Politoffiziers hat sich aus der des *Kommissars* in der Roten Armee der UdSSR entwickelt. In den Jahren des russischen Bürgerkrieges, 1917–1921, war der Kommissar in den Einheiten der Roten Arbeiter-

---

14 „Volksarmee", Nr. 20/63, S. 4

und Bauernarmee dem *Militärspezialisten,* der meistens schon in der zaristischen Armee gedient hatte, übergeordnet. Später wurden die Kommissare den Kommandeuren gleichgestellt. Seit 1942 aber ist der Kommissar zu einem *Stellvertretenden Kommandeur für Politische Angelegenheiten* abgestiegen und dem Kommandeur entschieden untergeordnet.

Mit der Ernennung Marschall Schukows zum Verteidigungsminister in der UdSSR im Februar 1955 und nach dem XX. Parteitag, 1956, wurden zudem nicht nur die Parteiorganisationen in der Sowjetarmee zurückgedrängt, sondern es wurde auch die unbeschränkte Befehlsgewalt der Kommandeure auf allen Gebieten stark hervorgehoben. Auch nach dem Sturz Schukows, 1957, gilt die *Einzelleitung* des Kommandeurs als Prinzip. Der *Politische Stellvertreter* ist nur noch der erste Gehilfe des Kommandeurs in politischen Fragen, die allerdings weit in das militärische Gebiet gehen, ja es umfassen.

Auch die relativ jungen bewaffneten Kräfte der Sowjetzone wurden von solchen Wandlungen nicht verschont, um so mehr als die Zahl der ehemaligen Wehrmachtsoffiziere in der ersten Zeit Vergleiche mit dem anfänglich hohen Anteil der zaristischen Offiziere in der Roten Armee zuließ.

Bis 1961 erfolgte die Ausbildung der für die politische Schulung, das innere Gefüge und die Überwachung der Kader und Mannschaften zuständigen Politoffiziere der NVA an der *Politschule* in Treptow.

Freiwillige, die sich zur Ausbildung als Politoffiziere meldeten, erhielten eine dreijährige rein politische Schulung und wurden an den Offizersschulen der Waffengattung, zu der sie kommen sollten, in Sonderkurzlehrgängen militärisch ausgebildet. Soldaten (Offiziere aus der Truppe) erhielten in Treptow eine zweijährige Ausbildung zum Politoffizier.

Nach einigen Jahren des Dienstes in der Truppe wurden die Politoffiziere dann zu Qualifikationslehrgängen erneut an die Schule kommandiert.

Um die Wirksamkeit der Politorgane zu erhöhen, sollen seit 1961 nur bewährte Truppenoffiziere die Aufgaben der Politoffiziere übernehmen. Die gesonderte Polit-Offiziersausbildung wird damit hinfällig und an ihre Stelle treten Fachkurse oder besondere Lehrgänge.

Sowjetische Ausbildungshilfen

Während in den ersten Jahren der Errichtung bewaffneter Kräfte praktisch die gesamte Ausbildung aller sowjetzonalen Kader in der UdSSR stattfand, beschränkt sich die sowjetische Ausbildungshilfe heute nur noch auf Spezialisten- und auf Sonderausbildung für Offiziere unterer und mittlerer Dienstgrade.

Die Ausbildung höherer Offiziere der Volksmarine und der Luftstreitkräfte/Luftverteidigung findet allerdings nach wie vor in der UdSSR statt, ebenso wie die der Divisionskommandeure und Generale in gleichen oder höheren Dienststellungen der Landstreitkräfte.

Offizierslehranstalten in anderen Ostblockländern werden nur von Austauschoffizieren besucht. Zahlenmäßig ist dieser Austausch unbedeutend.

In § 34 der Dienstlaufbahnordnung wird bestimmt, daß die von NVA-Offizieren auf militärischen Lehranstalten befreundeter sozialistischer Staaten erworbenen Diplome und Zeugnisse denen der entsprechenden Lehranstalten der Sowjetzone gleichgestellt werden.

Die Militärakademie „Friedrich Engels"

Am 5. 1. 1959 fand die Gründungsfeier der „ersten sozialistischen Militärakademie in der Geschichte Deutschlands" statt. Ulbricht persönlich hielt die Einweihungsrede und setzte seinen Hörern auseinander, daß ihr der Ehrenname „Friedrich Engels" zuerkannt werde, weil dieser

> Name des Mitbegründers des Marxismus und ersten Militärtheoretikers der Arbeiterklasse die Einheit von schöpferischer militärpolitischer Analyse und leidenschaftlichem revolutionärem Handeln verkörpert. In der Gestalt von Engels trat die deutsche Arbeiterklasse das Erbe der fortschrittlichen bürgerlichen Militärwissenschaft und ihres größten Theoretikers Clausewitz an.[15]

Die Hauptaufgaben der Akademie wurden wie folgt umrissen:
– In Erziehung und Ausbildung soll die Akademie unter Beachtung der führenden Rolle der Partei militärische Funktionäre hervorbringen.
– In Forschung und Lehre soll sie die modernsten Methoden des Einsatzes der Truppen und ihrer Technik unter kompliziertesten Bedingungen entwickeln.
– Sie soll die Schmiede hochqualifizierter Kader werden.

Von ihrer Arbeit wird verlangt, daß sie sich durch die konsequente Einheit von Theorie und Praxis auszeichnet. Die erfahrensten Offiziere seien aus Truppe, Stäben und Ministerium heranzuholen und als Lehrkörper zu verwenden, ständige Verbindung mit der Truppe müsse vorhanden sein, damit die Absolventen dieser höchsten militärischen Lehranstalt zur Elite der NVA würden.

An der Militärakademie werden die höheren *Truppenführer* der NVA – in erster Linie der Landstreitkräfte – ausgebildet. Es ist also nicht eine Generalstabsakademie, sondern eine Kommandeurschule, da es einen Generalstabsdienst in der NVA ebenso wie in anderen kommunistischen Streitkräften nicht gibt. Höhere Truppenkommandeure und die Stabschefs (den G 3 westlicher Armeen zu vergleichen) erhalten dieselbe Ausbildung. Alle übrigen Generalstabszweige werden von Spezialstabsoffizieren bearbeitet.

15 Nach „Einheit", a. a. O.

Die Ausbildung auf der Militärakademie erfolgt auf der Ebene des Regiments und später der Division. Soweit bisher bekannt, entsprechen der Lehrplan und das Niveau ungefähr dem der bekannten *Frunseakademie* in Moskau, auf der neben sowjetischen Stabsoffizieren in Vergangenheit und Gegenwart zahlreiche ausländische Offiziere der Ostblock- und blockfreien Staaten eine sorgfältige Ausbildung erhielten.

Im September 1962 hat der erste Lehrgang die Militärakademie „Friedrich Engels" verlassen und ist in die Truppe zurückgekehrt. Es besteht kein Zweifel, daß sich die Sowjetzonenführung von den auf ihrer Akademie ausgebildeten militärischen Funktionären viel verspricht. Für die Absolventen ist ein besonderes Abzeichen geschaffen worden und durch die Dienstlaufbahnordnung bzw. durch die Förderungsverordnung ist festgelegt worden, daß das Diplom der Militärakademie den Diplomen der Universitäten und Hochschulen der Sowjetzone gleichgestellt ist.

Für die Generale der NVA besteht z. Zt. kein eigenes Lehrinstitut. Es ist aber möglich, daß die NVA die Weiterbildung ihrer höchsten Offiziere, etwa durch Angliederung einer besonderen „Fakultät" an die „Friedrich-Engels"-Militärakademie, in Zukunft selbst versucht. Wo allerdings die Ausbilder für Generalslehrgänge herkommen sollen – falls auf sowjetische Hilfe verzichtet wird – bleibt unklar. Höhere Offiziere der Luftstreitkräfte und der Marine werden bei der geringen Zahl der Auszubildenden vermutlich auch weiterhin in der UdSSR ausgebildet werden.

Zusammenfassende Wertung des Offiziersbestandes der NVA

Die Nationale Volksarmee hat keine Möglichkeiten, ihren Offiziersbestand von Grund auf zu reorganisieren oder auch nur nennenswert auszusieben. Sie wird auf absehbare Zeit mit den vorhandenen und nur langsam abbauenden älteren Offizieren verschiedenster Herkunft und Leistungsfähigkeit auskommen müssen.

Ihre *fortschrittliche Kaderpolitik,* d. h. die Heranbildung jenes neuen Typs militärischer Funktionäre, wird lange Zeit brauchen, um sich auszuwirken. Die Entwicklung der politischen Lage wird entweder beschleunigend oder hemmend, ja blockierend wirken. In den letzten Jahren waren die Erfolge nur mäßig.

Kein Zweifel kann darin bestehen, daß sich die Leistungen der mittleren und oberen Führung bessern. Unter den Stabsoffizieren und Generalen im Alter zwischen 30 und 60 Jahren findet sich eine ausreichende Zahl intelligenter und gewandter Leute, die mit ihren Aufgaben wachsen und ihre Truppenteile und Verbände auszubilden und zu führen vermögen. Ob ihre Loyalität im Frieden auch mitreißendes Führertum im Kampfeinsatz garantiert, erscheint von mancher Seite her gesehen zweifelhaft.

Eine breite Schicht von Subalternoffizieren erreicht nur mit wenigen ihrer Vertreter das notwendige Maß an Mindestanforderungen. Unter den älteren von ihnen versehen viele nur lässig ihren Dienst, lassen Führereigenschaften jeder Art vermissen und sind ein schweres Hindernis für die qualitative Aufwärtsentwicklung.

Unter den Kompanie- und Zugführern ist die Zahl der geistig unbeweglichen, schwunglosen, ungebildeten und unzureichend ausgebildeten Offizieren auffallend.

Die Nachwuchslage für Bataillonskommandeure, Chefs der Stäbe der Truppenteile usw. ist außerordentlich schwierig. Hier klafft eine Lücke, in die junge Nachwuchskräfte erst in einer Reihe von Jahren hineinzuwachsen vermögen.

Die jungen Offiziere, die in den letzten Jahren die Offiziersschulen verließen, stellen nur zu einem Teil den erwünschten Typ des militärischen Funktionärs dar. Die Gründe dafür wurden eingangs entwickelt. Die Folgen sind Unsicherheit über das Gewicht, das die NVA als Machtmittel der kommunistischen Regierung künftig haben wird. Ohne Zweifel werden die fachlichen, militärischen Leistungen der Offiziere sich bessern, gerade unter den jungen Offizieren werden viele sein, die hohe technische Fähigkeiten besitzen und durch die ihnen abgeforderten großen Leistungen zu qualifizierten Fachleuten werden.

Andere aber, vor allem die aus dem Unteroffiziersstand stammenden, werden wirklich starke Seiten nur in der Ausbildung auf unterer Ebene zeigen können.

Hartes Strebertum, dienstliche Überforderung, politischer Fanatismus einerseits, politische Indifferenz andererseits, fehlendes Berufsethos und Unterschiede der Bildung lassen so auch unter den jungen Offizieren keinen Korpsgeist aufkommen.

Wenn aber die Erziehung und Ausbildung des Offizierskaders keine Einheit des Könnens, Wissens und Willens zustande bringt, kann sie sich auch nicht auf die Armee übertragen und bleibt ihr Wert begrenzt.

Die Ausbildung der Unteroffiziere

Im Vergleich zu westlichen Streitkräften, besonders zur Bundeswehr und der alten deutschen Armee, hat der Unteroffizier in der NVA eine sehr untergeordnete Bedeutung.

Zwar gibt es in der NVA mehr Unteroffiziersdienstgrade als in der Sowjetarmee, aber die Aufgaben und die Verantwortung, die selbst den höchsten NVA-Unteroffiziersrängen übertragen werden, reichen niemals an die der Offiziere heran. In dieser Beziehung lehnt sich die NVA ebenfalls eng an die Sowjetstreitkräfte an.

Die hohe Zahl der Offiziersplanstellen bei der Truppe und in den Stäben ist eine Folge dieser Bewertung des Unteroffiziersstandes.

Entsprechend geringer ist auch die Mühe, die auf die Ausbildung und Weiterbildung der Unteroffiziere gelegt wird.

§ 8 der Dienstlaufbahnordnung benennt die Dienstlaufbahn der Unteroffiziere wie folgt:
- Unteroffiziere des operativen Dienstes,
- Unteroffiziere des technischen Dienstes,
- Unteroffiziere der Rückwärtigen Dienste,
- Unteroffiziere des Sanitätsdienstes,
- Unteroffiziere des administrativen Dienstes.

Aktive Unteroffiziere können *Soldaten auf Zeit* oder *Berufssoldaten* werden. Ehe sie ein solches Dienstverhältnis eingehen können, oder besser: ehe es wirksam wird, müssen die Bewerber ihren Grundwehrdienst leisten. Verpflichten sie sich über die 1¹/₂ Jahre Dienstpflichtzeit hinaus als Soldaten auf Zeit, müssen sie nach 3 Gesamtdienstjahren mindestens den Rang des Unteroffiziers erreicht haben oder ausscheiden. Berufssoldaten mit 12jähriger Dienstzeit können nur die Soldaten werden, die schon zu Unteroffizieren befördert sind.

Angestrebt wird, daß sich Wehrpflichtige, die beabsichtigen, länger zu dienen, schon vor Beginn ihrer Dienstpflichtzeit melden.

Es ist aber auch für Wehrpflichtige, die sich nicht weiter verpflichten, möglich, Unteroffiziere zu werden. Auf jeden Fall wird versucht, die zu Unteroffizieren auszubildenden Soldaten wenigstens für eine dreijährige, bei der Volksmarine und anderen Spezialeinheiten für eine vierjährige Gesamtdienstzeit zu gewinnen.

Bereits während der militärischen Grundausbildung werden die zum Unteroffizier geeignet erscheinenden Soldaten ausgewählt. Eine Beförderung zum Unteroffizier ist nur möglich, wenn zuvor ein *Unteroffizierslehrgang* mit Erfolg besucht wurde.

Die Ausbildung der Unteroffiziere war in der Vergangenheit eine Angelegenheit der Truppe selbst, die hierzu entsprechende Lehrgänge aufzog. Die Dauer dieser Lehrgänge, zu denen die Soldaten kamen, wenn sie die Einzel- und Gruppenausbildung erhalten hatten, war etwa 6 Monate. Sie kehrten dann in ihre Einheiten zurück und nahmen dort die vorgesehenen Planstellen ein.

Jetzt befindet sich in jedem der beiden Militärbezirke der NVA-Landstreitkräfte ein Unteroffiziersausbildungsregiment, ebenso wie die Luftstreitkräfte/Luftverteidigung und die Volksmarine ihre Unteroffiziere (Maate) zentral ausbilden. Da die Kapazität dieser zentralen Unteroffiziersausbildungseinrichtungen nicht ausreicht, führt auch die Truppe noch Lehrgänge bei sich weiter. Beispielsweise hat ein Mot. Schützenregiment eine eigene Unteroffiziersausbildungskompanie.

Die Ausbildung in den zentralen Ausbildungseinrichtungen ist nach Waffengattungen und Sonderdiensten spezialisiert. Das Ziel ist es, Gruppenführer, Panzerkommandanten und entsprechende Unteroffiziere auszubilden. Besonders bei technischen Truppen wird die berufliche Vorbildung bei der späteren Verwendung selten unberücksichtigt gelassen. 1962 sollen übrigens 79,9% aller Soldaten und Unteroffiziere eine Facharbeiterausbildung gehabt haben.[16]

Ein militärischer Vorarbeiter

Die Ausbildung des Unteroffiziersanwärters ist straff und fachlich auf fest umrissene Aufgabenbereiche begrenzt. Besondere Anstrengungen, das Allgemeinbildungsniveau zu heben, scheinen nicht gemacht zu werden. Die Politschulung liegt im Niveau auch nicht wesentlich über dem Durchschnitt der Truppenpolitschulung. Im ganzen gesehen wird mit technischem und geistigem Drill so etwas wie ein militärischer Vorarbeiter herangebildet.

Ein so knapp geschulter und mit begrenztem Wissen ausgestatteter Unteroffizier bedarf in der Truppe einer eingehenden Anleitung in der praktischen Arbeit und einer ständigen Förderung und Weiterbildung.

Da es den Einheitsführern meistens an Zeit fehlt und gerade die Kompanieführer häufig den Anforderungen, die an sie gestellt werden, nicht gewachsen sind, wird hier viel versäumt. Der Durchschnittsunteroffizier ist deshalb tatsächlich oft nicht mehr als ein älterer Soldat, nicht aber Vorgesetzter und Meister seines Handwerks.

Allerdings bestehen auch hier Unterschiede. Während das Niveau des nichtspezialisierten Unteroffiziers, z. B. des Infanteriegruppenführers, im allgemeinen unterdurchschnittlich ist, gibt es in vielen technischen Zweigen, wie im Kfz-Wesen, in den Waffenmeistereien usw., fachlich versierte Unteroffiziere, die sich auf Zeit oder als Berufssoldaten verpflichtet haben, weil sie eine Sonderstellung genießen, die sie im Zivilleben kaum haben würden. Es handelt sich vorwiegend um gelernte Schlosser und Angehörige anderer technischer Berufe. Ihre Ausbildung und Weiterbildung nehmen diese Unteroffiziere in die eigene Hand, allein schon weil sie sich bei späterer Entlassung Vorteile für ihre weitere berufliche Stellung versprechen.

Natürlich wird auch die NVA immer wieder von den Wellen der *Selbstverpflichtungen* überschwemmt, mit denen aus irgendeinem Anlaß höhere Leistungen veranlaßt werden sollen. Auf die Ausbildung und den Leistungsstand der Truppe und der Unteroffiziere, die dabei häufig besonders angesprochen werden, wirkt sich das kaum aus.

16 „Volksarmee", Nr. 4/1963

Eher sind die ständigen anderen hohen Anforderungen, die in der NVA an die Menschen und die materielle Ausrüstung gestellt werden, Anlaß für intensive Tätigkeit. Der Unteroffizier, der ungleich mehr für das Gerät als für die Menschen zuständig ist, und dem immer wieder eingehämmert wird, daß „jede geringste Nachlässigkeit bei der Wartung und Handhabung der Ausrüstung Verschleuderung von Vermögen des werktätigen Volkes und Verrat an der sozialistischen Sache" bedeutet, ist bemüht, in seinem kleinen Fachgebiet „nicht aufzufallen". Mehr kann man und scheint man von ihm nicht zu verlangen. Mehr hat er auch nicht gelernt. Lehrbücher für die Hand des Unteroffiziers gipfeln in ihren Forderungen meistens in Sätzen wie diesen:

Von der Meisterung der technischen Kampfmittel und von der Bedingungslosigkeit der Befehlsbefolgung hängen Erfolg oder Mißerfolg ab.

Damit erscheinen die Aufgaben und Verantwortlichkeit des Unteroffiziers in ihrer Begrenztheit gut umschrieben.

Die heute in der NVA diensttuenden Unteroffiziere sind Produkte der eigenen sowjetzonalen Ausbildung mit allen Stärken und Schwächen. Unteroffiziere aus der alten Wehrmacht oder aus der Volkspolizei gibt es in Unteroffiziersstellen nur noch wenige in der NVA.

Die aktivsten Unteroffiziere gehen nach relativ kurzer Dienstzeit wieder ab. Den langdienenden Berufsunteroffizieren wird von den Tausenden geflohenen NVA-Soldaten meistens ein außerordentlich schlechtes Zeugnis ausgestellt. Fachliche Leistungen und menschliches Verhalten werden sehr schlecht beurteilt. Selbst wenn diese Äußerungen nicht immer objektiv sind, so fällt doch die Einheitlichkeit der Meinungsäußerungen auf. Hinzu kommt, daß auch von Politseite oft Kritik an dem Verhalten, den Kenntnissen und Leistungen der Unteroffiziere geübt wird.

Beachtlich ist auch, daß selbst aus den politisch stark gesiebten und als zuverlässig geltenden Grenztruppen viele Unteroffiziere in den Westen fliehen. Oft sind das die aufgewecktesten und beweglichsten ihres Berufsstandes, die ziemlich leicht ihren Dienstgrad erwarben. Er war ihnen ein planmäßiger Schritt auf dem Wege zur Flucht.

Ein Gesamturteil über den Ausbildungs- und Leistungsstand der NVA-Unteroffiziere darf auch nicht übersehen, daß – wenigstens in der Vergangenheit – ein großer Teil der Offiziersbewerber aus dem Unteroffizierskader der Volksarmee gewonnen wurde. Dieser dauernde Aderlaß drückte das Gesamtniveau der verbleibenden Unteroffiziere naturgemäß beträchtlich. Der schwache Gesamteindruck, den die Unteroffiziere der NVA hinterlassen, hat also seine Gründe.

Auch die Unteroffiziere der NVA sind nach Gesinnung und Ausbildung kein einheitlicher Kaderteil. Es gibt eine nicht kleine Gruppe derer, die als Spezialisten in ihre Waffe, ihr Fahrzeug oder Gerät vernarrt sind. Andere verhalten sich interesselos und nachlässig, weil sie dumm und faul sind. Die Harten und Rücksichtslosen sind gewöhnlich selbst leistungsschwach. Eine große Gruppe ist nachsichtig und der „Kumpelei" zugängig, weil viele von ihnen nicht freiwillig den Unteroffiziersberuf wählten, sondern von ihren Betrieben oder sonstigen zivilen Stellen „delegiert" wurden.

11. KAPITEL

Innendienst und Ordnung

Nach der Einführung der allgemeinen Wehrpflicht wurden für die NVA auch eine neue *Innendienstvorschrift* sowie eine Reihe von anderen Vorschriften erlassen, die dazu beitragen sollen, daß die NVA „die höchste Gefechtsbereitschaft" erreicht[1].

Die Durchführung des Innendienstes in den Einheiten der NVA ist Aufgabe des *Hauptfeldwebels*. In diese Dienststellung kann jeder Unteroffiziersgrad eingesetzt werden. Der Hauptfeldwebel als Innendienstleiter ist verantwortlich für den zeitgerechten *Ablauf des Dienstes*, den Zustand der *Kasernenunterkunft*, die *Disziplin* im Unterkunftsbereich und für die Vollständigkeit und Pflege von *Waffen, Munition, Ausrüstung* und *Bekleidung* der Angehörigen seiner Einheit. In Abwesenheit aller Offiziere vertritt der Hauptfeldwebel den Einheitsführer. Er ist Disziplinarvorgesetzter der Unteroffiziere und Mannschaften.

Der *tägliche Dienst* beginnt um 6.00 Uhr mit dem *Frühsport*. Vor dem Frühstück überprüft der Hauptfeldwebel die zum *Morgenappell* angetretene Einheit auf Vollzähligkeit, Krankheitsmeldungen und Dienstbekleidung. Nach dem Frühstück und der Bekanntgabe des Dienstplanes rückt die Einheit ab. In der Regel sieht die Tageseinteilung einen Dienst von 11 Stunden vor, wobei die Putz- und Flickstunde, die verschiedenen Pflichtbeteiligungen an politischen Veranstaltungen und dergleichen nicht mitgezählt sind. In den 11 Stunden sind die 1½ Stunden für die Mittagspause enthalten. An Sonn- und Feiertagen endet der Dienst um 13 Uhr. Das Signal zum Zapfenstreich ertönt

---

1 „Volksarmee", 1963/6

um 21.45 Uhr. Der Stubendienst erstattet dem *Unteroffizier vom Dienst (UvD)* beim Durchgang Meldung. Um 22 Uhr ist Ruhe.

Auf einer *Stube* liegen 4–30 Mann. Je Soldat sollen 4 qm zur Verfügung stehen. Bei den Offizieren und Unteroffizieren haben bis zu 4 Mann einen Raum. Verheiratete wohnen bei ihren Familien. Auch ledige Offiziere und Unteroffiziere können mit Sondergenehmigung außerhalb der Kaserne wohnen.

Die *Unterkünfte* sind vielfach ältere Kasernen, die allerdings von der NVA personell stärker belegt werden als früher von der deutschen Wehrmacht. Die besten Kasernen sind von den Sowjettruppen besetzt. Zum Teil ist die NVA auch in Baracken untergebracht. Die Soldaten sollen möglichst auch ihre Freizeit auf dem Kasernengelände verbringen. So wird dem Kantinenwirt gestattet, „Schnaps" auszuschenken, da andernfalls die Soldaten doch nur ins „Dorf" gehen würden.

Im *Wirtschaftsgebäude* wird einheitsweise in den Speiseräumen – getrennt für Offiziere, Unteroffiziere und Mannschaften – die *Truppenverpflegung* eingenommen. Sie ist für alle gleich und besteht aus Frühstück, Mittagessen und Abendbrot. Nach Art der Verpflegung wird sie von den eingeteilten Tischdiensten serviert oder einzeln empfangen. Offiziere und Unteroffiziere werden von zivilem Personal bedient. Einem *Offizier vom Küchendienst* unterstehen jeweils 24 Stunden die Köche und deren Hilfspersonal.

Für nicht in Anspruch genommene Truppenverpflegung wird Offizieren ein Tagessatz von 2,20 DM-Ost und Unteroffizieren und Mannschaften ein Tagessatz von 3,35 DM-Ost ausgezahlt. (Die bessere Vergütung bei den Unteroffizieren und Mannschaften soll die übrige Besserstellung der Offiziere ein wenig ausgleichen.)

Die Truppenverpflegung galt bis Anfang 1962 als ausreichend. Die dann erneut einsetzende Wirtschaftskrise brachte einen Mangel an Kartoffeln, Fleisch und Wurstwaren, Fetten und Frischgemüse, der sich auch auf die Truppenverpflegung auswirkte.

In den *Krankenrevieren* erfolgt die ambulante Behandlung. Die Truppenärzte können kranke Soldaten bis zu 3 drei Tagen vom Dienst befreien. Feldschere in den Einheiten werden zu Hilfsdiensten herangezogen. Alle 3 Monate findet eine allgemeine ärztliche Untersuchung statt. Vorbeugende Schutzimpfungen erfolgen bei Beginn der Dienstzeit.

Einmal in der Woche wird die Einheit geschlossen zum *Baden* geführt.

In den Kasernen sind für die *Freizeit* entsprechende Räume – Klubräume, Kinos und Büchereien – vorhanden. Sie stehen im Dienst der Politerziehung und sind Einrichtungen zur Förderung der „sozialistischen Bewußtseinsbildung". Die Freizeit des Soldaten wird weitgehend von der FDJ-Organisation mit Beschlag belegt.

Fernsehgeräte dürfen in der Regel nur in Klubräumen sowie in den Stuben der Berufssoldaten aufgestellt und betrieben werden. Das Aufstellen bedarf in jedem Falle der Genehmigung des Kommandeurs des Truppenteils.

Auf den Stuben der Mannschaften gibt es gewöhnlich nur Lautsprecher, für die ein Funktionär das *Rundfunkprogramm* einstellt. Nach der Stubenordnung der neuen Innendienstvorschrift können auch Unteroffiziers- und Mannschaftsstuben mit eigenen Rundfunkgeräten ausgestattet werden. Dazu ist ebenfalls die ausdrückliche Genehmigung des Kommandeurs notwendig. Das Abhören westlicher Sender bzw. das Einstellen westlicher Fernsehsendungen ist auf jeden Fall verboten.

Im übrigen können die Unteroffiziere und Soldaten mit Genehmigung des Kommandeurs auch in anderer Weise die Stuben zusätzlich ausgestalten.

In ihrer Freizeit können die Soldaten in der Kaserne *Besuch* empfangen. In den meisten Einheiten steht dafür ein Besuchszimmer zur Verfügung. Der Besucher wird von der Kasernenwache überprüft und dann zum Besuchszimmer geleitet bzw. von dem Besuchten abgeholt.

Grußpflicht besteht gegenüber allen Vorgesetzten und Dienstgradgleichen. Ferner müssen alle Angehörigen der bewaffneten Kräfte der Sowjetzone und aller Sowjetblockstaaten gegrüßt werden.

Die Soldaten müssen in und außer Dienst *Uniform* tragen. Lediglich für den Urlaub kann eine *Sondergenehmigung zum Tragen von Zivil* erteilt werden. Berufssoldaten und Soldaten auf Zeit ab Feldwebel aufwärts und Hauptfeldwebel sind berechtigt, außerhalb des Dienstes Zivilkleidung zu tragen. Dasselbe gilt auch für Offiziere vom Hauptmann an aufwärts. Sonderregelungen bestehen für die Offiziere des Staatssicherheitsdienstes in der NVA, für welche die Zivilkleidung – zur Überwachung von Soldaten in deren Freizeit – dann sozusagen Dienstkleidung ist.

In der NVA wird zwischen folgenden Urlaubsarten unterschieden: Erholungs-, Wochenend-, Festtags-, Sonder-, Genesungsurlaub und Kuraufenthalt. Das Recht, Urlaub und Ausgang zu gewähren, steht den unmittelbaren Vorgesetzten, vom Kompaniechef an aufwärts, zu. Die Erlaubnis für Genesungs- und Kuraufenthalt erteilen Regimentskommandeure und höhere Dienstgrade. Allerdings dürfen nur 50 % der Angehörigen einer Einheit jeweils abwesend sein.

Die Angehörigen von Gruppen, Besatzungen und Bedienungen einer Waffe sollen gleichzeitig auf Urlaub gehen.

Erholungsurlaub erhalten Wehrpflichtige für 18 Monate nur 18 Tage; alle übrigen Soldaten, gestaffelt nach Dienstgrad und Dienstalter von 18 bis zu 30 Tagen im Jahr.

Wochenendurlaub, von Sonnabend nach Dienst bis Montag zum Dienst, erhalten die Wehrpflichtigen alle 12 Wochen, die Soldaten auf Zeit alle 6 Wochen, die Berufssoldaten alle 4 Wochen.

Festtagsurlaub gibt es zu Ostern oder Pfingsten, Weihnachten oder Neujahr.

Sonderurlaub kann als Belobigung bis zu 5 Tagen gewährt werden.

Genesungsurlaub in einem NVA-Genesungsheim kann bis zu 3 Wochen gewährt werden.

Ausgang ist für Mannschaftsdienstgrade – je nach Dienst – bis zum Zapfenstreich um 22 Uhr, bis 23 Uhr oder bis 24 Uhr. Nach dem 3. Dienstjahr erhalten Unteroffiziere und Stabsgefreite in der Regel Ausgang bis zum Wekken. Offiziere unterliegen keiner Ausgangsbeschränkung.

Urlauber – mit Ausnahme von Wochenendurlaubern – haben sich innerhalb von 24 Stunden nach Ankunft und frühestens 24 Stunden vor der Abreise beim Kreiskommando der NVA bzw. bei den Dienststellen der Volkspolizei zu *melden.* Sonderbestimmungen gelten für alle Soldaten, die in die 5-km-Sperrzone entlang der Zonengrenze beurlaubt werden; sie müssen sich bei den Grenzkompanien an- und abmelden.

Soldaten, ausgenommen Offiziere, erhalten im Jahr 4 Freifahrten, davon 3 vom Standort zum Familienwohnort und 1 Fahrt zu einem beliebigen Urlaubsort in der Sowjetzone.

Uniformen, Waffenfarben und Dienstgradabzeichen

Für alle Teile der NVA, außer der Volksmarine, ist die Uniform „steingrau". Die Volksmarine hat dunkelblaue Uniformen. Für spezielle Dienste kann der Minister für Nationale Verteidigung eine zweckentsprechende andere Farbe der Uniform anordnen[2].

Es werden folgende *Uniformen* unterschieden:
- *Dienstuniform:* Stiefel, Koppel, Tuchzeug, Feldmütze bzw. Stahlhelm;
- *Ausgehuniform:* Schnürschuhe, lange Hose, Tuchzeug, Ärmelpatten, Koppel, Schirmmütze;
- *Paradeuniform:* wie Ausgehuniform, jedoch mit Stiefeln und Stahlhelm;
- *Kampfanzug:* zweiteilig aus imprägniertem Zeltplanstoff;
- *Arbeitsanzug:* (Drillichzeug), Trainingsanzug und spezielle Ausrüstungsgegenstände;

---

2 *Zweiter Beschluß über die Einführung der Uniformen, der Dienstgradbezeichnungen und der Dienstgradabzeichen für die Nationale Volksarmee vom 25. Januar 1962.* Zitiert nach „Volksarmee", Beilage 4/1962, S. 13–14 – Siehe auch Bild 115 – Tafel mit den Uniformen der NVA und der übrigen bewaffneten Kräfte – und Bild 116 – Tafel mit den Rangabzeichen und Effekten der NVA.

– *Eigener Ausgehanzug:* alle Soldaten können sich auf eigene Kosten einen Ausgehanzug, Zweireiher mit schrägen Taschen, schneidern lassen, der anstelle der dienstlich gelieferten Ausgehuniform, jedoch ohne Koppel, getragen werden kann.

Die *Waffenfarben* sind:
1. *Landstreitkräfte*
– Mot. Schützen-Truppenteile   weiß
– Artillerie-Truppenteile   ziegelrot
– Panzer-Truppenteile   rosa
– Truppenteile der Pioniere und anderer   schwarz
  technischer Dienste
– Nachrichten-Truppenteile   gelb
– Rückwärtige und administrative Dienste   dunkelgrün
2. *Lufstreitkräfte*   hellblau
3. *Luftverteidigung*   hellgrau
4. *Grenztruppen*   hellgrün
5. *Volksmarine*   blau

Die Waffenfarben werden bei den Landstreitkräften an den Kragenspiegeln, Ärmelpatten und Schulterklappen (Schulterstücken) getragen. Die Mützenpaspelierung, Hosenbiesen, Ärmelbiesen und Kragenbiesen sind bei allen Waffengattungen der Landstreitkräfte weiß.

Die Dienstlaufbahn der Soldaten wird an den Uniformen durch *Dienstlaufbahnabzeichen* gekennzeichnet. So tragen z. B. die Angehörigen der Nachrichtentruppe einen Blitz, die Militärärzte einen Äskulapstab, die Musiker eine Lyra.

Die *Offiziere* tragen zur *Ausgehuniform* einen *Dolch;* Offiziere in Ehrenkompanien führen einen *Säbel.*
In Anlehnung an die alte deutsche Wehrmachtsuniform tragen Offiziere die *Dienstgradabzeichen* auf Schulterstücken, Unteroffiziere und Mannschaften auf Schulterklappen. In der Volksmarine werden Dienstgradabzeichen zusätzlich auf den Ärmeln getragen.
Am *Kampfanzug* werden die Dienstgradabzeichen nur am linken Oberarm in Form von Streifen getragen.
Bei den *Mannschaften* ist der 1. Dienstgrad ohne besondere Erkennungszeichen, die weiteren Mannschaftsdienstgrade tragen auf den Schulterklappen Litzen. Die *Unteroffiziersdienstgrade* haben auf den Schulterklappen Tressen. Ebenso ist der Kragen mit Tressen umrandet. Vom *Feldwebel* (Wachtmeister, Meister) an aufwärts tragen sie als weitere Dienstgradabzeichen viereckige silberne Sterne.

Der *Hauptfeldwebel* führt die Dienstgradabzeichen seines Dienstgrades und zusätzlich einen Ärmelstreifen an jedem Unterarm.

Die *Unteroffiziersschüler* haben die Schulterklappen der Soldaten ohne Dienstgrad, jedoch ist an der unteren Schmalseite der Schulterklappen ein Stoffband in der Farbe der Waffengattung.

Die *Offiziersschüler* tragen ähnliche Schulterklappen, jedoch umrandet mit Tressen, wobei 5 mm vom unteren Rand entfernt Querlitzen entsprechend dem 1., 2., 3. Lehrjahr laufen, darüber ein silberfarbenes S.

Die *Offiziere* vom Unterleutnant bis Hauptmann tragen Schulterstücke, die aus vier silbernen nebeneinanderliegenden Plattschnüren, mit Unterlagen entsprechend der Waffenfarbe, bestehen. Dazu, je nach Rang, vierzackige goldene Sterne. Die Offiziere vom Major (Korvettenkapitän) bis zum Oberst (Kapitän zur See) tragen Schulterstücke aus zwei nebeneinanderliegenden geflochtenen silbernen Schnüren. Die Unterlagen entsprechen der Waffenfarbe, dazu auf den Schulterstücken eine entsprechende Anzahl vierzackiger goldener Sterne.

Die *Generale* (Admirale) tragen Schulterstücke aus zwei goldenen und einer silbernen, nebeneinanderliegenden geflochtenen Schnüren. Die Unterlage der Schulterstücke ist in den Waffenfarben gehalten: bei den Landstreitkräften hochrot, den Luftstreitkräften hellblau, den Seestreitkräften dunkelblau. Dazu tragen die Generale fünfzackige silberne Sterne. Die Kragenspiegel, ebenfalls in den Waffenfarben der Generale, zeigen ein stilisiertes Eichenblatt.

Bild 116 — Tafel mit den Rangabzeichen und Effekten der NVA

Dienstgradabzeichen

Landstreitkräfte

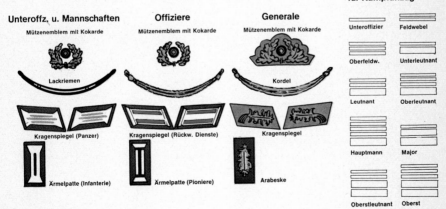

| Soldat (Infanterie) | Gefreiter (Artillerie) | Stabsgefr. (Panzer) | Unteroffizier (Pioniere und techn. Truppe) | Unterfeldwebel (Artillerie) | Feldwebel (Nachrichten) | Oberfeldwebel (Rückw. Dienste) | Stabsfeldwebel (Sanitäter) |

| Uffz.-Schüler (Nachrichten) | Offiziersschüler | | | Unterleutnant (Rückw. Dienste) | Leutnant (Infanterie) | Oberleutnant (Artillerie) | Hauptmann (Panzer) |
| | (1. Lehrjahr) (Rückw. Dienste) | (2. Lehrjahr) (Panzer) | (3. Lehrjahr) (Pion. u. techn. T.) | | | | |

| Major (Pioniere und techn. Truppe) | Oberstleutnant (Nachrichten) | Oberst (Rückw. Dienste) | Gen.-Major | Gen.-Lt. | Gen.-Oberst | Armeegeneral |

Effekten der Landstreitkräfte

Unteroffz. u. Mannschaften

Mützenemblem mit Kokarde

Lackriemen

Kragenspiegel (Panzer)

Ärmelpatte (Infanterie)

Offiziere

Mützenemblem mit Kokarde

Kragenspiegel (Rückw. Dienste)

Ärmelpatte (Pioniere)

Generale

Mützenemblem mit Kokarde

Kordel

Kragenspiegel

Arabeske

Dienstgradabzeichen für Kampfanzug

Unteroffizier	Feldwebel
Oberfeldw.	Unterleutnant
Leutnant	Oberleutnant
Hauptmann	Major
Oberstleutnant	Oberst

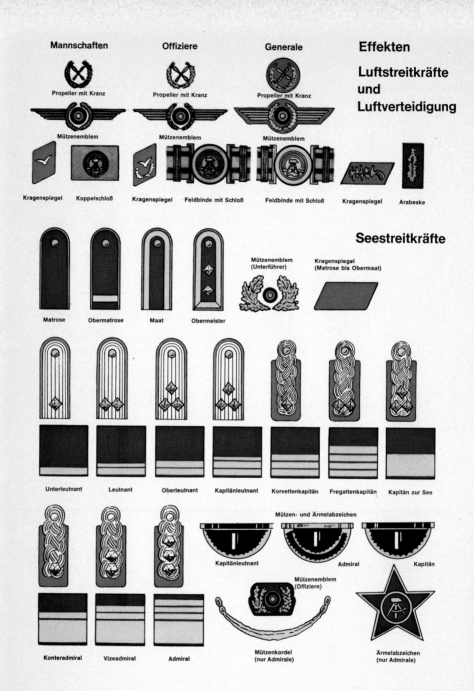

Mannschaften

Propeller mit Kranz

Mützenemblem

Offiziere

Propeller mit Kranz

Mützenemblem

Generale

Propeller mit Kranz

Mützenemblem

Effekten

Luftstreitkräfte
und
Luftverteidigung

Kragenspiegel Koppelschloß Kragenspiegel Feldbinde mit Schloß Feldbinde mit Schloß Kragenspiegel Arabeske

Seestreitkräfte

Mützenemblem
(Unterführer)

Kragenspiegel
(Matrose bis Obermaat)

Matrose Obermatrose Maat Obermeister

Unterleutnant Leutnant Oberleutnant Kapitänleutnant Korvettenkapitän Fregattenkapitän Kapitän zur See

Mützen- und Ärmelabzeichen

Kapitänleutnant Admiral Kapitän

Mützenemblem
(Offiziere)

Konteradmiral Vizeadmiral Admiral

Mützenkordel
(nur Admirale)

Ärmelabzeichen
(nur Admirale)

Disziplinarordnung

Zur Aufrechterhaltung der militärischen Ordnung und Disziplin hat die NVA ein umfangreiches *System von Strafen und Belobigungen* entwickelt. Es zeichnet sich dadurch aus, daß auch hier die Partei maßgeblich mitwirkt, wenn auch für die Festigung und Durchsetzung der militärischen Disziplin und Ordnung „die Kommandeure die volle Verantwortung"[3] tragen.

Seit dem 1. 1. 1963 ist die Behandlung von Disziplinarvergehen durch ein Kollektiv möglich. Diese Verfahrensart entspricht der in Parteiverfahren üblichen „Kritik und Selbstkritik" des Beschuldigten. Es ist ein zermürbendes Strafverfahren, in dem alle Soldaten des „Kollektivs" gegen den „Schuldigen" gehetzt werden. Auch Zivilisten sind zugelassen, z. B. dann, wenn von ihnen ein Soldat zur Meldung gebracht wurde, etwa wegen schlechten Benehmens in der Öffentlichkeit.

In der neuen Disziplinarvorschrift der NVA vom 1. 1. 1963 heißt es u. a.:

> Verstößt ein Angehöriger der NVA gegen die militärische Disziplin oder die öffentliche Ordnung, hat ihn der Vorgesetzte – abhängig von der Art des Verstoßes – zu ermahnen oder den Verstoß vom Kollektiv behandeln zu lassen oder eine Disziplinarstrafe zu verhängen.

Vermutlich soll in der NVA auf diese Weise die hohe Zahl von Disziplinarstrafen gesenkt werden.

Zunächst wird zwischen leichten und schweren Verstößen unterschieden. Leichte Verstöße unterliegen einer disziplinarischen Bestrafung. Schwere Verstöße, d. h. Verbrechen, werden gerichtlich geahndet. Die Anwendung von Kollektivstrafen ist verboten. Gegen Soldaten und Offiziersschüler im 1. und 2. Lehrjahr können folgende *Disziplinarstrafen* verhängt werden:
- Verweis,
- Dienstverrichtung außer der Reihe bis zu fünfmal,
- Arbeitsverrichtung außer der Reihe bis zu fünfmal,
- Ausgangssperre von 1–3 Wochen,
- einfacher Arrest bis zu 10 Tagen,
- strenger Arrest bis zu 10 Tagen,
- Herabsetzung im Dienstgrad,
- Entlassung aus der NVA mit oder ohne Aberkennung des Dienstgrades.

---

3 *Zweites Gesetz zur Ergänzung des Strafgesetzbuches – Militärstrafgesetz – vom 24. Januar 1962, § 1.* Zitiert nach „Volksarmee", Beilage 4/1962, S. 14–16

Gegen Unteroffiziere und Offiziersschüler im 3. und 4. Lehrjahr können verhängt werden:
– Verweis,
– Dienstverrichtung außer der Reihe bis zu dreimal,
– Kasernenarrest bis zu 5 Tagen,
– einfacher Arrest bis zu 10 Tagen,
– strenger Arrest bis zu 10 Tagen,
– Herabsetzung im Dienstgrad mit oder ohne Zurückversetzung in eine niedrigere Dienststellung,
– Entlassung aus der NVA mit oder ohne Aberkennung des Dienstgrades.

Gegen Offiziere können folgende Disziplinarstrafen verhängt werden:
– Verweis,
– strenger Verweis,
– Kasernenarrest bis zu 5 Tagen,
– Arrest in einer Arrestanstalt bis zu 10 Tagen,
– Zurückversetzung in eine niedrigere Dienststellung,
– Herabsetzung im Dienstgrad mit oder ohne Zurückversetzung in eine niedrigere Dienststellung,
– Aberkennung des Offiziersdienstgrades.

Offiziersehrenräte sollen die „Ehre und Würde" der Offiziere wahren. Sie haben zu prüfen, ob das Verhalten eines Offiziers gegen die Offiziersehre verstößt und somit auch mit den *Geboten der sozialistischen Moral* unvereinbar ist. Nach § 7 (3) des Wehrpflichtgesetzes ist auch jeder Soldat zur Einhaltung dieser Gebote verpflichtet[4]. Ob eine Angelegenheit vom Offiziersehrenrat zu untersuchen ist, entscheidet der Vorgesetzte, zu dessen Dienstbereich der Ehrenrat gehört.

Nur die *unmittelbaren Vorgesetzten* haben das Recht, Disziplinarstrafen zu verhängen: Gruppenführer, Zugführer, Hauptfeldwebel, Kompaniechef (Batteriechef, Kettenkommandeur), Bataillonskommandeur (Abteilungskommandeur, Staffelkommandeur, Kommandant eines Schiffes, Chef einer Abteilung von Booten), Regimentskommandeur (Geschwaderkommandeur), Brigadekommandeur, Divisionskommandeur (Flottillenchef), Chef eines Militärbezirks (Chef einer Teilstreitkraft der NVA), Minister für Nationale Verteidigung. Disziplinarstrafen gegen Offiziere können nur vom Kompaniechef an aufwärts ausgesprochen werden, gegen Generale und Admirale nur von den Chefs der Militärbezirke bzw. den Chefs der Teilstreitkräfte der NVA.

Bei Offizieren ab Major entfällt die Strafart „Arrest in einer Arrestanstalt", bei Regimentskommandeuren entfallen die Strafarten „Kasernenarrest" und „Arrest in einer Arrestanstalt".

4 *Die 10 Gebote der sozialistischen Moral,* siehe Seite 149 f.

Disziplinarstrafen sind innerhalb von 5 Tagen, jedoch erst einen Tag nach Bekanntwerden des Verstoßes, zu verhängen.

Für *einen* Verstoß darf nur *eine* Disziplinarstrafe ausgesprochen werden. Liegen gleichzeitig mehrere Vergehen vor, so sind diese in einer Strafe zusammenzufassen. Der Beschuldigte muß Gelegenheit bekommen, zum Sachverhalt Stellung zu nehmen.

Eine Disziplinarstrafe schließt eine gerichtliche Bestrafung des Schuldigen nicht aus. Für die *Vollstreckung* einer Disziplinarstrafe ist der Vorgesetzte verantwortlich, der sie verhängt hat. Die Vollstreckung hat in der Regel innerhalb von 14 Tagen zu erfolgen. Hat der Vollzug innerhalb von 30 Tagen noch nicht begonnen, so darf die Strafe nicht mehr vollstreckt werden. Verweis und strenger Verweis werden durch Bekanntgabe vollstreckt. Die Dientsverrichtung außer der Reihe darf erst nach Ablauf von 24 Stunden beginnen. Sie darf pro Tag 3 Stunden nicht überschreiten. Die Ausgangssperre wird erst 24 Stunden nach der Verhängung wirksam. Die Vollstreckung einer Arreststrafe hat frühestens am Tage nach der Verkündung zu beginnen. Soldaten und Unteroffiziere werden jeweils von einem Dienstgradhöheren in die Arrestanstalt eingeliefert. Offiziere begeben sich allein zum Strafantritt. Die Zurückversetzung in eine niedrigere Dienststellung und die Herabsetzung im Dienstgrad wird durch Bekanntgabe vollstreckt.

Disziplinarstrafen können unter bestimmten Umständen durch höhere Vorgesetzte *aufgehoben* werden.

Jeder Soldat hat das Recht, sich über disziplinarische Bestrafung zu *beschweren,* wenn
- er keine Gelegenheit hatte, zum Sachverhalt Stellung zu nehmen,
- die Bestrafung nach seiner Meinung zu Unrecht erfolgte,
- der Disziplinarvorgesetzte seine Befugnisse überschritten hat,
- die Vollstreckung vorschriftswidrig erfolgte.

Jeder Disziplinarvorgesetzte kann einem ihm unterstellten Soldaten für besondere Leistungen eine *Belobigung* aussprechen. Für
- gute Leistungen in der politischen und militärischen Ausbildung,
- gewissenhafte Einstellung gegenüber seinen Dienstpflichten,
- umsichtige und mutige Einzelhandlungen während des täglichen Dienstablaufes,
- Wachsamkeit bei Ausführung des Innen- und Wachdienstes,
- vorbildliche Behandlung und gute Pflege von Bewaffnung und Ausrüstung.

Die Belobigungen können für Offiziere, Unteroffiziere und Mannschaften folgende Formen haben: Aussprechung des Dankes, Gewährung von Sonderurlaub, Auszeichnung mit einer Sach- oder Geldprämie, Löschung einer früher verhängten Disziplinarstrafe, Fotografieren vor der Truppenfahne, Mitteilung an die Eltern oder die frühere Arbeitsstelle, Eintragung in das Ehrenbuch des Truppenteils, Auszeichnung mit dem Titel „vorbildlicher Soldat" bzw. „vorbildlicher Unteroffizier" unter Aushändigung einer entsprechenden Urkunde, vorzeitige Beförderung, Namensnennung für besondere Leistungen im Anordnungs- und Mitteilungsblatt des Ministeriums. Für Generale und Admirale besteht die Belobigung in dem Aussprechen des Dankes, der Löschung einer früher verhängten Disziplinarstrafe.

Über die Befugnisse der einzelnen Disziplinarvorgesetzten für das Aussprechen von Belobigungen gibt die nebenstehende Tabelle Auskunft.

In der Disziplinarordnung der NVA fällt auf, daß auch *Unteroffiziere* als unmittelbare Vorgesetzte schon das Recht haben, Disziplinarstrafen zu verhängen und Belobigungen auszusprechen. Damit soll den Unteroffizieren kein besonderer Status eingeräumt werden. Da die SED mit ihrer Parteiorganisation[5] indirekt auf Strafen und Belobigungen einwirkt, bleibt es gleichgültig, wer sie ausspricht.

Ein erheblich größeres Gewicht als die militärischen Disziplinarstrafen haben in der Truppe die Maßnahmen der *Parteiorganisationen.* Parteiversammlungen mit öffentlicher Anschuldigung, Selbstkritik und Reuebekenntnis wirken schwerwiegender als Strafen oder Belobigungen, die von den militärischen Führern auch unter dem Gesichtspunkt gesehen werden, ob sie dem Ansehen der Einheit bei der höheren Führung schaden oder nützen. So sprechen viele Einheitsführer Belobigungen aus, um bei den zahlreichen Wettbewerben und Selbstverpflichtungen gut abzuschneiden. Umgekehrt werden viele Bestrafungen unterlassen, weil die militärischen Führer die Antipathie ihrer Soldaten lieber auf die Partei (Parteiorganisationen oder Politorgane) als auf sich selbst lenken.

Die Strafen und Belobigungen haben für die Betroffenen erhebliche Folgen, wenn sie entlassen werden. In vielen Fällen ist die NVA dazu übergegangen, über die Parteiorganisationen den für das Wohngebiet des Entlassenen zuständigen Parteistellen Beurteilungen zu übermitteln, in denen die Strafen und Belobigungen genannt sind. Damit wird der berufliche Werdegang des entlassenen Soldaten wesentlich beeinflußt.

Militärgerichtsbarkeit

Gleichzeitig mit der allgemeinen Wehrpflicht wurde auch ein *Zweites Gesetz zur Ergänzung des Strafgesetzbuches – Militärstrafgesetz – vom 24. Januar 1962* beschlossen.[6] Das *Erste Gesetz zur Ergänzung des Strafgesetzbuches vom 11. Dezember 1957* wurde in seinem 3. Teil, *Verbrechen gegen*

---

5 Siehe 5. Kapitel, Die politische Organisation in der NVA

6 *Gesetz zur Ergänzung des Gerichtsverfassungsgesetzes der Deutschen Demokratischen Republik vom 24. 1. 1962* und *Erlaß über die Stellung und Aufgaben der Gerichte für Militärstrafsachen (Militärgerichtsordnung) vom 4. 4. 1963*

Das Recht zum Aussprechen von Belobigungen

Disziplinarvorgesetzte gegenüber:	Unteroffizieren und Mannschaften	Offizieren	Generalen und Admiralen
Gruppenführer Hauptfeldwebel Zugführer	Aussprechen des Dankes Löschen einer früher verhängten Disziplinarstrafe	–	–
Kompaniechef (Batteriechef, Kettenkommandeur, Kommandant eines Bootes)	wie oben	Aussprechen des Dankes Löschen einer früher verhängten Disziplinarstrafe	–
Bataillonskommandeur (Staffelkommandeur, Kommandant eines Schiffes, Chef einer Abteilung von Booten)	wie oben Gewährung von Sonderurlaub bis zu 2 Tagen	wie oben	–
Regimentskommandeur, (Geschwaderkommandeur, Chef einer Schiffsstammabteilung)	wie oben Gewährung von Sonderurlaub bis zu 5 Tagen Auszeichnung mit einer Geld- oder Sachprämie Vorzeitige Beförderung bis zum Stabsgefreiten	wie oben Gewährung von Sonderurlaub bis zu 5 Tagen Auszeichnung mit einer Geld- oder Sachprämie	–
Divisionskommandeur (Flottillenchef)	wie oben Vorzeitige Beförderung bis zum Unteroffizier (Maat)	wie oben	
Chef eines Militärbezirks (Chef eines Teiles der NVA)	wie oben Vorzeitige Beförderung bis zum Oberfeldwebel (Oberwachtmeister, Obermeister)	wie oben	Aussprechen des Dankes Löschen einer früher verhängten Disziplinarstrafe
Minister für Nationale Verteidigung	wie oben	wie oben	wie oben

die militärische Disziplin, zum gleichen Zeitpunkt aufgehoben. Das neue Gesetz gilt für die NVA und alle anderen bewaffneten Organe. Nach ihm werden alle Militärstraftaten abgeurteilt. Wegen Anstiftung und Beihilfe zu einer Militärstraftat können auch Zivilpersonen bestraft werden.

Auch das Militärstrafgesetz entspricht der „kommunistischen Parteilichkeit" und dient der rigorosen Durchsetzung der Ziele der SED in den Streitkräften. Menschliche Rücksichtnahmen sind nicht vorgesehen, wie ja auch die sowjetzonale Gesetzgebung keine Wehrdienstverweigerung aus Gewissens- oder anderen Gründen kennt.

Das Militärstrafgesetz zeichnet sich durch die Androhung drakonischer Strafen aus. Die Wesenszüge der Strafbestimmungen entsprechen dem allgemeinen Strafrecht der Sowjetzone. In „besonders schweren Fällen" kann bereits im Frieden für bestimmte Delikte die Todesstrafe verhängt werden.

Im einzelnen werden folgende Verbrechen bestraft:
- *Fahnenflucht* – Zuchthaus bis zu 8 Jahren, im Verteidigungszustand Todesstrafe;
- *Nichtanzeige der Fahnenflucht* – Gefängnis;
- *Unerlaubte Entfernung* – Strafarrest oder Gefängnis bis zu 3 Jahren, im Verteidigungszustand Zuchthaus bis zu 8 Jahren;
- *Dienstentziehung und Dienstverweigerung* – Gefängnis, im Verteidigungszustand nicht unter 3 Jahren Zuchthaus bzw. Todesstrafe;
- *Feigheit vor dem Feind* – nicht unter 3 Jahren Zuchthaus bzw. Todesstrafe;
- *Befehlsverweigerung* – in leichten Fällen Strafarrest oder Gefängnis, bei Beteiligung von mindestens 2 Personen Zuchthaus von 2–10 Jahren, im Verteidigungszustand kann Todesstrafe verhängt werden (die Verweigerung eines Befehls bleibt straflos, „wenn die Ausführung gegen die anerkannten Normen des Völkerrechts[7] oder gegen Strafgesetze verstoßen würde");
- *Nichtausführung eines Befehls* – in leichten Fällen Strafarrest oder Gefängnis bis zu 3 Jahren, im Verteidigungszustand nicht unter 3 Jahren Zuchthaus;
- *Angriffe auf Vorgesetzte, Wachen oder Streifen* – Gefängnis, bei Beteiligung von mindestens 2 Personen Zuchthaus von 2–8 Jahren bzw. Todesstrafe, im Verteidigungszustand Zuchthaus nicht unter 3 Jahren bzw. Todesstrafe;
- *Verletzung der Vorschriften über den Wachdienst* – Strafarrest oder Gefängnis, im Verteidigungszustand Zuchthaus oder Todesstrafe;
- *Verletzung der Vorschriften des funktechnischen- und Bereitschaftsdienstes* – Strafarrest oder Gefängnis, im Verteidigungszustand Zuchthaus von

---

7 Was „anerkannte Normen" sind, bestimmen, entsprechend der kommunistischen Parteilichkeit, ausschließlich die Kommunisten selbst — und das von Fall zu Fall.

2–8 Jahren, in schweren Fällen Zuchthaus nicht unter 3 Jahren bzw. Todesstrafe;
– *Verletzung der Vorschriften über den Grenzdienst* – in leichten Fällen Strafarrest oder Gefängnis, Zuchthaus bis zu 8 Jahren, wenn „verstärkte Sicherungsmaßnahmen befohlen waren oder der Täter ein verantwortlicher Offizier war".

Ferner werden die Schändung Gefallener und Mißbrauch der Lage Verwundeter sowie die Gewaltanwendung und Plünderung im Kampfgebiet mit Zuchthaus bzw. der Todesstrafe bedroht. (Diese Bestimmung gab es bereits im Militärstrafrecht der Roten Armee im Zweiten Weltkrieg; wie sie beachtet wurde, ist bekannt.)

Im übrigen sind noch folgende Taten unter Strafe gestellt: Beleidigung Vorgesetzter oder Untergebener, Mißbrauch der Dienstbefugnisse und Dienstpflichten, Verletzung des Beschwerderechts, Verletzung militärischer Geheimnisse, Verletzung der Vorschriften über den Flugbetrieb, Beeinträchtigung der Einsatzbereitschaft und der militärischen Ausrüstung, Verletzung der Rechte des Kriegsgefangenen (auch diese Bestimmung gab es schon im Zweiten Weltkrieg), Verletzung der Zeichen des Roten Kreuzes. Im Militärstrafgesetz ist zwar in den §§ 22 bis 25 die Einhaltung eines Teiles der Genfer Rot-Kreuz-Abkommen enthalten, die Soldaten werden aber über die Bestimmungen und das Völkerrecht nicht unterrichtet, so daß sie im Ernstfall nicht wissen können, wie sie sich zu verhalten haben, das heißt, sie werden auf die Auslegungen ihrer fanatisierten Vorgesetzten angewiesen sein.

Die Rechtsprechung in Strafsachen gegen Militärpersonen und gegen Teilnehmer an Straftaten, die gegen die militärische Sicherheit gerichtet sind, wird von *Militärgerichten* ausgeübt. Die Militärgerichte wurden bereits am 24. 1. 1962 ins Leben gerufen, nahmen jedoch ihre Tätigkeit erst am 1. 7. 1963 auf.[8] Sie sind Organe der einheitlichen sowjetzonalen Staatsmacht.

Die Militärrichter des *Obersten Gerichtes der DDR* werden von der Volkskammer, auf Geheiß des ZK der SED, gewählt. Die Militärrichter für die *Militärobergerichte* und *Militärgerichte* werden vom Staatsrat eingesetzt.

Die *Militärschöffen* werden in den Stäben, Truppenteilen, Einheiten und Dienststellen der NVA und in den Verbänden, in denen der Wehrersatzdienst geleistet wird, gewählt. Die als Militärschöffen gewählten Soldaten, Unteroffiziere und Offiziere müssen über „die erforderliche Reife und Lebenserfahrung verfügen (und) ihre militärischen und gesellschaftlichen Pflichten vorbildlich erfüllen", d. h. auch hier werden die Gewählten nur bestätigt, wenn sie das Vertrauen der SED besitzen.

8 *Gesetz zur Ergänzung des Gerichtsverfassungsgesetzes der Deutschen Demokratischen Republik vom 24. 1. 1962*, a. a. O.

Bis zur Bildung der Militärgerichte waren die ordentlichen Gerichte für Verhandlungen von Strafsachen gegen Militärpersonen und gegen Teilnehmer an militärischen Straftaten zuständig.

Die Erfüllung der staatsanwaltschaftlichen Aufgaben in der NVA obliegt der *Militärstaatsanwaltschaft*. Der *Militäroberstaatsanwalt* untersteht dem *Generalstaatsanwalt* der Sowjetzone.

Eine Militärstaatsanwaltschaft gab es bereits 1953 bei der kasernierten Volkspolizei in Form der *VP-Staatsanwälte*. Sie erhoben Anklage bei den ordentlichen Gerichten wegen Delikte, die gegen die Normen des allgemeinen Strafgesetzbuches verstießen.

Auszeichnungen

In der Sowjetzone gibt es zur Zeit 68 staatliche Auszeichnungen: Orden, Medaillen, Preise, Ehrentitel und Leistungsabzeichen. Dazu kommen noch die *Wanderfahnen* der Ministerien und des Ministerrates.

Diese Fülle von Dekorationen und ihre großzügige Verleihung[9] entsprechen dem Brauch auch der anderen kommunistischen Machtbereiche.

Militärische Auszeichnungen, die übrigens zum Teil nicht nur an Soldaten verliehen werden können, sind:
- *Verdienstmedaille der NVA (Gold, Silber, Bronze),*
- *Medaille für treue Dienste in der NVA (Gold nach 15, Silber nach 10, Bronze nach 5 Dienstjahren),*
- *Medaille für vorbildlichen Grenzdienst,*
- *Leistungsabzeichen der NVA (3 Stufen),*
- *Leistungsabzeichen der Grenztruppen,*
- *Schützenschnur (4 Stufen).*

Die Verdienstmedaille der NVA in Gold und die Medaille für treue Dienste in der NVA in Gold kann nur der Minister für Nationale Verteidigung verleihen. Die Stufen in Silber und Bronze beider Auszeichnungen verleihen die Chefs der Militärbezirke und ähnlicher Dienstbereiche.

---

9 Während des Zweiten Weltkrieges wurden in der Sowjetunion 10 940 Personen mit dem höchsten Orden, dem *Goldenen Stern des Helden der Sowjetunion,* ausgezeichnet.

Vergleichsweise wurde die höchste amerikanische Tapferkeitsauszeichnung, die *Ehrenmedaille des Kongresses,* 269 mal in dieser Zeit verliehen; die höchste deutsche Auszeichnung, das *Ritterkreuz des Eisernen Kreuzes* in den verschiedenen Formen, wurde in folgenden Zahlen verliehen: Großkreuz 1, Goldenes Eichenlaub 1, Eichenlaub mit Schwertern und Brillanten 27, Eichenlaub mit Schwertern 150, Eichenlaub 862, Ritterkreuz etwa 6160.

Siehe auch Bild 117 — Tafel mit Orden und anderen Auszeichnungen.

Das Leistungsabzeichen der NVA verleiht der Divisionskommandeur, die Schützenschnur vergibt der Regimentskommandeur oder Gleichgestellte.

Die Medaille für treue Dienste in der NVA, die Medaille für vorbildlichen Grenzdienst und die Schützenschnur können nur an einzelne Personen verliehen werden. Alle anderen Auszeichnungen können auch an militärische Einheiten verliehen bzw. von ihnen erworben werden.

Von den staatlichen Auszeichnungen, die auch an Soldaten verliehen werden, seien genannt:
- *Karl-Marx-Orden,*
- *Vaterländischer Verdienstorden (Gold, Silber, Bronze),*
- *Orden Banner der Arbeit,*
- *Orden Held der Arbeit,*
- *Stern der Völkerfreundschaft,*
- *Nationalpreis (1., 2., 3. Klasse),*
- *Hans-Beimler-Medaille* (Teilnahme am spanischen Bürgerkrieg),
- *Medaille für Teilnahme an den bewaffneten Kämpfen der deutschen Arbeiterklasse in den Jahren 1918–1923,*
- *Medaille für Kämpfer gegen den Faschismus 1933–1945.*
- *Medaille für ausgezeichnete Leistungen in den bewaffneten Organen des Ministeriums des Innern* (früher *in der Deutschen Volkspolizei),*
- *Ehrenzeichen der Deutschen Volkspolizei,*
- *Verdienstmedaille der DDR (Gold, Silber, Bronze),*
- *Verdienstmedaille der Kampfgruppen der Arbeiterklasse,*
- *Medaille verdienter Arzt des Volkes* (auch für Militärärzte),
- *Medaille verdienter Erfinder des Volkes,*
- *Medaille Meister des Sports,*
- *Medaille verdienter Techniker des Volkes,*
- *Wanderfahne des Ministeriums für Nationale Verteidigung.*

Auszeichnungen gesellschaftlicher Organisationen, die auch an Soldaten verliehen werden können, sind:
- *Arthur-Becker-Medaille* (FDJ),
- *Friedensmedaille der FDJ,*
- *Abzeichen für gutes Wissen* (FDJ),
- *Sportabzeichen der Armeesportgemeinschaft „Vorwärts",*
- *Leistungsabzeichen für gute vormilitärische Kenntnisse,* (3 Stufen, GST),
- *Ernst-Schneller-Medaille (Gold, Silber, Bronze – GST),*
- *Ernst-Moritz-Arndt-Medaille* (FDJ).

Jeder NVA-Angehörige kann eine Auszeichnung nur erhalten, wenn die Parteiorganisation keine Einwände erhebt. Selbst bei Leistungsabzeichen muß auch die „politische Würdigung" für den Auszuzeichnenden berücksichtigt werden. Die NVA versucht durch die Vielzahl von Orden, Medaillen, Leistungsabzeichen, Ehrentiteln und Preisen den Ehrgeiz der Soldaten anzustacheln, sie zu höheren Leistungen zu bringen und sie gleichzeitig an das Regime zu binden.

Besoldung

Alle Soldaten der NVA, die auf Grund des Wehrpflichtgesetzes aktiven Wehrdienst leisten, erhalten – gestaffelt nach Dienstgrad – einen monatlichen *Wehrsold*:[10]

- 80 DM-Ost Soldat (Matrose, Flieger),
- 90 DM-Ost Gefreiter (Obermatrose),
- 100 DM-Ost Stabsgefreiter (Stabsmatrose),
- 110 DM-Ost Unteroffizier (Maat),
- 120 DM-Ost Unterfeldwebel (Unterwachtmeister, Obermaat),
- 130 DM-Ost Feldwebel (Wachtmeister, Meister),
- 140 DM-Ost Oberfeldwebel (Oberwachtmeister, Obermeister),
- 150 DM-Ost Stabsfeldwebel (Stabswachtmeister, Stabsobermeister),
- 140 DM-Ost Unterleutnant,
- 160 DM-Ost Leutnant,
- 180 DM-Ost Oberleutnant,
- 200 DM-Ost Hauptmann (Kapitänleutnant),
- 240 DM-Ost Major (Korvettenkapitän),
- 260 DM-Ost Oberstleutnant (Fregattenkapitän),
- 330 DM-Ost Oberst (Kapitän).

Wehrpflichtige, die nach Ableistung ihres 18monatigen Grundwehrdienstes freiwillig als *Soldat auf Zeit* aktiven Wehrdienst leisten, erhalten einmalig 1500 DM-Ost als Übergangsgeld. Die NVA-Führung verspricht sich davon gute Werbeerfolge, zumal sie 40 bis 50 % der Gesamtstärke der Streitkräfte durch Freiwillige decken muß.

Wehrpflichtige, die zur *Reservistenausbildung* oder zu *Reservistenübungen* einberufen werden, erhalten ebenfalls Wehrsold.[11] Studenten erhalten ihre Stipendien, gekürzt um die Höhe des Wehrsoldes.

Die Angehörigen (Ehefrau, Kinder und unterhaltspflichtige Personen im gemeinsamen Haushalt) erhalten für die Dauer des Wehrdienstes nur geringe *Unterhaltszahlungen*:[12] z. B. erwerbsfähige Ehefrauen 100 DM-Ost und für jedes unterhaltsberechtigte Kind 30 DM-Ost.

---

10 *Verordnung über die Besoldung der Wehrpflichtigen für die Dauer des Dienstes in der Nationalen Volksarmee (Besoldungsverordnung) vom 24. Januar 1962.* Hier zitiert nach „Volksarmee", Beilage 3/1962, S. 11–13

11 Siehe 12. Kapitel, Die personellen Reserven der NVA, Seite 228

Soldaten auf Zeit und *Berufssoldaten* erhalten auf die Dauer ihrer Dienstzeit *Dienstbezüge*. Das gleiche gilt für weibliche Angehörige der NVA:

- 300 DM-Ost Soldat (Matrose, Flieger),
- 330 DM-Ost Gefreiter (Obermatrose),
- 360 DM-Ost Stabsgefreiter (Stabsmatrose),
- 375 DM-Ost Unteroffizier (Maat),
- 400 DM-Ost Unteroffizier (Maat) vom 3. Jahr an,
- 425 DM-Ost Unterfeldwebel (Unterwachtmeister, Obermaat),
- 475 DM-Ost Feldwebel (Wachtmeister, Meister),
- 550 DM-Ost Oberfeldwebel (Oberwachtmeister, Obermeister),
- 700 DM-Ost Stabsfeldwebel (Stabswachtmeister, Stabsobermeister),

- 300 DM-Ost Unterleutnant,
- 350 DM-Ost Leutnant,
- 400 DM-Ost Oberleutnant,
- 450 DM-Ost Hauptmann (Kapitänleutnant),
- 600 DM-Ost Major (Korvettenkapitän),
- 700 DM-Ost Oberstleutnant (Fregattenkapitän),
- 800 DM-Ost Oberst (Kapitän),
- 1000 DM-Ost Generalmajor (Konteradmiral),
- 1500 DM-Ost Generalleutnant (Vizeadmiral),
- 2000 DM-Ost Generaloberst (Admiral),
- 3000 DM-Ost Armeegeneral.

Zu diesen Dienstbezügen kommt noch eine *Vergütung für die Dienststellung*. Z. B. erhalten:

- 75 DM-Ost Hauptfeldwebel,
- 550 DM-Ost Kompaniechefs,
- 650 DM-Ost Partei- und FDJ-Sekretäre der Bataillone,
- 800 DM-Ost Partei- und FDJ-Sekretäre der Regimenter und Politstellvertreter der Regimentskommandeure,
- 1000 DM-Ost Regimentskommandeure,
- 2000 DM-Ost Divisionskommandeure.

Zu den Dienstbezügen werden bei besonderen Bedingungen Zulagen sowie für besondere physische und psychische Belastungen während der Ausübung des Dienstes Zuschläge gezahlt. So werden Zuschläge gezahlt: für den Grenzdienst (30 DM-Ost), für Panzerfahrer, Funker, Flieger, Matrosen.

12 *Verordnung über die materielle Sicherstellung von Angehörigen der zum Grundwehrdienst in der Nationalen Volksarmee einberufenen Wehrpflichtigen (Unterhaltsverordnung) vom 24. Januar 1962. Hier zitiert nach* „Volksarmee", *Beilage 3/1962, S. 13–14*

Für das *Dienstalter* gibt es eine Vergütung nach 5,10, 15 und 20 Dienstjahren.

Als *Wohnungsgeld* wird, gestaffelt nach Dienstgrad, von 25 DM-Ost für Mannschaften bis 100 DM-Ost für Generale vergütet.

Die Förderungsverordnung[13] legt Maßnahmen für die *Eingliederung entlassener NVA-Angehöriger* in den zivilen Arbeitsprozeß fest. Sie gilt nur für Soldaten, die „in Ehren" entlassen worden sind.

Das zivile Arbeitsverhältnis der Wehrpflichtigen ruht für die Dauer des Grundwehrdienstes und darf vom Arbeitgeber nicht gekündigt werden. Den entlassenen Wehrpflichtigen soll bei Wiederaufnahme ihrer zivilen Tätigkeit in beruflicher und materieller Hinsicht kein Nachteil entstehen.

Für die Vermittlung einer *Arbeitsstelle an länger dienende Soldaten* sind die Räte der Kreise und Städte bzw. die Räte der Bezirke zuständig. An diese Behörden geht von der NVA eine Beurteilung über die entlassenen Soldaten mit einem Vorschlag, wie die Betreffenden beruflich einzusetzen sind. Damit entscheidet die NVA über den weiteren Lebensweg der entlassenen Soldaten. Wer eine schlechte Abgangsbeurteilung erhält, hat es sehr schwer, eine Stellung zu finden, die seinen Kenntnissen und Fähigkeiten entspricht.

13 *Verordnung über die Förderung der aus dem aktiven Wehrdienst entlassenen Angehörigen der nationalen Volksarmee (Förderungsverordnung) vom 24. Januar 1962.* Hier zitiert nach „Volksarmee", Beilage 3 / 1962, S. 14–18

12. KAPITEL

Die personellen Reserven der NVA

Wie so vieles in der Sowjetzone und ihrer Armee tragen auch die Erfassung und Ausbildung der Reservisten der NVA bisher den Stempel des Provisorischen.

Bis zur Einführung der allgemeinen Wehrpflicht im Januar 1962 gab es keine gesetzlichen Bestimmungen über die Bildung von personellen Reserven für die bewaffneten Kräfte. Die vagen Formulierungen des Verteidigungsgesetzes von 1961 kann man nicht als solche ansehen.

Mit Verkündung des Wehrpflichtgesetzes vom 24. Januar 1962 aber wurde gleichzeitig eine sogenannte *Reservistenordnung*[1] veröffentlicht. Sie soll die Grundlage für die ordnungsmäßige Bildung ausreichender und griffbereiter Reserven sein.

Hiervon konnte bis dahin, trotz der relativ hohen Zahl der in den bewaffneten Kräften kurz- oder langfristig gedienter Männer, nicht gesprochen werden. Im Bedarfsfall hätte nach den bisherigen Verfahren nur ein Teil, noch dazu eine gar nicht festgelegte Auswahl der Ausgebildeten, zur Verfügung gestanden. Zwar erfaßte die militärische Ausbildung nach und nach nicht nur die in den bewaffneten Kräften Dienenden, sondern über die paramilitärischen Verbände – die *Kampfgruppen,* die *Gesellschaft für Sport und Technik (GST)* und die Jugendorganisationen –, auch große Teile der Zivilbevölkerung. Wer im Bedarfsfall als Reservist zur NVA eingezogen werden würde, war jedoch nicht festgelegt. Der Grund hierfür ist, daß vermutlich keine klaren Vorstellungen darüber vorhanden waren, wie der personelle Ersatz und der Weiterausbau im Einzelfalle vor sich gehen sollte.

---

1 *Anordnung des Nationalen Verteidigungsrates der DDR über den Wehrdienst der Reservisten (Reservistenordnung) vom 24. Januar 1962.* Hier zitiert nach „Volksarmee", Beilage 3/1962, S. 9–11

Die alten Reservisten

Es wird hier zunächst zu beschreiben sein, was der NVA an Reservisten aus den vergangenen Jahren, in denen die NVA und ihre Vorläuferin, die KVP (Kasernierte Volkspolizei), als „Freiwilligen"-Armee bestanden, herangewachsen ist und welchen Wert diese für einen Einsatzfall in den nächsten Jahren haben werden. Dabei ist zu berücksichtigen, daß die NVA in der Vergangenheit viele der Entlassenen als unabkömmliches Kaderpersonal für die verschiedensten Organisationen praktisch verloren hat.

Solange die NVA eine „Freiwilligen"-Armee war, sind in jedem Jahr diejenigen Soldaten, die ihre Verpflichtung erfüllt hatten, also 2 oder 3 Jahre in der NVA waren, der „Reserve" zugeflossen, soweit sie sich inzwischen nicht zu einer Fortsetzung ihres aktiven Dienstes entschlossen hatten. Die Zahl der letzteren war nicht gering, da die ständigen Personalsorgen zu intensiven Werbeaktionen Anlaß gaben. Für viele „Freiwillige" hatte die Alternative, in der NVA Offizier oder Unteroffizier sein zu können, anstatt im Zivilleben eventuell erst einmal in einer Landwirtschaftlichen Produktionsgenossenschaft wieder von unten anfangen zu müssen, den Ausschlag für die NVA gegeben. Mit diesem Argument ist sogar mehr oder weniger offen für die Verlängerung der Dienstverpflichtung geworben worden.

Reservistenlehrgänge

Zu den regulär Gedienten kam eine zweite Gruppe von Reservisten, die an kurzfristiger Ausbildung, den sogenannten *Reservistenlehrgängen,* teilgenommen hatten. Sie umfaßten *Grundlehrgänge* und *Wiederholungslehrgänge* und dauerten etwa 4–6 Wochen. Für sie hatte die NVA mehrere Ausbildungsregimenter eingerichtet. In ihnen wurden Ausbildungsprogramme für alle Dienste bzw. Waffengattungen durchgeführt, soweit dafür in kurzfristiger Ausbildung überhaupt Männer heranzubilden sind.

Die wirklich Freiwilligen unter diesen Kurzdienern waren wohl die *Funktionäre der Partei* und Parteiorganisationen, die besonders gefördert wurden, um ihnen militärische Grundkenntnisse zu vermitteln und einen ihrer Parteifunktion möglichst angemessenen militärischen Rang zu geben. Aber auch die *Angehörigen der Staatsverwaltung, der anderen Behörden, der Gerichte und die Wirtschaftsfunktionäre* gehörten zu dieser Gruppe, deren Mitglieder durch die Verleihung eines militärischen Ranges noch enger mit dem Regime verbunden werden sollten.

Eine weitere starke Gruppe unter den Kurzdienern bildeten *Facharbeiter und sonstige Spezialisten,* die einerseits in der Wirtschaft schwer entbehrlich, andererseits im Einsatzfalle bei der Truppe notwendig sind. Für ihre militärische und militärtechnische Ausbildung wurden Spezialeinheiten aufgestellt, um die Betreffenden nicht zu lange der Produktion zu entziehen.

Die zahlenmäßig stärkste Gruppe, die sich für die Kurzausbildung herangezogen sah, waren die *Studenten und Fachschüler* der verschiedensten Anstalten. Soweit es diesen in der Berufsausbildung stehenden jungen Männern gelang, sich den Freiwilligenwerbungen für eine 2–3jährige Dienstzeit in der NVA zu entziehen, war die Kurzausbildung in den Ausbildungstruppenteilen vor Studienbeginn oder in den Ferien Bedingung für die Aufnahme bzw. die Weiterführung ihres Studiums überhaupt. In der Praxis entgingen in den letzten Jahren nur Studenten und Fachschüler mit ernsten körperlichen Mängeln der Ausbildung in der NVA.

Auf die Erfassung und Ausbildung dieser „Intelligenz" wurde besonderer Wert gelegt. Sicherlich spielte eine Rolle, daß alle künftigen Angehörigen führender Schichten frühzeitig auch mit den Streitkräften verbunden werden sollten. Hinzu kam, daß die Ausbildung dieser „Reservisten" in den Augen der kommunistischen Machthaber volkswirtschaftlich am ehesten tragbar schien, weil keine „Produktionskräfte" ausfielen.

Unter den sonstigen Kurzdienern waren besonders zahlreich alle dienstfähigen *Angehörigen gehobener Berufe* zu finden. Hierzu zählten die Vorarbeiter, Werkmeister, Techniker, Lehrer und sonstige, die geeignet erschienen, das erworbene Wissen weiterzugeben oder wenigstens ihren Einfluß zugunsten der militärischen Erfassung aller Dienstfähigen geltend zu machen. In den vor- und nachmilitärischen Ausbildungsorganisationen, den Betrieben bei der Werbung für den Eintritt in die NVA und in den Kampfgruppen war hierfür reichlich Gelegenheit.

Die in der Vergangenheit immer in Personalnot befindliche NVA war zweifellos durch diese Ausbildungsverpflichtungen zusätzlich angespannt. Daher wurden „Reservisten", d. h. Kurzgediente, schon bei ihrem Wiederholungslehrgang als Ausbilder eingesetzt, um den zum Grundlehrgang Einberufenen die militärischen Elementarkenntnisse beizubringen.

Über die Gesamtzahl der nach regulärer Dienstzeit bzw. nach einer Kurzausbildung zu den Reservisten zählenden militärisch Ausgebildeten liegen keine offiziellen Angaben vor. Anfang 1963 dürften es aber rund eine halbe Million gewesen sein. Aus den dargelegten Gründen würde aber im Einsatzfalle nur ein Teil wirklich zur Verfügung stehen.

Die Reservenbildungen von Offizieren und Unteroffizieren waren und sind besondere Probleme.

Da zu Reserveoffizieren vor allem zivile Funktionäre ausgebildet wurden, die im militärischen Bedarfsfalle im zivilen Bereich kaum entbehrlich sein dürften, und da die aus dem aktiven Dienst in den Reservestand versetzten NVA-Offiziere nur gering an Zahl und meist nicht ohne fachliche oder politische Mängel sind, ist das Fehlen an guten Reserveoffizieren ein besonderes Merkmal der NVA.

Auch bei den Unteroffizieren sieht es nicht viel besser aus, weil die Bestausgebildeten – meist Soldaten mit längeren Dienstjahren – mehr oder weniger freiwillig die Kader für die Kampfgruppen und die GST bilden mußten und im Einsatzfalle für Zwecke der NVA nur zum Teil verfügbar sind. Bevor das Wehrpflichtgesetz erlassen wurde, hatten die NVA-Bezirks- und Kreiskommandos begonnen, *Reservistenkollektive* zu bilden, vor allem auch in den Großbetrieben, und *Reservistentreffen* zu veranstalten. Man geht wohl nicht fehl mit der Annahme, daß das der erste Versuch war, einen Überblick über die tatsächlich verfügbaren Reservisten zu erhalten.

Die Reservistenordnung

Das Wehrpflichtgesetz vom 24. 1. 1962, dort der *Vierte Abschnitt,* und die Reservistenordnung vom gleichen Tage regeln nun für die Zukunft die Einzelheiten der künftigen Reservenbildung für die NVA.

Die allgemeine Wehrpflicht der Sowjetzone erstreckt sich auf alle Männer vom 18. bis zum 50. Lebensjahr. Bei Offizieren endet sie erst mit dem 60. Lebensjahr. Die Reservistenordnung bestimmt, daß alle nicht im aktiven Dienst befindlichen Männer dieser Altersgruppen der Reserve der NVA angehören, im Verteidigungsfalle alle Männer bis zum 60. Lebensjahr.

Die Reserve wird in zwei Gruppen eingeteilt:

Gruppe I – Reservisten mit Mannschafts- und Unteroffiziersdienstgraden sowie alle ungedienten Wehrpflichtigen bis zum 35. Lebensjahr, ferner Offiziere bis Hauptmann (Kapitänleutnant), soweit sie das 35. Lebensjahr noch nicht überschritten haben, und Offiziere vom Major (Korvettenkapitän) an aufwärts bis zum 60. Lebensjahr.

Gruppe II – Reservisten mit Mannschafts- und Unteroffiziersdienstgraden sowie alle Ungedienten vom 36. bis 50. Lebensjahr (im Verteidigungsfalle bis zum 60. Lebensjahr), ferner Offiziere bis Hauptmann (Kapitänleutnant) vom 36. bis zum 60. Lebensjahr.

Die Reservistengruppe I umfaßt also die altersmäßig bestgeeigneten Jahrgänge, das sind außerdem z. Z. und auch in nächster Zukunft noch die allein

Bild 117 – Tafel mit Orden und anderen Auszeichnungen

Karl-Marx-Orden

Vaterländischer Verdienstorden

Held der Arbeit

Banner der Arbeit

Nationalpreis

Hervorragender Wissenschaftler des Volkes

Verdienstmedaille der DDR

Clara-Zetkin-Medaille

Hans-Beimler-Medaille

Für Teilnahme an den bewaffneten Kämpfen der deutschen Arbeiterklasse in den Jahren 1918-1923

Kämpfer gegen den Faschismus 1933-1945

Ćišinski-Preis

Heinrich-Greif-Preis

Kunstpreis der DDR

Verdienter Aktivist

Verdienter Arzt des Volkes

Hufeland-Medaille

Verdienter Bergmann der DDR

Meisterhauer

Verdienten Eisenbahner der DDR

Verdienstmedaille der Deutschen Reichsbahn

Verdienter Erfinder

Verdienter Lehrer des Volkes

Dr.-Theodor-Neubauer Medaille

Verdienter Meister
des Sports

Verdienter Techniker
des Volkes

Meisterbauer der
genossenschaftlichen
Produktion

Hervorragender
Genossenschafter

Aktivist des
Siebenjahrplanes

Hervorragende
Jugendbrigade
der DDR

Für ausgezeichnete
Leistungen

Kollektiv der
sozialistischen
Arbeit

Verdienstmedaille
der Nationalen
Volksarmee

Für treue Dienste in der
Nationalen Volksarmee

Leistungsabzeichen der
Nationalen Volksarmee

Medaille für vorbild-
lichen Grenzdienst

Leistungsabzeichen
der Grenztruppen

Für ausgezeichnete Leistungen
in den bewaffneten Organen
des Ministeriums des Innern

Ehrenzeichen der
Deutschen
Volkspolizei

Verdienstmedaille
der Kampfgruppen
der Arbeiterklasse

Treuedienst-
medaille der
Deutschen Post

Für selbstlosen Einsatz
bei der Bekämpfung
von Katastrophen

Rettungsmedaille

voll ausgebildeten Reserven. Sie bildet damit das eigentliche Reservoir für die Kampfverbände der NVA.

Die Reservistengruppe II wird demgegenüber im Einsatzfalle das Personal für die rückwärtigen Verbände und Organisationen bilden. Bei der Bedeutung, die der Versorgung und Sicherung des eigenen Machtbereiches sowie eventuell besetzter Feindgebiete beigemessen wird, ist nicht anzunehmen, daß die Reservistengruppe II etwa vernachlässigt werden wird.

Mit allgemeinen Reserveübungen sollen die militärischen Kenntnisse der Reservisten erhalten und verbessert werden. Die Reservisten werden alle 3–4 Jahre zu einer Reserveübung herangezogen. Ihre Dauer ist für die Reservistengruppe I auf 3 Monate, für die Reservistengruppe II auf 2 Monate begrenzt. Insgesamt dürfen die Reserveübungen der Mannschaften und Unteroffiziere 21 Monate, die der Offiziere 24 Monate nicht überschreiten.

Werden diese Bestimmungen in Zukunft konsequent durchgeführt, so wird sich in den nächsten Jahren das Bild der NVA erheblich ändern. Eine Überschlagsrechnung ergibt, daß in den Einheiten der NVA in Zukunft ständig, der Zahl nach steigend, 5000–10 000 Reservisten mit früherer aktiver Dienstzeit, in der Regel also Unterführer und Offiziere, Dienst tun müßten, sollte jeder Reservist alle 3–4 Jahre 3 Monate lang eine Reserveübung ableisten. Da diese Reservisten nur z. T. in besonderen Lehrgängen ausgebildet werden, ist damit zu rechnen, daß etwa 10 % der Iststärke der meisten Verbände der NVA Reservisten sein werden. Der chronische Unterführermangel würde dadurch sicherlich weniger fühlbar. Behoben werden kann er durch übende Reservisten jedoch nicht, denn der nur kurze Zeit bei der Truppe befindliche Reservist hilft ihr nicht nur, sondern fordert ihr auch Ausbildungsleistungen ab. Die Kader der NVA klagen aber bereits seit eh und je über dienstliche Überforderung.

Die Sowjetzone macht einen deutlichen Unterschied im Reservistenwehrdienst zwischen *Reserveübungen* und der sogenannten *Reservistenausbildung.*

Eine Reserveübung ist ein 2–3monatiger Qualifizierungsdienst der nach einem Grundwehrdienst ausgeschiedenen ehemaligen Soldaten.

Unter Reservistenausbildung versteht man dagegen den Grundwehrdienst der nicht aktiv gedienten Wehrpflichtigen. Das sind also die Angehörigen der Jahrgänge, die nicht mehr zur Ableistung der regulären aktiven Dienstzeit aufgerufen werden und die *Jahrgangsüberhänge,* die sich zwischen Rekrutenbedarf und tatsächlicher Stärke der wehrdienstfähigen Jahrgänge ergeben. Ihre Gesamtzahl ist so beträchtlich, daß die NVA auf Jahre hinaus nicht in der Lage ist, alle diese Wehrpflichtigen im vorgesehenen Maße auszubilden.

Um den Angehörigen dieser beiden Gruppen eine militärische Grundausbildung zu vermitteln, können sie für die Dauer bis zu 3 Monaten zur NVA einberufen werden.

Mit Abschluß der Grundausbildung erhalten die Soldaten einen Dienstgrad der Reserve und unterliegen dann in Zukunft der Ausbildung in Reserveübungen wie die Reservisten mit aktiver, d. h. mindestens 18monatiger Dienstzeit. Die zeitliche Begrenzung des Reservistendienstes steht jedoch mehr oder weniger auf dem Papier. In § 9 der Reservistenordnung haben sich die Sowjetzonenmachthaber noch eine Hintertür gelassen:

> Zur Überprüfung ihrer Kampfbereitschaft kann der Verteidigungsrat außer der Heranziehung zu Ausbildungen und Übungen Reservisten kurzfristig heranziehen.

Die Reservisten in der Sowjetzone werden sich darauf einzurichten haben, daß sie ähnlich wie ihre Leidensgefährten in anderen Satellitenländern im Rahmen von Truppenübungen, Manövern und Mobilmachungsübungen kurzfristig, oft aus den Betrieben oder nachts aus den Betten herausgeholt werden und für Stunden, Tage oder gar Wochen Übungen abzuleisten haben.

Im Rahmen der Reservistenausbildung werden auch *Reserveoffiziere* herangebildet. Für die dafür vorgesehenen Wehrpflichtigen dauert die Reservistenausbildung bis zu 6 Monaten im Jahr. In der Reservistenordnung ist ausdrücklich festgelegt, daß ganz bestimmte Personengruppen für diese Art der Ausbildung vorrangig heranzuziehen sind:
– ehemalige aktive Unteroffiziere,
– Unteroffiziere der Reserve nach mehreren Reserveübungen,
– Soldaten und Unteroffiziere der Reserve nach Hoch- oder Fachschulexamen,
– Partei-, Staats- oder Wirtschaftsfunktionäre.
Dieser Kreis umfaßt also sowohl Reservisten, die zuvor aktiv gedient haben, als auch solche, die ihre Grundausbildung in der sogenannten Reservistenausbildung erhielten.

Wichtiger noch ist die *soziale Schichtung der Reserveoffiziersanwärter*. Wie schon früher die Praxis der Reserveoffiziersausbildung ergab, waren es ganz bestimmte „staatstragende" Personenkreise, die das Regime zu Reserveoffizieren herangebildet haben will. Das wird im Grundsatz so bleiben. Als Hinweis hierauf ist die Ziffer 6 des § 7 der Anordnung zu werten. Danach können im Verteidigungszustand Reservisten sofort in Offiziersdienststellungen ernannt werden, „wenn sie aufgrund ihrer beruflichen Tätigkeit oder sonstiger Qualifikationen die fachliche und persönliche Eignung für eine Offiziersdienststellung besitzen".

Das Reserveoffizierskorps der NVA wird dadurch zwar in seiner Zusammensetzung heterogen, aber nicht nach Gesichtspunkten der Erfassung und Förderung besonders qualifizierter Soldaten gebildet sein. Dem System des kommunistischen Staates angepaßt, ist das Reserveoffizierskorps eine Mischung aus

– Meistern des militärischen Handwerks = den ehemaligen aktiven Unteroffizieren und Offizieren.

– militärisch geschulten Intelligenzlern = den militärisch ausgebildeten Akademikern,

– militärisch ausgebildeten allgemeinen Führungskräften = den Funktionären aus Staat und Wirtschaft,

– politischen Kontrollorganen = den militärisch ausgebildeten oder unausgebildeten Parteikadern.

Der militärische Wert des Reserveoffizierskorps für die NVA wird begrenzt bleiben.

Die Reservistenausbildung, also der Ersatzdienst der nicht zum aktiven Dienst einberufenen Dienstpflichtigen, wird auch in Zukunft – wie früher die Ausbildung der Kurzdiener – in den Ausbildungseinheiten der NVA durchgeführt. Aktiv Gediente werden z. T. in die aktiven Verbände zu Übungen einberufen, z. T. auch bei den Ausbildungseinheiten dienen müssen.

Die *Reserveoffiziersanwärter* erhalten ihre Ausbildung in besonderen Lehrgängen an den Offiziersschulen der NVA. *Reserveoffiziere* üben in den stehenden Verbänden der NVA.

Die bestehenden Ausbildungseinheiten, deren Kern die 3 Ausbildungsregimenter der NVA sowie einige Spezialeinheiten bilden, können nur ein zahlenmäßig begrenztes Kontingent von Wehrpflichtigen ausbilden; günstigenfalls 40 000 Mann im Jahr. Da bei einer Einwohnerzahl von 17 Millionen Menschen nach dem Wehrgesetz allein Hunderttausende von Männern jährlich zu Reservistenausbildung und -übungen zur Verfügung stehen, sind vom personellen Potential her der Reservenausbildung keine Grenzen gesetzt. Unüberschreitbare Schranken setzt die gegenwärtige Größe der NVA.

Jede *Beförderung* eines Reservisten setzt voraus, daß bei einer Übung die erforderliche Qualifikation für die künftig vorgesehene Dienststellung – und den damit verbundenen Dienstgrad – erworben wurde.

Unteroffiziere der Reserve können, nachdem sie mit „ausgezeichneten Leistungen" an 2 Übungen in gleicher Dienststellung teilgenommen haben und bereits den höchsten Dienstgrad für diese Dienststellung besitzen, zum nächsthöheren Unteroffiziersdienstgrad befördert werden.

Die *Beförderung der Offiziere* ist an keine bestimmten Bedingungen – abgesehen von der grundsätzlich geforderten Qualifikation für den nächsthöheren Dienstgrad – und auch an keine besonderen Fristen gebunden. Nach der Reservistenordnung soll sie in der Regel nach Abschluß einer Übung erfolgen.

Zu Majoren und höheren Dienstgraden der Reserve sollen nur Reserveoffiziere auf Grund besonderer Erfahrungen und Fähigkeiten befördert werden. Da Reserveoffiziere hoher Dienstgrade mehr für Aufgaben außerhalb der NVA als für Zwecke der Truppenführung herangebildet werden, treten die militärischen Qualifikationen gegenüber den politischen zurück. In dieser Gruppe der Reserveoffiziere werden deshalb zahlreiche höhere Politoffiziere und die Kommandeure der Kampfgruppen zu finden sein, Truppenpraktiker dagegen kaum.

Aus dem aktiven Dienst entlassene, zur Reserve überstellte Offiziere werden kaum weitere Beförderungschancen haben; es sei denn, ihre Entlassung erfolgte nicht, weil die NVA sie los sein wollte, sondern weil der Betreffende ein hohes Amt außerhalb der NVA übernommen hatte.

Die Besoldung

Den Angehörigen der NVA-Reserve werden besondere Verpflichtungen auferlegt, aber auch besondere Rechte eingeräumt. Zu den Verpflichtungen gehört — neben Meldepflichten — insbesondere die Mitarbeit in den Kampfgruppen und der Gesellschaft für Sport und Technik.

Die besonderen Rechte sind zum Teil beachtlich. Grundsätzlich dürfen dem Reservisten durch seine Teilnahme an der Ausbildung oder einer Übung keinerlei Nachteile entstehen. Unteroffiziere mit mehr als 10 aktiven Dienstjahren und alle Reserveoffiziere haben das Recht, bei besonderen festlichen Anlässen Uniform zu tragen. Offiziere, deren Zugehörigkeit zur Reserve beendet ist, behalten ihren Dienstgrad mit dem Zusatz (a. D.). Sie haben die gleichen Rechte wie die Reserveoffiziere.

Die wirtschaftliche Sicherstellung der Reservisten ist in der *Besoldungsverordnung*[2] geregelt. Betriebe, Genossenschaften usw. haben dem eingezogenen Reservisten seine letzten Bezüge abzüglich 20 % weiterzuzahlen. Dazu erhält der Reservist einen Wehrsold je nach seinem Dienstgrad zwischen 80.– und 350.– DM-Ost. Im Durchschnitt entsteht dadurch bei niemandem ein Verlust. Beachtlich ist, daß so ein beträchtlicher Teil der Wehrausgaben, nämlich 80 % der Normalgehälter und Löhne der Eingezogenen, auf die Wirtschaft verlagert wird. Die Höhe der so auf die Wirtschaft verlagerten militärischen Ausgaben dürfte – als „indirekte Militärsteuer" – im Jahre weit über 50 Millionen DM-Ost ausmachen.

2 *Verordnung über die Besoldung der Wehrpflichtigen für die Dauer des Dienstes in der Nationalen Volksarmee (Besoldungsverordnung) vom 24. Januar 1962.* Hier zitiert nach „Volksarmee", Beilage 3/1962, S. 11–13

Zusammenfassung

Durch die Anfang 1962 erlassenen Bestimmungen ist die Grundlage für den Aufbau ausreichender Reserven geschaffen. Darüber hinaus besteht nun auch eine gesetzliche Handhabe für die totale Militarisierung der Bevölkerung der Sowjetzone. Die Gesetzesbestimmungen gehen weit über die Bedürfnisse einer Streitkraft in jetziger Größe hinaus. Daher werden auch weiter die Kampfgruppen und die GST herangezogen werden.

Sicherlich versprechen sich die kommunistischen Machthaber von der allgemeinen Wehrpflicht und der Bildung der Reserven neue Impulse für die Arbeit in den zusätzlichen militärischen Instrumenten des SED-Staates – wie in den Kampfgruppen, der Gesellschaft für Sport und Technik und schließlich auch der FDJ.

Ab 1962 werden nunmehr systematisch die Grundlagen für eine zweckentsprechende Übersicht, Verwaltung und Einsatz des kriegsdienstfähigen Menschenpotentials geschaffen. Die *Wehrbezirks-* und *Wehrkreiskommandos* sind die zuständigen Behörden für die Erfassung der Wehrpflichtigen und die Anordnung der Dienstleistungen.

Seit 1960 laufen bereits Vorbereitungen für die Durchführung dieser Maßnahmen. Sogenannte *Kreiskommissionen für sozialistische Wehrerziehung* unterstützen dabei die Wehrkreiskommandos.

Es ist anzunehmen, daß nun für eine Mobilmachungsplanung auf personellem Gebiet geeignete Grundlagen geschaffen sind. Damit wären die Voraussetzungen dafür da, daß die Sowjetzone ihren Streitkräften für den Einsatzfall den personellen Rückhalt zu geben vermag, über den die anderen Sowjetblockländer schon seit Jahren verfügen. Erst dann kann sie als ein den anderen Satelliten gleichwertiger Partner im Rahmen des Warschauer Paktes gelten. Auf dem Wege dazu ist sie.

Biographische Notizen

Die 50 nachfolgenden Namen höchster Offiziere und Funktionäre sind für den sowjetzonalen Militäraufbau repräsentativ, enthalten aber nicht die gesamte höhere Führung, nicht etwa die gesamte Generalität der NVA. Deutlich zeigen sich zwei Gruppen:

Die kleinere Gruppe der ehemaligen Offiziere der deutschen Wehrmacht, die alle über die sowjetische Gefangenschaft und nach entsprechender „Umschulung" auf sowjetischen Polit- und Militärschulen vornehmlich in der Phase des Aufbaus der kommunistischen Streitkräfte in Mitteldeutschland herangezogen wurden,

und die große und entscheidende Gruppe der Parteifunktionäre, die entweder als Altkommunisten – mit militärischen Erfahrungen im Spanischen Bürgerkrieg 1936/1939 und im Partisanenkampf im Zweiten Weltkrieg auf sowjetischer Seite – oder als junge Apparatschiks schnell avancierten, nachdem sie auf sowjetischen Militärschulen eine entsprechende Ausbildung erhalten hatten.

Biographische Notizen über die ehemaligen Wehrmachtsoffiziere, insbesondere über die ehemaligen Generale, die bei der sowjetzonalen Aufrüstung mitwirkten, zusammenzutragen, war für den Verfasser verhältnismäßig leicht. Ihre Lebensläufe, soweit sie sich auf die Zeit bis zum Schluß des Zweiten Weltkrieges erstrecken, sind im Westen bekannt. Auch über ihr Verhalten in der sowjetischen Gefangenschaft gibt es, wenigstens in groben Zügen, genügend Zeugnisse. Was ihre Mitwirkung beim Aufbau der sowjetzonalen Streitkräfte betrifft, so war der Verfasser hier wie bei allen anderen Personen im wesentlichen auf die Darstellungen und – meist nebensächlichen – Meldungen von sowjetzonaler Seite angewiesen.

Mit den ehemaligen Wehrmachtsoffizieren hatte und hat die sowjetzonale Publizistik es nicht einfach. Einmal mußte behauptet werden: „Keine Hitleroffiziere in den Streitkräften des ersten Arbeiter-und-Bauern-Staates auf deutschem Boden!" Zum anderen aber sollten die scheinbar prominenten Namen der „Ehemaligen" herhalten, um andere ehemalige Berufsoffiziere, die über die so notwendigen militärischen Erfahrungen verfügten, für den militärischen Aufbau zu gewinnen. So finden sich denn genügend sowjetzonale Veröffentlichungen über diejenigen, die in den neuen kommunistischen Streitkräften als „Ehemalige" zum Teil hohe Ränge einnahmen – besonders in den Organen der National-Demokratischen Partei Deutschland (NDPD), die sich seit ihrer Gründung im Sommer 1948 erklärungsgemäß an den „Mittelstand, die ehemaligen Mitglieder der NSDAP, die Berufssoldaten und Offiziere" wendet.

Daß die „Ehemaligen" ab 1956 mehr und mehr aus den sowjetzonalen Militärdiensten verschwanden, ist – angesichts des Mangels an Führungskräften in der NVA – zum großen Teil einfach mit der Erreichung der Altersgrenze zu erklären. Die meisten von ihnen – auch diejenigen, die nicht zum Aufbau der Volksarmee herangezogen worden waren – dienen dem Regime in der im Januar 1958 gegründeten *Arbeitsgemeinschaft ehemaliger Offiziere (AeO)* weiter. Dort sollen sie

> a) diejenigen ehemaligen Offiziere in der Deutschen Demokratischen Republik organisatorisch erfassen, die fähig und bereit sind, der Vorbereitung des neuen Krieges in Westdeutschland durch Wort und Schrift, in Presse und Rundfunk sachlich und entschieden entgegenzutreten;
> b) historische Forschungen über bestimmte Probleme des zweiten Weltkrieges veröffentlichen, um die zahlreichen Geschichtsfälschungen zu widerlegen und die Ursachen und den Verlauf des zweiten Weltkrieges wahrheitsgetreu darzustellen;
> c) die Offiziere und Soldaten in der Bundesrepublik von den Aufgaben und dem friedlichen Charakter und der militärischen Überlegenheit der Armeen der sozialistischen Staaten überzeugen [1].

Die AeO ist also keine Interessenvertretung der „Ehemaligen", sondern ein Instrument der Kommunisten.

Aber auch außerhalb der AeO sind einige „Ehemalige" durchaus noch aktiv. Der jetzt 71jährige ehemalige Generalmajor der deutschen Wehrmacht und „Junker" von Lenski war auch nach seiner Verabschiedung als Generalmajor der NVA noch Angehöriger des *Militärrates* der Zonenregierung und ist Erster Vorsitzender der *Olympia-Kommission für Reitsport* in der Sowjetzone. Der jetzt 72jährige ehemalige Generalmajor der deutschen Wehrmacht und spätere Generalmajor der NVA Walter Freytag erhielt noch 1962 „als Zeichen der Anerkennung hervorragender Verdienste beim Aufbau des So-

---

1 *Statut der AeO*, „Mitteilungsblatt der Arbeitsgemeinschaft ehemaliger Offiziere", Ost-Berlin, Nr. 1/1958

zialismus und bei der Fertigung und Stärkung der DDR" den Vaterländischen Verdienstorden in Bronze. Dabei war für die sowjetzonalen Machthaber kein Hindernisgrund, daß Freytag sich am 15. 10. 1944 als Kommandant der Festung Danzig und „Gerichtsherr einer der größten Kriegsgerichte mit manchmal wöchentlich 6-8 Todesurteilen gegen Fälle der Volksliste III", also gegen Polen, in einem persönlichen Schreiben an den Chef des Heerespersonalamtes zur Beförderung zum Generalleutnant empfohlen hatte (übrigens vergeblich).

Auch heute noch sind einige frühere Offiziere der deutschen Wehrmacht in leitenden Positionen in der NVA. Kommandeur der Militärakademie „Friedrich Engels", in Dresden war 1963 der jetzige Generalmajor der NVA und frühere Major der deutschen Wehrmacht Heinrich Heitsch. Der Fabrikantensohn und frühere Major der deutschen Wehrmacht Bernhard Bechler ist, im Range eines Generalmajors der NVA, Leiter der Abteilung Operation und Taktik auf dieser „ersten sozialistischen Militärakademie Deutschlands". Seit Jahren ist Stabschef im NVA/Kommando Grenze der ehemalige Berufsoffizier in der deutschen Wehrmacht und jetzige Generalmajor der NVA Helmut Borufka.

Es ist anzunehmen, daß diese „Ehemaligen" in der NVA völlig mit der kommunistischen Herrschaftsschicht verschmolzen sind, als „Fachkräfte" ihr Bestes zu geben versuchen und sich also arrangiert haben — wenn auch der Prominenteste von ihnen, der Generalleutnant Vincenz Müller, 1958 Selbstmord verübte.

Der Hinweis auf die frühere oder jetzige Tätigkeit ehemaliger Wehrmachtsoffiziere in der NVA ist notwendig, nachdem die kommunistischen Machthaber in der großen Öffentlichkeit gern nur eine andere Seite des Offizierskorps der NVA herausstellen:

> An der Spitze der Nationalen Volksarmee steht ein Offizierskorps, das sich zu 85 % aus früheren Industrie- und Landarbeitern zusammensetzt. Von den Generalen und Admiralen der Nationalen Volksarmee verteidigten 8 die spanische Republik in den internationalen Brigaden, 7 wurden wegen ihres aufopfernden Kampfes gegen den Hitlerfaschismus in Zuchthäuser und Konzentrationslager geschickt und 14 bewährten sich während des 2. Weltkrieges in verschiedenen Ländern als Widerstandskämpfer gegen den Faschismus [2].

Die bewährten Kommunisten in der NVA-Führung, die in der Vergangenheit angeblich niemals mit der Parteilinie in Konflikt geraten waren, werden häufig als Vorbild herausgestellt. Ihre Lebensläufe finden sich bei besonderen Anlässen auch in den Zeitungen und Zeitschriften der Volksarmee. Ein Veteran wie der NVA-General a. D. Sepp Gutsche berichtet dann stolz

---

2 *Im Dienste der Nation — Aus der Festansprache des Ministers für Nationale Verteidigung, Genossen Armeegeneral Heinz Hoffmann, anläßlich des VI. Jahrestages der Nationalen Volksarmee.* „Volksarmee", Beilage 4/1962, Seite 8

aus den Jahren 1918/1921, als er als deutscher „Rotgardist" im russischen Bürgerkrieg an der Seite der Bolschewiken gegen die „Weißgardisten" kämpfte.

Besonders gerühmt werden die ehemaligen Teilnehmer des Spanischen Bürgerkrieges 1936/1939, die Angehörigen der Internationalen Brigaden. Natürlich dürfen sie nichts davon sagen, daß viele ihrer Kameraden, soweit sie damals als Nichtkommunisten sich der Moskauer Linie nicht fügen wollten, von Spezialkommandos der sowjetischen Geheimpolizei (mit ihnen arbeitete auch Ulbricht zusammen) noch auf spanischem Boden liquidiert wurden. Ebenso wird verschwiegen, daß der geschlagene Rest der Internationalen Brigaden in der anschließenden sowjetischen Emigration noch einmal eine „fürchterliche Musterung" Stalins über sich ergehen lassen mußte. Auch das As der Interbrigadisten, der legendäre „General Gomez" des Spanischen Bürgerkrieges, Wilhelm Zaisser, wird nicht mehr erwähnt, nachdem er am 17. Juni 1953 als Minister für Staatssicherheit eine „defätische Haltung" gegenüber dem Volksaufstand eingenommen haben soll.

Biographien kommunistischer Funktionäre sind immer voller Lücken, so wird auch eine Tatsache im Leben des früheren Verteidigungsministers, Armeegenerals Stoph, der heute praktisch Regierungschef der Sowjetzone ist, von der sowjetzonalen Publizistik ängstlich verschwiegen: Als der „illegale Widerstandskämpfer in der Nazizeit" 1937 in der deutschen Wehrmacht Soldat geworden war, schrieb er in einer Zeitung der Hitlerschen „Deutschen Arbeitsfront" einen begeisterten Erlebnisbericht. Überschrift: „Vom Bauplatz zum Kasernenhof – von Willi Stoph, Maurer." Darin hieß es unter anderem: „Wer einmal beim Kommiß war und ein Manöver mitgemacht hat, der weiß, was wahre Volksgemeinschaft ist." Und: „Ein Erlebnis von bleibendem Wert war die Geburtstagsparade vor dem Führer."

Es gibt sicher belastendere Fakten in den Lebensläufen kommunistischer Generalsfunktionäre, von denen einige auch in der NVA außerhalb ihres engen Dienstbereiches so gut wie unbekannt sind, nachdem ihre Vergangenheit im Dunkeln gehalten wird. Der Inhaber einer so wichtigen Stellung wie der Leiter der Abteilung Sicherheit des ZK, Generalmajor der NVA Walter Borning, wird nirgendwo abgebildet. Der „Mitarbeiter des ZK" Konteradmiral Bruno Wansierski scheint ebenfalls das Licht der Öffentlichkeit nicht vertragen zu können. Das gilt auch für die Inhaber von Generalsrängen im Staatssicherheitsdienst. Der Minister für Staatssicherheit selbst, Generaloberst Mielke, ist zwar in der westlichen Öffentlichkeit hinreichend bekannt: Er ist der Mörder zweier Polizeihauptleute in Berlin 1931 und der Henker des in Moskau 1938 in Ungnade gefallenen Komintern-Strategen Willi Münzenberg. Mielkes Erster Stellvertreter, der Generalleutnant Otto Walter, dagegen scheint – ebenso wie der Stellvertreter des Innenministeriums für die bewaffneten Kräfte des MdI, Generalleutnant Willi Seifert – zur Gruppe jener zu gehören, die mit ihren Lebensdaten im Hintergrund zu bleiben haben, damit sie von den Machthabern je nach Bedarf heute in der und morgen in einer anderen Funktion – unbelastet durch ein in der Öffentlichkeit umgehendes Persönlichkeitsbild – verwendet werden können.

Bei aller Unvollständigkeit zeigen die nachstehenden Biographien dennoch, welcher Art die Menschen sind, die im Aufbau der sowjetzonalen bewaffneten Kräfte einen wichtigen Platz einnehmen. Welchen Offizierstyp die Kommunisten in Zukunft haben wollen, ist im 10. Kapitel, Die Ausbildung der Kader, nachzulesen.

Abkürzungen

Abt.	Abteilung	HVA	Hauptverwaltung
a. D.	außer Dienst		Ausbildung
AeO	Arbeitsgemeinschaft ehemaliger Offiziere	HVDVP	Hauptverwaltung der Deutschen
A. K.	Armeekorps		Volkspolizei
AOK	Armeeoberkommando	illeg.	illegal
		Inf.	Infanterie
Armeegen.	Armeegeneral	Inf.-Div.	Infanteriedivision
Art.-Rgt.	Artillerieregiment	Insp.	Inspekteur bzw.
BDO	Bund Deutscher Offiziere		Inspektion
		Int. Brig.	Internationale
Btl.	Bataillon		Brigade
Chef-Insp.	Chefinspekteur	Kdr.	Kommandeur
CSSR	Tschechoslowakische Republik	KJV	Kommunistischer Jugendverband
DGP	Deutsche Grenzpolizei	KJVD	Kommunistischer Jugendverband Deutschlands
Div.	Division		
Fachverw.	Fachverwaltung	Komintern	Kommunistische
FDJ	Freie Deutsche Jugend		Internationale
		KP	Kommunistische
Feldart.-Rgt.	Feldartillerieregiment		Partei
		Kp.	Kompanie
geb.	geboren	KPC	Kommunistische
Gen.-Feldmarschall	Generalfeldmarschall		Partei der Tschechoslowakei
Gen.-Lt.	Generalleutnant	KPD	Kommunistische
Gen.-Maj.	Generalmajor		Partei Deutschlands
Gen.-Oberst	Generaloberst	KVP	Kasernierte Volkspolizei
Gen.-Sekr.	Generalsekretär		
Gen.-Stab	Generalstab	KZ	Konzentrationslager
Gren.-Rgt.	Grenadierregiment	LBdVP	Landesbehörde der Volkspolizei
GST	Gesellschaft für Sport und Technik	Ltn.	Leutnant
HA	Hauptabteilung	Ltr.	Leiter
Hauptabt.	Hauptabteilung	Maj.	Major
Hauptverw.	Hauptverwaltung	MdI	Ministerium des
HV	Hauptverwaltung		Innern

Mech.-Bereitschaft	Mechanisierte Bereitschaft (vergleichbar: Motorisierte Schützendivision)	Stellv.	Stellvertreter
		SU	Sowjetunion
		Verw.	Verwaltung
		Vors.	Vorsitzender
MfNV	Ministerium für Nationale Verteidigung	VP	Volkspolizei
		VPS	Volkspolizeischule
MfS	Ministerium für Staatssicherheit	ZK	Zentralkomitee der SED
Minister d. I.	Minister des Innern		
Minister f. N. V.	Minister für Nationale Verteidigung		
Minister f. S.	Minister für Staatssicherheit		
Mot. Schtz.-Div.	Motorisierte Schützendivision		
Nat. Front	Nationale Front		
NDPD	National-Demokratische Partei Deutschlands		
NKFD	Nationalkomitee „Freies Deutschland"		
NSDAP	Nationalsozialistische Deutsche Arbeiterpartei		
Oberlt.	Oberleutnant		
Oberstlt.	Oberstleutnant		
OKW	Oberkommando der Wehrmacht		
Politverw.	Politverwaltung		
Pz.	Panzer		
Pz.-Art.-Rgt.	Panzerartillerieregiment		
Pz.-Div.	Panzerdivision		
Rgt.	Regiment		
Rückw. Dienste	Rückwärtige Dienste		
SA	Sturmabteilung (nationalistische Parteitruppe)		
SBZ	Sowjetische Besatzungszone		
SED	Sozialistische Einheispartei Deutschlands		
Sekr.	Sekretär		
Span. Bürgerkrieg	Spanischer Bürgerkrieg		
SPD	Sozialdemokratische Partei Deutschlands		
Sportintern.	Sportinternationale		
SSD	Staatssicherheitsdienst		
Staatl.	Staatlich		
stellv.	stellvertretend		

Adam, Wilhelm — geb. 28. 3. 1893 in Eichen als Sohn eines Bauern. Besuch eines Lehrerseminars in Schlüchtern/Hessen.

1. 10. 1913 als Einjährig-Freiwilliger in das Inf.-Rgt. 88, Mainz. 1915 Ltn. der Reserve. 31. 1. 1919 Entlassung aus dem Heer. Anschließend bis 1929 Volksschullehrer in Langenselbold/Hessen. 1919/29 Mitglied des Militärvereins Langenselbold. 1923/24 Mitglied der NSDAP. 1922/24 Studium an der Universität Frankfurt/M. 1926/29 Mitglied der Deutschen Volkspartei. Ab 1929 Oberfachschullehrer in der Heeresfachschule in Weimar. 1933 Referent für weltanschauliche Schulung beim Stab der Standarte 94 der SA, Weimar. 1934 als Hauptmann reaktiviert. 1938 Lehrer an der Inf.-Schule Döberitz. 1942 Oberst und Adjutant von General Paulus (Oberbefehlshaber der 6. Armee). 31. 1. 1943 bei Stalingrad in Kriegsgefangenschaft. 1944 Mitglied des NKFD.

1948 Rückkehr nach Deutschland. Mitarbeiter des sächsischen Volksbildungsministeriums. Ltr. der sächsischen Landesfinanzdirektion. 1949/52 1. Vors. des Landesverbandes Sachsen der NDPD. 1950/52 Finanzminister des Landes Sachsen. 1952/58 Oberst der KVP/NVA. 1952/56 Ltr. der KVP-Schule Dresden I. Seit 1958 im Ruhestand. Mitglied der AeO. Autor des Verlages des MfNV (Deutscher Militärverlag).

Allenstein, Walter — geb. 1908 in Berlin, Abitur.

War nie Soldat, wurde als Gen.-Maj. in die KVP für spezielle Verwaltungsaufgaben eingestellt. 1952 Ltr. der Hauptabt. Finanzen im MdI. Seit 1953 Ltr. der Verw. Rückw. Dienste im MdI bzw. Chef der Verw. Rückw. Dienste im MfNV. Seit 1962 Stellv. des Ministers f. N. V. 1963 Gen.-Lt.

Bamler, Rudolf — geb. 6. 5. 1896 in Osterburg/Ostpr. als Sohn eines Arztes, Abitur, Berufsoffizier.

12. 3. 1914 Fahnenjunker im Feldart.-Rgt. 59, Köln. 20. 6. 1918 Oberltn. Übernahme in die Reichswehr. 1. 11. 1927 Hauptmann. 24. 5. 1938 Abteilungschef III (Spionage-Abwehr) im Amt Ausland/Abwehr (Canaris) des OKW. 1. 3. 1939 Oberst. 12. 9. 1939 Chef des Gen.-Stabes Militärbefehlshaber Danzig-Westpreußen. 25. 11. 1940 Chef des Gen.-Stabes XXXXVII. A. K. 1. 4. 1942 Gen.-Maj. 15. 5. 1942 Chef des Gen.-Stabes A. O. K. Norwegen. 1. 4. 1943 Gen.-Ltn. 1. 6. 1944 bis 27. 6. 1944 Kdr. der 12. Inf.-Div. 27. 6. 1944 in Mogilew in sowjetische Kriegsgefangenschaft. Bespitzelte den ebenfalls in Kriegsgefangenschaft geratenen Kommandanten des festen Platzes Mogilew, Gen.-Maj. Gottfried von Erdmannsdorf: Von Erdmannsdorf wurde in Mogilew öffentlich hingerichtet. 1946/47 Besuch einer Antifa-Schule.

April 1950 Rückkehr nach Deutschland. 1951 Chefinspekteur und Leiter der Volkspolizeischule Glöwen, Lehrgang in der SU. 1952 Gen.-Maj. der KVP, Leiter der Schule für technische Offiziere (Sturmgeschütze), Standortältester in Erfurt. Ab 1959 Tätigkeit für das Ministerium für Staatssicherheit.

Bechler, Bernhard — geb. 9. 2. 1911 in Grün bei Lengenfeld/Vogtland als Sohn eines Fabrikanten, Abitur, Berufsoffizier.

Januar 1943 als Major und Btl.-Kdr. bei Stalingrad in Gefangenschaft. Antifa-Schule, Mitglied des NKFD, Frontbevollmächtigter.

1945 Rückkehr nach Deutschland, Juni 1945 Vizepräsident der Provinzialverw. 1946/48 Innenminister des Landes Brandenburg. 1949/50 Militärakademie Priwolsk bei Saratow. 1950 Chef-Insp. der VP, 1952 stellv. Chef des Hauptstabes der KVP/NVA. 1956 Gen.-Maj. der NVA, 1958 militärischer Lehrgang in der SU. 1962 Ltr. der Abt. Operation und Taktik auf der Militärakademie „Friedrich Engels" in Dresden.

Blechschmidt, Paul — geb. 20. 12. 1907, Oberschule, Lehrerberuf.

1936/38 im Span. Bürgerkrieg in den Int. Brig., anschließend in der SU. Im 2. Weltkrieg Spionage für die SU in Deutschland.

1945 Landrat in der Sowjetzone. 1950 Inspekteur der VP. Ab 1951 wesentlich am Aufbau der Seestreitkräfte beteiligt. 1951/54 Ltr. der HA Versorgung für die Seestreitkräfte. 1956 Gen.-Maj. 1957/60

Ltr. der Kadettenanstalt Naumburg/Saale. Nach deren Auflösung Politstellvertreter auf der Militärakademie „Friedrich Engels" in Dresden. Dezember 1961 tödlich verunglückt.

Bleck, Martin – Mittelschule, Landwirt.
Sowjetische Kriegsgefangenschaft, Antifa-Schule.
1946 Volkspolizist in Wismar. 1947 Revier-Ltr. der VP im Range eines Hauptwachtmeisters in Sternberg. 1948 KVP. 1950/51 Militärakademie in der SU. 1952 Div.-Kdr. in Magdeburg. Seit 1958 Chef des Militärbezirks V, Neubrandenburg. 1959 Gen.-Maj.

Borufka, Helmut – geb. 26. 10. 1918 in Tannewald/Gablonz als Sohn eines Werkmeisters, höhere Schule, Volksschullehrer.
1939 Gefreiter. 18. 1. 1943 als Leutnant in einem Pz.-Grenadier-Rgt. bei Stalingrad in Gefangenschaft. Antifa-Schule, Mitglied des NKFD.
Juli 1949 Rückkehr nach Deutschland. Hauptmann der VP. 1950 Chef-Insp. der VP und Ltr. der Abt. Ausbildung der HVA. 1951/52 Militärakademie Priwolsk bei Saratow in der SU. Dezember 1952 Gen.-Maj. Seit 1957 Chef des Stabes der Deutschen Grenzpolizei bzw. Chef des Stabes der NVA/Kommando Grenze in Pätz bei Königswusterhausen.

Breitfeld, Walter – geb. 5. 12. 1903 in Meinersdorf/Erzgebirge als Sohn eines Fabrikarbeiters. Volksschulbesuch, Strumpfwirker.
1921 sozialistische Arbeiterjugend. 1923 Gründer des KJV in Meinersdorf. 1923 KPD. 1934 emigriert nach Prag, in Abwesenheit zu 10 Jahren Zuchthaus verurteilt. 1937/38 im Span. Bürgerkrieg Polit-Kommissar im Thälmann-Btl. der Int. Brigaden. 1939 Internierung in Frankreich und Mitwirkung in der französischen KP-Widerstandsbewegung. Rückkehr nach Deutschland.
1945 Wiederaufbau der KPD in Meinersdorf. 1. Sekretär der Kreisleitung Zwickau der KPD/SED. 1949 Eintritt in die VP. Stellv. Ltr. der Polit-Abt. der LBdVP Dresden, Ltr. der Organisations-Abt. der Polit-Verw. der HVDVP. 1953 stellv. Polizei-

präsident Ost-Berlin. 1945/62 Ltr. der Polit-Verw. der DGP. 12. 10. 1959 Maj. der NVA. 1962 im Ruhestand.

Dickel, Friedrich – geb. 9. 12. 1913 in Vohwinkel (Wuppertal), Volksschulbesuch, Gießer und Former.
1928 KPD. 1932 nach England. 1933 in Deutschland vorübergehend inhaftiert. Danach emigriert: Saargebiet, Frankreich, Holland, SU. 1936/38 im Span. Bürgerkrieg Kp.-Führer und Btl.-Kdr. im Thälmann-Btl. der Int. Brigaden. Im 2. Weltkrieg Lehrer an Polit- und Antifa-Schulen in der SU.
1945/49 bei der Kriminalpolizei in Sachsen. 1950/53 VP-Insp. und Ltr. der Polit-Kultur-Schule Torgau, die 1951 nach Berlin-Treptow verlegt wurde. 1953 Gen.-Maj. und bis 1956 stellv. Ltr. der Polit-Verw. Seit 1956 einer der Stellv. des Ministers f. N. V., Chef für Planung und Materialversorgung im MfNV. 1957 / 59 militärische Schulung in der SU. Oktober 1963 Gen.-Lt. Nov. 1963 Minister des Innern.

Dölling, Rudolf – geb. 4. 11. 1902 in Roßbach, spätere CSSR, als Sohn eines Arbeiters. Volksschulbesuch, Bergmann.
1923 wegen Tätigkeit für die KPC aus Deutschland ausgewiesen. 1935 Abgeordneter in Prag. 1938 in die SU gegangen, Besuch von Parteisonderschulen. Vorübergehend illegale Tätigkeit in der CSSR. Im 2. Weltkrieg Major der Roten Armee, sowjetischer Staatsbürger. Mitglied des NKFD, Lehrer an Antifa-Schulen.
1946 KP-Funktionär in der Sowjetzone. 1949 in der VP. 1950 Ltr. der HA Polit-Kultur in der HVA. 1951 Gen.-Inspekteur. 1952 Gen.-Maj. und bis 1958 Chef der Politverwaltung der KVP/NVA, Stellvertreter des Ministers d. I./ f. N. V. 1958 Mitglied des ZK. Seit August 1959 Botschafter in Moskau.

Dollwetzel, Heinrich – geb. 30. 3. 1912 in Hamburg als Sohn eines Arbeiters, Volksschulbesuch, Heizungsmonteur.
1930 KPD, 1933 emigriert nach Dänemark, 1936/38 im Span. Bürgerkrieg, Führer einer Pz-Kp. in der XI. Int. Brig. 1939 SU, Parteiverfehlungen, deshalb zeitweilig Heizungsmonteur. Im 2. Weltkrieg

Lehrer an einer Antifa-Schule für Kriegsgefangene in der SU.
1945 Funktionär der KPD/SED, 1948
Ltr. der Abt. Polit-Kultur in der Deutschen
Verwaltung des Innern. 1949/50 Militärakademie Priwolsk bei Saratow. 1950
Oberst und Insp. der VP. 1954 Ltr. der Verw.
Lehranstalten der KVP. 1956 Gen.-Maj.
und zeitweilig einer der Stellv. des Ministers f. N. V. 1957 Kdr. der Infanterieoffi-
ziersschule Plauen/Vogtland. 1959/60 Kdr.
der Militärakademie „Friedrich Engels" in
Dresden. Danach Verwendung im Ministerium für Staatssicherheit.

Engels, Willi — geb. 12. 6. 1902 in Berlin
als Sohn eines Arbeiters. Volksschulbesuch.
1922 KPD, 1933 illeg. KP-Arbeit in Holland, später in Belgien und Luxemburg.
1936 im Span. Bürgerkrieg Polit-Kommissar in der XI. Int. Brig. 1938 in Frankreich
interniert, im 2. Weltkrieg im KZ Maut-
hausen, 1940 durch Austausch in die SU,
Besuch von Polit-Schulen. Frontbevollmächtigter in Verbindung mit dem NKFD.
Sowjetischer Staatsbürger.
1947 Rückkehr nach Deutschland. Funktionär im ZK. 1949 Polit-Offizier im Hauptstab der KVP. 1954/61 Ltr. der Parteikontrollkommission der KVP/NVA. 1961 Militärattaché in Warschau.

Ernst, Hans — geb. 1922 in Westfalen. Mittelschule.
Unteroffizier in der deutschen Wehrmacht. Sowjetische Kriegsgefangenschaft.
1945 VP. 1946 VP-Wachtmeister in Mühlhausen. 1948 VP-Rat. 1948/50 Kdr. der
VP-Bereitschaften in Ilmenau und Mühlhausen („Beste Einheit" des Jahres 1949).
1950 VP-Oberrat, Ltr. der VP-Direktion
Mühlhausen. 1950 Oberstlt. 1951 Kdr. der
VP-Direktion Kochstedt („Beste Einheit").
Juni 1952 Oberst. Juli 1952 Kdr. der KVP-
Div. Eggesin. 1952/53 Lehrgang in der SU.
1953/55 Kdr. der Mech.-Bereitschaft (Mot.
Schtz.-Div.) der KVP in Potsdam, die mit
dem „Stalinbanner" ausgezeichnet wurde.
1955/57 Militärakademie in Moskau. 1958
Oberst und Kdr. der Mech.-Bereitschaft
(Mot.Schtz.-Div.) in Erfurt. März 1961 Gen.-

Maj. Seit April 1961 Chef des Militärbezirks III Leipzig. 1963 Kandidat des ZK.

Freyer, Erwin — geb. 27. 12. 1914 in Ber-
lin-Charlottenburg als Sohn eines Gärt-
ners, Gymnasium, Studium an der Technischen Hochschule Berlin (Flugzeugbau),
1940 Dipl.-Ing.
Frühzeitig Verbindung zu kommunistischen Studentenkreisen. 1940/44 Ing. in
den Henschel-Flugzeugwerken, an der
Konstruktion neuartiger Waffen beteiligt.
Illeg. kommunistische Betätigung für die
Widerstandsgruppe Saefkow. 1944 wegen
Verrat von Staatsgeheimnissen und Feind-
begünstigung zum Tode verurteilt. 1945
von der Roten Armee befreit.
1945 KPD / SED. 1945 / 53 Mitglied des
Büros für Wirtschaftsfragen beim Ministerpräsidenten. Anschließend in der HA-
Planung des Ministeriums für Maschinen-
bau und des Ministeriums für Schwerindustrie (Amt für Technik). 1955 Gen.-Maj.
1956 einer der Stellv. des Ministers f. N. V.
und für die Rüstungsindustrie verantwortlich. Seit 19. 2. 1958 auch Mitglied der
Staatl. Plankommission. 1961 schwerer
Verkehrsunfall. Seit Mitte 1962 einer der
Stellv. des Vors. der Staatl. Plankommission.

Freytag, Walter — geb. 2. 7. 1892 auf Rit-
tergut Hasseburg/Gardelegen als Sohn
eines Domänenpächters. Abitur, Berufsoffizier.
5. 3. 1912 Fahnenjunker im Inf.-Rgt. 27,
Halberstadt. 1913 Leutnant, 1918 als Oberltn. in die Reichswehr übernommen. 1. 4.
1936 Oberstltn. 1. 9. 1939 Standortkom-
mandant in Brünn. 1942 Gen.-Maj. Dezember 1942/43 Kommandant von Smo-
lensk und Krasnodar. 22. 5.—2. 8. 1943
Kommandeur der Ost-Truppen (Beurteilung durch Gen.-Feldmarschall von Kleist:
„Ich kann ihm die Eignung zum Div.-Kom-
mandeur nicht zusprechen.") Letzter Fe-
stungskommandant von Elbing und Danzig. Sowjetische Kriegsgefangenschaft.
Mitglied des NKFD. Antifa-Schule. 1949
Rückkehr nach Deutschland, VP. 1950/51
Kdr. der VP-Bereitschaft Kochstedt. 1952
Militärschule in der SU. 1953 Gen.-Maj.
und Chef der Regimentskommandeurs-

schule in Dresden. 1957 im MfNV. 1958 im Ruhestand und Vorstandsmitglied der AeO. 1962 Vaterländischer Verdienstorden in Bronze „als Zeichen der Anerkennung hervorragender Verdienste bei Aufbau des Sozialismus und bei der Festigung und Stärkung der DDR".

Gartmann, Hermann — geb. 24. 12. 1906 in Waldheim, Volksschulbesuch, Arbeiter. 1930/33 als KP-Funktionär in der Festung Groß-Strelitz.

Teilnehmer am Span. Bürgerkrieg. 1939 im KZ Dachau. Im 2. Weltkrieg Flugplatzarbeiter in Schönweide bei Berlin.

1950 Chef des SSD im Land Brandenburg. 1952 Chef der HV Deutsche Grenzpolizei, Gen.-Major. 1955 militärischer Berater des Staatssekretärs / Ministers für Staatssicherheit. 1956 Ltr. der HV Innere Sicherheit, einer der Stellv. des Ministers f. S. 1958 Gen.-Major der NVA. 1958/60 Militärattaché in Moskau. 1961/62 Kdr. einer NVA-Offiziersschule. Dez. 1963 Kdr. der Zentralen Offiziersschule der NVA / Grenztruppen.

Goßens, Hans — geb. 1921, Abitur.

Im 2. Weltkrieg Gefreiter (Funker). 28. 7. 1941 in sowjetische Kriegsgefangenschaft. 1942/43 Zusammenarbeit mit sowjetischen Partisanen. 1943 Mitgründer des NKFD, Frontbevollmächtigter.

Nach Rückkehr nach Deutschland Funktionär im FDJ / Partei- und Staatsapparat, Oberst der NVA, einer der Stellv. des Chefs der Politischen Hauptverw.

Grünberg, Gottfried — geb. 29. 5. 1899 in Beuthen/Oberschles., Volksschulbesuch, Bergarbeiter.

1917/18 Militärdienst. 1918/19 in Ungarn interniert. KPD, 1933 Emigration in SU, 1934/37 Studium an der Universität Moskau. 1937/38 im Spanisch. Bürgerkrieg Kapitän (Hauptmann) in einer polnischen Einheit der XIII. Int. Brig. 1939 in Frankreich interniert, danach erneut Studium in Moskau, im 2. Weltkrieg sowjetischer Offizier. 1943 Mitglied des NKFD.

1945 politische Betätigung in Greifswald und Rügen. Juli 1945/46 Vizepräsident der Landesverw. Mecklenburg/Vorpommern. 1950/56 Gen.-Sekr. der Gesell-

schaft für Deutsch-Sowjetische Freundschaft. Seit 1956 Oberst der NVA. 1957 vorübergehend Ltr., dann 1. Stellv. des Ltr. der Politverw. im MfNV. 1960 Militärattaché in Moskau. 1962 in den Ruhestand versetzt.

Heitsch, Heinrich — geb. 10. 9. 1916 in Neusalza/Spremberg als Sohn eines Offiziers, Abitur, Berufsoffizier.

1938 Leutnant, 1944 Major beim Stab der 170. Inf.-Division, sowjetische Kriegsgefangenschaft.

1950 Chef-Insp. der VP. 1951/52 Militärakademie Saratow in der SU. 1952 Chef des Stabes der HVA und Gen.-Major der KVP. 1953 Stellv. des Ministers d. I. für Rückw. Dienste und Chef der Verw. Versorgung. 1953/55 Ltr. Inf.-VP-Schule Döbelin. 1955/57 Militärakademie „Woroschilow" in Moskau. 1959/61 Stellv. des Kdr. der Militärakademie „Friedrich Engels" in Dresden. 1961 im MfNV. 1963 Kdr. der Militärakademie „Friedrich Engels".

Hoffmann, Heinz — geb. 28. 11. 1910 in Mannheim als Sohn eines kommunist. Arbeiters. Volksschulbesuch, Maschinenschlosser.

1926 Funktionär des KJVD, 1930 KPD, 1935 in die SU emigriert, Absolvent der Frunse-Militärakademie, 1936 im Span. Bürgerkrieg, Btl.-Kdr. und später Polit-Kommissar der 11. Int. Brig. 1938 KP-Agent in Frankreich. Ab 1939 wieder in der SU, Kominternschule, sowjetische Staatsbürgerschaft.

1945/47 Mitarbeiter der KPD / SED-Landesleitung Groß-Berlin, zuletzt Sekr. der SED-Bezirksleitung Groß-Berlin. 1949-1950 stellvertr. Chef der Deutschen Volkspolizei. 1950/55 Chef der KVP. 1952 Gen.-Ltn. und Stellv. des Ministers d. I. Seit 1952 Mitglied des ZK der SED. 1956 Gen.-Ltn. der NVA, Vertreter der NVA im Oberkommando der Streitkräfte der Warschauer Paktstaaten. 1958 Chef des Hauptstabes der NVA. 1. 10. 1959 Gen.-Oberst. 14. 7. 1960 Minister für N.V. 1. 2. 1961 Armeegeneral.

Bild 118 — Die NVA macht große Anstrengungen, um populär zu werden: Bei einem Sportfest der Luftstreitkräfte erhalten Zivilisten Verpflegung aus der „Gulaschkanone".

Bild 119 — Sowjetzonale Offiziere, die an einem Lehrgang auf einer sowjetischen Militärschule teilnehmen, zeigen sich offenbar bei einer zufälligen Begegnung mit westdeutschen Journalisten auf dem Roten Platz in Charkow erfreut — während die sowjetische Bevölkerung eher mißtrauisch danebensteht.

Bild 120-121 — Was mögen sie denken? Ein Soldat am 13. August 1961 an der Berliner Sektorengrenze im Einsatz und ein Unterleutnant beim Empfang eines Ehrenpreises.

Honecker, Erich – geb. 25. 8. 1912 in Neukirchen/Saar als Sohn eines Bergarbeiters, Volksschulbesuch, Dachdecker.

1922/26 in d. kommunistischen Jugendbewegung (Jungspartakusbund, Rote Pioniere). 1926 KJV. 1929 KPD. 1931 Sekr. d. KJV im Saargebiet. 1934 Mitglied und Mitarbeiter des illeg. ZK des KJV. 1935 verhaftet, zu 10 Jahren Zuchthaus verurteilt.

1945 Mitglied der KPD, Jugendsekr. des ZK. Mai 1946 / Mai 1955 1. Vors. der FDJ. 1946 Mitglied des Parteivorstandes / ZK. 1950/58 Kandidat des Politbüros. 1956/57 Schulung in der SU. Danach mit militärischen und Abwehraufgaben im ZK beauftragt. Februar 1958 Sekr. des ZK. Juli 1958 Mitglied d. Politbüros. Ltr. d. Kommission für Nationale Sicherheit des Politbüros. Präsumtiver Nachfolger Ulbrichts.

Johne, Fritz – geb. 1911 in Chetyn/Böhmen als Sohn eines Arbeiters, kaufm. Angestellter.

1926 kommunistischer Jugendverband der CSSR. 1933/35 Militärdienst als Kavallerist in der Armee der CSSR. Anschließend Kassierer im Arbeiterkonsumverein Kratzau. 1936/38 im Span. Bürgerkrieg in den Int. Brig. 1939 in Frankreich interniert, später an Deutschland ausgeliefert und in das KZ Sachsenhausen gebracht.

1945 als kommunistischer Funktionär in Reichenberg, Mitwirkung bei der Vertreibung der Sudetendeutschen. 1947 Landesjugendsekr. der SED in Sachsen-Anhalt. 1949 Insp. der VP in Halle. 1949/50 Kriegsakademie Priwolks bei Saratow. Ltr. der HVA der VP/KVP. 1953 General-Major und Ltr. d. Fachverw. Inf. bei den Lehranstalten im Rahmen des MdI. 1954-1958 Chef des Armeekorps Süd / Militärbezirk III, Leipzig. 1958 Schulung in der SU. 1960 Kdr. der Militärakademie „Friedrich Engels". 1963 Militärattaché in Kuba.

Keßler, Heinz – geb. 26. 1. 1920 in Lauban/Schlesien als Sohn eines kommunistischen Arbeiters, Volksschulbesuch, Maschinenschlosser.

1926/33 Mitglied der kommunistischen „Jungen Pioniere". 1941 als Soldat der deutschen Wehrmacht zu den Sowjets übergelaufen. Antifa-Schule. Mitgründer und Frontbevollmächtiger des NKFD.

1945 Rückkehr nach Deutschland. Ltr. d. antifaschistischen Jugendausschusses Groß-Berlin. Seit 1946 ununterbrochen im Parteivorstand bzw. ZK. 12. 10. 1947 Vors. des FDJ-Landesverbandes Berlin. 1948 Organisator der Tumulte im Berliner Rathaus, die wesentlich zur Spaltung der Stadt beitrugen. 1950 2. Vors. der FDJ. Im gleichen Jahr Chef-Insp. in d. HVDVP, mit dem Aufbau der Luftstreitkräfte beauftragt. 1952 Gen.-Major und Chef der KVP-Luft. Zeitweise einer der Stellv. des Ministers d. I. 1956 Chef der Luftstreitkräfte / Luftverteidigung der NVA. Seit 1957 einer der Stellv. des Ministers f. N.V. 7. 10. 1959 Gen.-Ltn. 1963 Vollmitglied des ZK.

Köhn, Fritz – geb. 6. 9. 1901 in Stettin, Volksschulbesuch, Hilfsarbeiter, Schlosser, Fernfahrer, Schiffsheizer.

1918 an den Meutereien in der Kriegsmarine beteiligt. 1928 KPD, 1936/38 im Span. Bürgerkrieg in den Int. Brig. Anschließend in Frankreich, dort zu Anfang des 2. Weltkrieges in der KP-Widerstandsbewegung. 1943 KZ Sachsenhausen.

1945 von den Sowjets befreit. Sekretär für Org.-Kader in der Kreisleitung Treptow KPD/SED. 1950 Ltr. der Personal-Abt. der VP. 1952 Gen.-Major. 1957 Stellv. des Chefs d. Verwaltung Kader im MfNV. 1962 in den Ruhestand versetzt.

Korfes, Otto, Dr. – geb. 23. 11. 1889 in Wenzen/Gandersheim als Sohn eines Pfarrers, Abitur, Berufsoffizier.

17. 3. 1909 Fahnenjunker im Inf.-Rgt. 66 Magdeburg. Am Ende des 1. Weltkrieges Btl.-Kdr. 1920 Verabschiedung von der Reichswehr. Studium der Staatswissenschaften, bis 1936 im Reichsarchiv tätig. 1936 reaktiviert, zunächst der kriegsgeschichtlichen Forschungsanstalt d. Heeres tätig. 1938 Oberstltn. und Btl.-Kdr. im Inf.-Rgt. 66. 1. 1. 1943 Gen.-Maj. 31. 1. 1943 als Kdr. der 295. Inf.-Div. bei Stalingrad in Gefangenschaft. Mitglied des NKFD und des Vorstandes des BDO, Frontbevollmächtigter.

1948 Rückkehr nach Deutschland, in der Sowjetzone im Archivwesen beschäftigt,

Mitglied des Gründungsausschusses der NDPD. 1949 Direktor des Zentral-Archivs Potsdam, anschl. stellv. Ltr. des Stabes d. Abt. Operativ der KVP. 1952/56 Gen.-Maj. der KVP und Ltr. der Historischen Abteilung im MdI. 1956 aus Altersgründen nicht in die NVA übernommen. 1957 Direktor des staatlichen Archivs in Potsdam. 1. Vors. d. Bezirksausschusses Potsdam der Nationalen Front. Seit Januar 1958 1. Vors. der AeO. Mitglied des Wissenschaftlichen Rates beim Museum für deutsche Geschichte.

Lattmann, Martin — geb. 10. 2. 1896 in Freiburg/Elbe als Sohn eines preußischen Landtagsabgeordneten der National-Liberalen Partei. Abitur, Berufsoffizier.

12. 1. 1914 Fahnenjunker im Fußart.-Rgt. 18. 14. 7. 1918 Leutnant. 22. 3. 1918 Batterieführer. Nach dem Kriege Reichswehroffizier in versch. Art.-Rgt. 1. 4. 1925 Oberltn. 1. 1. 1939 Oberstltn. 1. 10. 1940 Oberst, Kommandeur der Art.-Schule Jüterbog. 10. 5. 1942 Kdr. des Panzer-Art.-Rgt. 16. 26. 11. 1942 bis 2. 2. 1943 Führer/ Kdr. der 14. Pz.-Div. 2. 2. 1943 bei Stalingrad in Gefangenschaft. Mitglied d. NKFD, BDO. 1943/45 militärpolitischer Kommentator des Senders des NKFD in Moskau. Antifa-Schule.

August 1949 Rückkehr nach Jüterbog. Eintritt in die SED. 1953/54 Gen.-Major und stellv. Chef für Panzerwesen in der Fachverwaltung Motorisierung im MdI. 1956/58 Ltr. der HA Industrieanlagen / Export im Ministerium für Schwermaschinenbau. Seit 1958 Mitarbeiter der Staatlichen Plankommission. 1958 stellv. Vors. d. AeO.

v. Lenski, Arno — geb. 20. 7. 1893 in Czymochen/Ostpreußen als Sohn eines Gutsbesitzers, Volksschule u. Kadettenanstalt, Berufsoffizier.

2. 6. 1911 Leutnant. 1913 im Gren.-Rgt. zu Pferde von Derfflinger 3, Bromberg. Nach 1918 in die Reichswehr übernommen. 1934/38 Kdr. des Kavallerie-Rgt. 6. 1942 Kdr. der Schule für Schnelle Truppen in Krampnitz bei Potsdam. 1. 6. 1942 Gen.-Major. Als Kdr. der 24. Pz.-Div. am 2. 2. 1943 bei Stalingrad in Gefangenschaft. Mitglied des BDO, Antifa-Schule.

Herbst 1949 Rückkehr nach Deutschland. Führendes Mitglied in der NDPD. 1952/58 Gen.-Major der KVP / NVA, Ltr. d. Fachverwaltung C (Panzer) im MdI / Ltr. der Verw. für Schnelle Truppen im MfNV. 1958 Angehöriger des Militärrates der Sowjetzonenregierung. Seit Juli 1959 im Ruhestand. Mitglied des Zentralvorstandes der Gesellschaft für Deutsch-Sowjetische Freundschaft. 1. Vors. der Olympia-Kommission für Reitsport der Sowjetzone. Mitglied der AeO.

Linke, Karl — geb. 18. 1. 1900 in Königgrätz, spätere ČSSR, Volksschulbesuch, Textilarbeiter (Gummibandweber).

Mit 15 Jahren „organisiert". 1919 KPC. Nach Beteiligung an illegalen Streiks 1933 in die SU, Mitarbeiter des Ministeriums für Leichtindustrie. Mitglied der KPdSU. 1941 sowjetischer Oberst im Aufklärungsdienst. U. a. Aufklärungsoffizier einer Partisanengruppe in Weißrußland und der Ukraine, bei Kriegende Partisan in der Slowakei.

1952 — 31. 8. 1957 Gen.-Maj. in der KVP / NVA und Chef der Verwaltung 19 (der späteren Verwaltung für Koordinierung = Spionage). Wurde zum Oberst degradiert und vorzeitig pensioniert, weil ihm Aufzeichnungen über Geheimbesprechungen in Moskau abhanden gekommen waren. 16. 5. 1961 gestorben.

Lohberger, Kurt — geb. 2. 6. 1914 in Lugau (Erzgebirge) als Sohn eines Bergarbeiters, Volksschulbesuch, Maurer.

1930 KJVD, danach KPD. Teilnehmer am Span. Bürgerkrieg, Int. Brig. 1939/41 in Frankreich interniert, nach Auslieferung in Deutschland zu Zuchthaus verurteilt. 1943 in einem Straf.-Btl. der Wehrmacht (Einheit 999), lief in Griechenland zu den kommunistischen Partisanen über. 1944 Besuch einer Antifa-Schule in der SU.

1948 in der KVP. 1949/50 Militärakademie Saratow in der SU. 1952 Oberst. 1953 Ltr. der Abt. Organisation und Instruktion in der Politverw. der KVP. 1954 Ltr. der Politabt. beim Stab d. KVP. 1953/57 stellv. Leiter der Polit-Abt. / Verw. im Militärbezirk V, Leipzig. 1960 in der Verw. Kader im MfNV. 1961 Ltr. der Politoffiziersschule der NVA in Treptow. Seit 1962 1. Vors. der GST.

Maron, Karl — geb. 27. 4. 1903 in Berlin als Sohn eines Kutschers, Volksschulbesuch, Maschinenschlosser.

Seit 1919 in der Arbeitersportbewegung. 1926 KPD. 1932 1. Vors. des Arbeitersportvereins „Fichte". 1934 Emigration nach Dänemark, Mitarbeiter der Roten Sportinternationale. 1935/45 in der SU. 1943 Mitgründer des NKFD, stellv. Chefredakteur der Zeitung „Freies Deutschland".

1945/46 1. stellv. Oberbürgermeister von Berlin. 1947 Vorsitzender der SED-Fraktion in der Berliner Stadtverordnetenversammlung. 1948/49 Stadtrat für Wirtschaft beim Ost-Berliner Magistrat. November 1949 stellv. Chefredakteur des „Neuen Deutschland". Ab August 1950 Gen.-Insp. der VP und Chef der HVDVP. 1954 ZK. Seit Juni 1955 Minister d. I. Seit 1958 Abgeordneter der Volkskammer, Gen.-Ltn. d. VP. 1962 Gen.-Oberst der VP. Nov. 1963 wegen Krankheit pensioniert.

Menzel, Rudolf — geb. 19. 11. 1910 in Borna bei Leipzig, Fabrikarbeiter.

Seit frühester Jugend Mitglied des KJVD, später KPD. Im Auftrage der Partei in die Tschechoslowakei emigriert, 1936 in die SU. 1937 im Span. Bürgerkrieg im Thälmann-Btl. der Int. Brig., danach in Frankreich. November 1941 Verhaftung in Paris und Haft bis 1945 in Deutschland.

1945 Ltr. der Abt. Elektrotechnik im Wirtschaftsministerium des Landes Thüringen. Ab 1948 Funktionär in der Deutschen Zentralverwaltung des Innern bzw. des MdI. 1950/51 Chef des SSD in Thüringen. 1954 Gen.-Maj. und Stellv. des Ministers d. I. 1956 einer der Stellv. des Ministers f. N. V. 1963 Stellv. des Chefs der Rückwärtigen Dienste im MfNV.

Mielke, Erich — geb. 28. 12. 1907 in Berlin als Sohn eines Arbeiters, Besuch des Gymnasiums, Expedient.

1921 KJVD, 1925 KPD, verschiedene Funktionen im Parteiapparat. Bereitschafts-Ltr. des KPD-Ordnungsdienstes

Berlin-Nord. August 1931 an der Ermordung der Polizeihauptleute Anlauf und Lenk auf dem Bülowplatz in Berlin beteiligt. Anschließend Flucht nach Belgien; in der SU Studium an der Frunse-Akademie. 1936/38 im Span. Bürgerkrieg. Ltr. eines Säuberungskommandos. Beteiligt an der Ermordung des in Ungnade gefallenen KPD-Funktionärs Münzenberg. Anschließend in der SU.

1945 als sowjetischer Offizier Rückkehr nach Deutschland. Juli 1946 Vizepräsident der Zentralverw. für Inneres in Berlin-Wilhelmsruh. Beteiligt am Aufbau der politischen Polizei. 1950/53 Staatssekretär im MfS, Gen.-Ltn. der VP. 1950 ZK, 1953/55 stellv. Staatssekretär für Staatssicherheit im MdI. 1955/57 Staatssekretär im MfS. Seit November 1957 Minister f. S. Oktober 1959 Gen.-Oberst.

Müller, Vincenz — geb. 5. 11. 1894 in Aichach/Oberbayern als Sohn eines Gerbermeisters. Oberschule, Berufsoffizier.

1. 10. 1913 Eintritt in die bayerische Armee. 30. 9. 1914 Leutnant. 26. 6. 1918 Oberltn. Am Ende des 1. Weltkrieges Führer einer Flammenwerferkp. Übernahme in die Reichswehr. Ab 1926 im Reichswehrministerium. 1. 12. 1933 Major. 1. 1. 1939 Oberst. 20. 12. 1940 Chef des Gen.-Stabs der 17. Armee. Februar 1942 Gen.-Maj. 1. 3. 1943 Gen.-Ltn. 4. 6. 1944 mit der Führung des XII. Armeekorps beauftragt stellv. Oberbefehlshaber der 4. Armee. Kapitulierte im Juli 1944 bei Minsk. Mitglied des NKFD und des BDO, Besuch von Antifa-Schulen.

1948 Rückkehr nach Deutschland. Führendes Mitglied der NDPD. Seit 1949 maßgeblich am Aufbau der Streitkräfte beteiligt. 1952/57 Gen.-Insp./Gen.-Ltn. der KVP/NVA, Chef des Hauptstabes der KVP/NVA, Stellv. des Ministers d. I./f.N.V. Ende 1957 in den Ruhestand versetzt. 12. 5. 1961 gest. (Selbstmord).

Munschke, Ewald — geb. 20. 3. 1901 in Berlin als Sohn eines Steinsetzers. Volksschulbesuch, Bauarbeiter.

1920 revolutionäre Gewerkschaftsbewegung. 1930 KPD. 1933 Emigration in die SU, Besuch von Politschulen. 1936/38 im

Span. Bürgerkrieg Kriegskommissar in der XIII. Int. Brig., Bataillon Tschapajew. 1938 Flucht nach Frankreich, nach kurzer Internierung nach Holland. Im 2. Weltkrieg in der holländischen kommunistischen Widerstandsbewegung „de Waarheid".

1945 Parteisekretär bei der Berliner VP, später in der Bezirksleitung Berlin der SED. 1953 Chef der Verw. Kader der KVP und einer der Stellv. des Ministers d. I. 1956/62 Chef der Verw. Kader im MfN, Gen.-Maj. Vors. der Parteikontrollkommission in der Polithauptverw. des MfNV. 1963 Kandidat der Zentralen Parteikontrollkommission. 1964 Stellv. des Ministers f. N. V.

Neukirchen, Heinrich — geb. 13. 1. 1915 in Duisburg.

Offizier der Handelsmarine, bei Kriegsende Oberlt. zur See. Sowjetische Gefangenschaft.

1948/50 Geschäftsführer der NDPD in Mecklenburg und Berlin. Seit 1950 maßgeblich am Aufbau der Seestreitkräfte beteiligt. 1951 Chef-Insp. der VP-See. 1959/62 Chef der Seestreitkräfte/Volksmarine. Konteradmiral. 1964 Vizeadmiral.

Pech, Ottomar — geb. 1918.

1947 Rückkehr aus sowjetischer Kriegsgefangenschaft, Polizeipräsident in Chemnitz, 1948 Versetzung nach Berlin, 1951 Kdr. der VP, 1952 Insp., 1954 Gen.-Maj. und Chef-Insp. im Mdl. Anfang 1955 Kdr. der neuaufgestellten „Inneren Truppen". November 1955/August 1956 Chef der Wachbereitschaft des MfS. Februar 1957 Chef der Verw. 2000 im MfNV (Verbindungsorgan zum MfS). April 1958 Stellv. des Chefs des Hauptstabes der NVA und vorübergehend einer der Stellv. des Ministers f. N. V. 1963 Chef der Verw. Kader im MfNV.

Peter, Erich — geb. 1908 in Nordhausen als Sohn eines Metallarbeiters, Volksschulbesuch, Schlosser.

1945 nach kurzer amerikanischer Gefangenschaft in Remagen Rückkehr nach Nordhausen. Zunächst wieder als Schlosser in Nordhausen und im Leunawerk.

1945 KPD/SED, 1948 VP, Ltr. des VP-Kreisamtes Nordhausen. 1956 Übernahme in die NVA. 1960 Oberst und Chef der Deutschen Grenzpolizei. September 1961 nach Übernahme der Grenzpolizei in die NVA bleibt er Chef der Grenztruppen, Chef des Kommandos Grenze der NVA. Oktober 1963 Gen.-Maj.

Poppe, Helmut — geb. 8. 10. 1926 als Sohn eines Arbeiters, Volksschulbesuch, Elektriker.

1944 Soldat der deutschen Wehrmacht, 1945 sowjetische Kriegsgefangenschaft.

1948 Rückkehr nach Deutschland, Eintritt in die VP. Zunächst als Zugführer und Kompanieführer eingesetzt. 1951/52 Lehrgang in der SU. März 1953 Major. September 1953 Ltr. der Abt. Planung beim Chef der Verwaltung Ausbildung im Mdl. August 1955 Oberstlt. Juni 1958 Chef der Verw. Ausbildung im MfNV. Danach im Stab der HV/KVP in der Verwaltung Ausbildung. Erhielt 1958 eine Rüge wegen „politischer Blindheit und ungenügender Wachsamkeit". 1959 Militärakademie „Friedrich Engels", Dresden. September 1961 Oberst u. Kdr. 4. Mot. Schtz. Div. 23. 8. 1962 Gen.-Maj. und (mit der Auflösung der sowjetischen Standortkommandantur Berlin) „Stadtkommandant der Hauptstadt der DDR".

Rentzsch, Hermann — geb. 27. 5. 1913 in Schmiedeberg/Sachsen als Sohn eines Eisendrehers, Volksschulbesuch, Tischler.

1935 Berufssoldat. 1940 Leutnant. 1942 Oberltn. in einer Nebelwerferabt. des Werfer-Rgt. 3. 1943 sowjetische Kriegsgefangenschaft. Mitglied des NKFD, Frontbevollmächtigter.

1948 Rückkehr nach Deutschland, maßgeblich am Aufbau der sowjetzonalen Streitkräfte beteiligt. 1949/50 Militärakademie Priwolsk bei Saratow. 1951 Kdr. der KVP in Frankenberg, 1952/58 Gen.-Maj. und Befehlshaber des Armeekorps Nord der KVP/Militärbezirk V der NVA in Neubrandenburg. 1959 Ltr. der Verwaltung Artillerie im MfNV. 1964 Stellv. Vors. des Volkswirtschaftsrates.

Riedel, Siegfried — geb. in der CSSR, in Moskau geschult.

Teilnehmer am Spanischen Bürgerkrieg. Unteroffizier in der deutschen Wehrmacht. Sowjetische Kriegsgefangenschaft.

1949/50 Militärakademie Priwolsk in der SU. 1951 VP-Rat in Leipzig, Stabschef der VP Leipzig II. 1952 Oberstlt. und Stabschef des Armeekorps Nord in Pasewalk. 1953/54 Oberst und Stabschef der Mech. Bereitschaft (Mot. Schtz.-Div.) in Potsdam. 1955 in der Verw. Ausbildung zuständig für Panzerfragen. 1957/59 Militärakademie in Moskau. 1959 Gen.-Maj., Militärkommandant für den Bereich des MfNV. März 1961 Gen.-Maj. Seit März 1961 Stellv. des Ministers f. N. V. und Chef des Hauptstabes der NVA. Oktober 1963 Gen.-Lt.

Schütz, Josef — geb. 25. 7. 1910 in Baringen, in der späteren CSSR, als Sohn eines kommunistischen Funktionärs, Volksschulbesuch, Handschuhmacher.

1924 kommunistischer Jugendverband, Mitglied der KPC. 1931/32 Internationale Lenin-Schule in der SU. 1932 in der CSSR Militärstrafverfahren wegen Fahnenflucht, deshalb 1932/33 Gefängnis. Danach wieder Handschuhmacher und KP-Funktionär. 1938/39 illeg. KP-Arbeit nach Einmarsch der deutschen Wehrmacht in die CSSR, 1939 nach Moskau emigriert. 1943/45 Partisan in der CSSR.

1946 Mitglied der SED in der Sowjetzone, VP, vorübergehend Polizeipräsident. 1949/55 Konsul und Botschaftsrat der Sowjetzone in der SU, 1956 Abt.-Ltr. im Ministerium für Auswärtige Angelegenheiten der Sowjetzone. Oberst der NVA, Ltr. der Abt. Ausland im MfNV.

Staimer, Richard — geb. 25. 1. 1907 in München als Sohn eines kommunistischen Arbeiters, Volksschulbesuch, Fliesenleger.

Eintritt in den KJVD. 1931 Lehrgang in der Int. Militärschule in Moskau. Anschließend Ltr. des Rotfrontkämpferbundes in Nordbayern. 1933 in die SU emigriert. 1936/39 zeitweilig als „General Hoffmann" Kdr. der XI. Int. Brig. 1939/45 wegen illegaler KP-Tätigkeit in der Schweiz im Zuchthaus St. Gallen.

1945 Rückkehr nach Deutschland. Ltr. der Polizei-Insp. Prenzlauer Berg, Berlin. Im Mai 1946 Chef der VP im Land Brandenburg. 1949/50 Militärakademie Priwolsk bei Saratow. Oktober 1950 VP-Kdr. in Leipzig. 1. 1. 1952 Stellv. Gen.-Direktor der Reichsbahn, Mai 1953/Dezember 1954 stellv. Minister für Verkehrswesen. 1953 Gen.-Maj. im Hauptstab der KVP, danach wieder stellv. Minister für Eisenbahnwesen. 1955/62 1. Sekretär/1. Vors. der GST.

Stoph, Willi — geb. 9. 7. 1914 in Berlin als Sohn eines Arbeiters. Volksschulbesuch, Maurer, Bautechniker.

1928 KJVD, 1931 KPD. 1933/45 Bauhandwerker in Berlin, illegale KP-Arbeit. 1935/37 Wehrdienst (Art.-Rgt. 59 in Brandenburg, zuletzt Oberkanonier). Im Zweiten Weltkrieg Soldat (zuletzt Stabsgefreiter).

1945/47 Leiter der HA Grundstoffindustrie der Deutschen Zentralverwaltung für Industrie. 1947 Leiter der Abt. Wirtschaft im Parteivorstand/ZK. 1950 ZK. März 1951 bis Mai 1952 Ltr. des Büros für Wirtschaftsfragen beim Ministerpräsidenten (zuständig für die gesamte Aufrüstung). 1952 Minister d. I. und Gen.-Oberst. Seit Juli 1953 Mitgl. des Politbüros. Ab November 1954 außerdem stellv. Vors. des Ministerrates. Juni 1955 Herauslösung des gesamten militärischen Apparates aus dem MdI, deshalb Rücktritt als Minister. 1956 Minister f. N. V. und stellv. Oberkommandierender der Streitkräfte der Warschauer Paktstaaten. 1. 10. 1959 Armeegeneral. 14. 7. 1960 Abberufung als Minister f. N. V., aber als stellv. Vors. des Ministerrates für die Verwirklichung der ZK- und Regierungsbeschlüsse im gesamten Staatsapparat verantwortlich. 1963 Mitglied des Staatsrates. September 1964 Vors. des Ministerrates.

Tappert, Heinrich — Oberlt. der Waffen-SS. Sowjetische Kriegsgefangenschaft. 1945 deutscher Schulleiter der Zentralen Antifa-Schule Krasnogorsk bei Moskau, Assistent von Zaisser (siehe diesen).

1949 aus sowjetischer Kriegsgefangenschaft entlassen. Oberrat (Maj.) der VP in Potsdam. Militärischer Lehrgang in der SU. 1953 Oberstlt. und Stabschef einer KVP-Div. 1954 Oberst und Kdr. der 9. Pz.-Div.

Ulbricht, Walter — geb. 30. 6. 1893 in Leipzig als Sohn eines Schneiders, Volksschulbesuch, Tischler.

1908 „Arbeiterjugend". 1912 SPD. 1950 Soldat im Train-Btl. Nr. 19. 1918 wegen versuchter Desertion zu 2 Jahren Gefängnis verurteilt. Bolschewistische Propaganda in der Truppe. 1919 Mitgründer der KPD, Bezirkssekr. der KPD in Sachsen. 1923 Mitglied des ZK der KPD und des KP-Militärrates. 1923 Haftbefehl wegen Hochverrats, konnte wegen Abwesenheit nicht vollstreckt werden. 1928 Mitglied des Reichstages. 1929 Ltr. des KPD-Bezirks Berlin-Brandenburg. 1933 wegen Anstiftung zum Mord an den Polizeihauptleuten Anlauf und Lenk steckbrieflich verfolgt. 1934 im Saargebiet. 1935 SU. 1943 Vertrauensmann der Sowjets im NKFD.

19. 4. 1945 Rückkehr nach Deutschland. In enger Verbindung zur SMAD leitete er den „Aufbau" ein. April 1946 stellv. Vors. des ZK. Juli 1950 Generalsekr./1. Sekretär des ZK. 1949 stellv. Ministerpräsident/ 1. Stellv. des Vors. des Ministerrates. 12. 9. 1960 Vors. des Staatsrates (Staatsoberhaupt). 10. 2. 1960 Vors. des Nationalen Verteidigungsrates. 30. 6. 1963 Held der Sowjetunion, Leninorden und Medaille Goldener Stern.

Verner, Waldemar — geb. 27. 8. 1914 in Plauen/Vogtland als Sohn eines Metallarbeiters, Volksschulbesuch, Schaufensterdekorateur.

Vor 1933 Jungspartakusbund und KPD. August bis Dezember 1933 Konzentrationslager Kolditz, danach im KPD-Geheimdienst. 1940 emigriert nach Dänemark, dort weitere Tätigkeit als KP-Agent.

Bis 1949 1. SED-Kreissekretär in Stralsund. 1950 Chef-Insp. der VP, Aufbau der Seepolizei. 1952 Vizeadmiral, bis 1953 gleichzeitig Stellv. des Ministers d. I. 1955/57 Admiralslehrgang in der SU, danach wieder Chef der Seestreitkräfte. Seit 1959 Chef der Politischen Hauptverw. und einer der Stellv. des Ministers f. N. V. Februar 1961 Admiral. 1963 Mitglied des ZK.

Wagner, Kurt — geb. 31. 7. 1904 in Chemnitz als Sohn eines Gasbeleuchters, Volksschulbesuch, Elektrikerlehre (nicht beendet).

1932 KPD, 1935 wegen KP-Tätigkeit zu 10 Jahren Zuchthaus verurteilt.

1945/46 Polizeipräsident von Leipzig. Anschließend Vizepräsident der Deutschen Zentralverwaltung des Innern in Ost-Berlin. 1949/50 Kriegsakademie Priwolsk bei Saratow. Danach Ltr. der VP-Direktion Brandenburg / Hohenstücken. 1951 Versetzung zur HVA. September 1953 bis September 1955 als Gen.-Maj. Ltr. der Verw. Operativ im Hauptstab der KVP. 1955/57 militärischer Lehrgang in der SU. 1957/60 Chef des Militärbezirks III, Leipzig. Seit 1960 Chef des Ausbildungswesens im MfNV und einer der Stellv. des Ministers f. N. V. 1906 Gen.-Ltn., Vors. der Armeesportvereinigung „Vorwärts".

Weiß, Siegfried — 1951/52 Militärakademie Priwolsk bei Saratow. 1955 Gen.-Maj. und Kdr. einer Div. der KVP, 1956/57 Generalslehrgang in der Militärakademie „Frunse" in der SU. November 1957 Beauftragter des Ministers f. N. V. beim Oberkommando der Vereinten Streitkräfte der Warschauer Paktstaaten. 1958 Ltr. der Verw. für Insp. im MfNV. 1964 Ltr. der Verw. Gefechtausbildung im MfNV.

Zaisser, Kurt — geb. 19. 1. 1893 in Gelsenkirchen-Rotthausen, Lehrer.

Im 1. Weltkrieg Reserveoffizier. 1918 Mitglied der linksradikalen Unabhängigen Sozialistischen Partei Deutschlands, 1919 Eintritt in die KPD. 1920 während der Bürgerkriegskämpfe im Ruhrgebiet einer der Führer der Roten Armee. 1924 Besuch der Internationalen Militärschule in Moskau, seitdem Mitarbeiter der 4. Abt. des Stabes der Roten Armee. 1930 Agent in China, Rückkehr in die SU 1930, Kriegsakademie, militärische Auslandskommandos. 1936 im Span. Bürgerkrieg Kommandeur der XIII. Int. Brig., später als „General Gomez" Stabschef aller Int. Brig. 1938 Übersetzer im Komintern-Verlag in Moskau. Während des 2. Weltkrieges Ltr. der Zentralen Antifa-Schule für deutsche Kriegsgefangene in Krasnogorsk.

1945 Polizeichef von Sachsen-Anhalt, sächsischer Innenminister, Chefinspekteur der Volkspolizei. Februar 1950 Chef des neugegründeten Ministeriums für Staatssicherheit. Juli 1950 Mitglied des ZK und des Politbüros. Nach dem Volksaufstand vom 17. 6. 1953 wurde er „wegen seiner defätistischen Haltung" sämtlicher Funktionen enthoben, im Januar 1954 aus der SED ausgeschlossen. Gest. 3. 3. 1958 in Berlin.

Zorn, Heinz — geb. 28. 4. 1912 in Berlin, Berufsoffizier.

1944 als Major der deutschen Luftwaffe zur Roten Armee übergelaufen. Sowjetischer Partisan. 1945 Lehrer an der Antifa-Schule Krasnogorsk bei Moskau.

Oktober 1949 Rückkehr nach Deutschland. 1951 Chef.-Insp. in der HVA. Wesentlich beteiligt am Aufbau der Luftstreitkräfte, Gen.-Maj., Chef des Stabes der KVP-Luft/Luftstreitkräfte und Luftverteidigung. 1963 stellv. Kdr. der Militärakademie „Friedrich Engels" in Dresden, Ltr. der Fakultät Luftverteidigung.

Was sollen die Soldaten lesen?

Die Bibliographie des Deutschen Militärverlages

Seitdem im Frühjahr 1952 die Aufrüstung in der Sowjetzone in aller Offenheit betrieben wurde, entstand auch bald eine üppige, weit verbreitete Militärliteratur.

Im Stadium der Entwicklung der militärischen Einrichtungen spielten die *periodischen* Publikationen zunächst die größere Rolle. Während die allgemeine Tagespresse unter Führung der SED-Zeitungen sowie die Presse der Massenorganisationen sich auf eine zwar dauernde, aber sehr oberflächliche militärische Propaganda beschränkten und auch heute noch beschränken, betrieben einige politische Zeitschriften bald eine intensivere und tiefergreifende militärische Propaganda, Erziehung und Ausbildung. Hinzu kam, daß alle die verschiedenen militärischen und paramilitärischen Verbände früh ihre eigenen Zeitungen oder Zeitschriften hatten.

Heute erscheinen im Deutschen Militärverlag folgende Zeitungen und Zeitschriften, für die auch außerhalb der NVA stark geworben wird:
- *Volksarmee*, Wochenzeitung der Nationalen Volksarmee;
- *Armee-Rundschau*, Magazin des Soldaten, monatlich;
- *Sport und Technik*, Organ des Zentralvorstandes der Gesellschaft für Sport und Technik, monatlich;
- *Funkamateur*, monatlich;
- *Aero-Sport*, monatlich;
- *Poseidon*, monatlich;
- *Zeitschrift für Militärgeschichte*, vierteljährlich.

Lediglich für den Dienstgebrauch – bzw. nicht im freien Handel – gibt es darüber hinaus eine Reihe von periodischen Publikationen, beispielsweise *Militärwesen,* Zeitschrift für Militärpolitik und Militärtheorie; *Marinewesen; Gefechtsausbildung; Rückwärtige Dienste* usw.

Die dem Ministerium des Innern unterstehenden paramilitärischen Verbände haben ebenfalls ihre eigenen Zeitungen, bzw. Zeitschriften. Sie erscheinen im *Verlag des Ministeriums des Innern.*

Erst als mit der förmlichen Nominierung der NVA im Januar 1956 der Aufbau der Streitkräfte zu einem gewissen Abschluß gekommen war, wurde das militärische Schrifttum, vor allem die eigentliche Fachliteratur, systematisch und in großem Umfang erweitert.

Mittelpunkt des militärischen Publikationswesens wurde im Mai 1956 der *Verlag des Ministeriums für Nationale Verteidigung,* der auch nach seiner Umbenennung in *Deutscher Militärverlag* unmittelbar zum Ministerium für Nationale Verteidigung gehört und von Oberst W. Lauterbach, Mitglied der Zentralen Parteirevisionskommission der SED, geleitet wird.

Anfang 1956 gab es für die Öffentlichkeit nicht mehr als rund 150 Titel militärischer Bücher, an deren Herausgabe noch dazu verschiedene Verlage beteiligt waren[1]. Ende 1962 zeigte dagegen allein die Bibliographie[2] des Deutschen Militärverlages über 800 Titel an.

Diese neueste Übersicht über die „marxistisch-leninistische Militärliteratur" wendet sich nicht nur an die „Kommandeure und Politarbeiter der NVA", sondern auch an die „Referenten der Parteien und Massenorganisationen, die Angehörigen der Deutschen Volkspolizei, die Ausbilder der Gesellschaft für Sport und Technik, die Kampfgruppenkommandeure, die Dozenten und Studenten, die Bibliothekare, Buchhändler, Journalisten und alle anderen, mit unserer Literatur arbeitenden Menschen". Auf die schöngeistige Literatur, „die die Ausbildung unterstützen und vertiefen" soll, wird hingewiesen.

Die Literatur des Deutschen Militärverlages soll auch – laut einer Empfehlung des *Freien Deutschen Gewerkschaftsbundes* (Informationsblatt des FDGB Nr. 17/63) – in die Gewerkschaftsbibliotheken und Betriebsbüchereien eingestellt werden, „damit sie von den GST-Grundorganisationen, Kampfgruppeneinheiten, Ordnungsgruppen der FDJ, Sekretären des DTSB, Reservistenkollektiven und den jungen Wehrpflichtigen gleichermaßen benutzt werden kann"[3].

---

1 *Zum Schutz der Heimat – Nationale Verteidigung im Buch,* eine im Juni 1956 zusammengestellte Liste der Werbeabteilung des LKG-Leipziger Kommissions-Großbuchhandel.

2 *Bibliographie Deutscher Militärverlag,* zusammengestellt und bearbeitet von Fritz Becker, Redaktionsschluß 31. 11. 1962, Ost-Berlin, 160 Seiten.

3 *Sport und Technik,* Organ des Zentralvorstandes der GST, Ost-Berlin, November-Ausgabe 1963.

Unter den Autoren der rund 800 Titel sind mindestens 225 Russen und etwa 90 Autoren unbekannter, aber nichtdeutscher Nationalität. Dabei ist noch zu berücksichtigen, daß auch die Werke der deutschen Autoren oft lediglich Bearbeitungen sowjetischer Quellen sind. Die Russen stellen nicht nur einen Großteil der Autoren allgemeiner und spezieller militärischer Fachbücher, sondern sind auch auf anderen Gebieten stark vertreten. Grotesk ist, daß ausgerechnet von den 9 Autoren der Rubrik „Populärwissenschaftliche Literatur" 7 Russen sind.

In dieser Bibliographie ist kaum ein Buch, das dem Interessierten einen Einblick in westliches militärisches Denken und Planen geben könnte – wenn man von Clausewitz absieht. Das ist angesichts der kommunistischen Parteilichkeit auch nicht verwunderlich. (Die Werke mit den Erfahrungen der deutschen und anderen nichtsowjetischen Streitkräfte im Zweiten Weltkrieg werden aber ebenso wie die neueren amerikanischen Erfahrungen in Studien für die Militärakademie „Friedrich Engels" in Dresden berücksichtigt.)

Auffallender ist, daß auch ein Militärschriftsteller Mao Tse-tung anscheinend in den Bibliotheken für die NVA nichts zu suchen hat. Unter der Rubrik „Geschichte der Kriege" findet sich auch kein Titel, der die immerhin bedeutenden Feldzüge Maos würdigt. Eine russische Beschreibung der „ruhmreichen chinesischen Volksbefreiungsarmee" ist vergriffen.

Vermerkt sei noch, daß die Bücher und Schriften fast alle außerordentlich preiswert sind.

Die folgende Liste ist der Bibliographie des Deutschen Militärverlages entnommen. Sie enthält alle Titel, die dort in dem Kapitel „Thematische Gliederung der Verlagsproduktion" aufgeführt sind. Die mit * gekennzeichneten Titel sind vergriffen.

Auch die einzelnen Titel der verschiedenen *Schriftenreihen* des Deutschen Militärverlages sind, thematisch gegliedert, in dieser Bibliographie enthalten – was im einzelnen durch eine entsprechende Abkürzung vermerkt wurde:

AT	=	Armee und Technik
DV	=	Dienstvorschriften
ER	=	Erzählerreihe
FVuV	=	Für Volk und Vaterland (eine frühere Heftreihe)
GiA	=	Gewehre in Arbeiterhand
GSE	=	Große Sowjet-Enzyklopädie
KK	=	Kämpfende Kunst
MEA	=	Militärische Erziehung und Ausbildung – Schriftenreihe zu Fragen der militärischen Erziehung und Bildung
MP	=	Militärpolitik – Schriftenreihe zu Fragen der Militärpolitik
MWA	=	Militärwissenschaftliche Aufsätze – Schriftenreihe zur Diskussion über Fragen der Militärwissenschaft

Pop.Bibl. = Populärwissenschaftliche Bibliothek
Tats. = Tatsachen (Berichte von historischen Ereignissen)
TB = Das Taschenbuch
ZAb = Zur Abwehr bereit (eine frühere Heftreihe)

Militärtheorie

Die marxistisch-leninistische Lehre über den Krieg und die Streitkräfte

Hoffmann, Heinz: Die marxistisch-leninistische Lehre vom Krieg und von den Streit-
kräften (MWA 24), 80 Seiten, 1960; 2., verbesserte und ergänzte Auflage, 112 Seiten,
1962
Hoffmann, Heinz: Das Militärprogramm der sozialistischen Revolution, 80 Seiten, 1962
Engels, Friedrich: Artillerie – Über gezogene Geschütze, 48 Seiten, 1957*
Engels, Friedrich: Ausgewählte militärische Schriften, Band I, Herausgegeben vom
Instiut für Marxismus-Leninismus beim ZK der SED, XII/792 Seiten, 1958
Engels, Friedrich: Die Infanterie – Der Angriff – Die Schlacht, 52 Seiten, Illustrationen,
1956*
Frunse, M. W.: Ausgewählte Schriften, 572 Seiten, Karten, 1955*; 2. Auflage, 1956*;
3. Auflage, 1956
Frunse, M. W.: Ausgewählte Schriften – Ergänzungsband, 528 Seiten, 1960
Lenin, W. I.: Clausewitz' Werk „Vom Kriege", Auszüge und Randglossen, 48 Seiten,
1957
Lenin, W. I.: Über Krieg, Armee und Militärwissenschaft – Band I, 796 Seiten, 1958*;
2., nach den neuerschienenen Bänden der Lenin-Gesamtausgabe bearbeitete
Auflage, 1961
Lenin, W. I.: Über Krieg, Armee und Militärwissenschaft – Band II, 1. und 2. Halb-
band, 932 Seiten, 1959
Mehring, Franz: Krieg und Politik – Band I, Militärpolitische und militärgeschichtliche
Aufsätze, 576 Seiten, 1959
Mehring, Franz: Krieg und Politik – Band II, Über den nationalen Befreiungskampf
in Deutschland zu Beginn des 19. Jahrhunderts, 556 Seiten, 1961
Schneller, Ernst: Arbeiterklasse und Wehrpolitik, Ausgewählte Reden und Schriften
1925 bis 1929, 392 Seiten, 1960
Grinischin, D.: Die militärische Tätigkeit W. I. Lenins, 496 Seiten, 1958
Lenin, W. I.: – als Militärwissenschaftler (MWA), 56 Seiten, 1956*
Rasin, J. A.: W. I. Lenin – der Schöpfer der sowjetischen Militärwissenschaft (MWA 8),
44 Seiten, 1956*
– Über Lenins militärische Tätigkeit 1917 bis 1920, 60 Seiten, 1957*
Tjagunenko, W. L.: Krieg und Kolonien, Der Einfluß des Zerfalls des Kolonialsystems
auf die kriegswirtschaftliche Basis des Imperialismus, 200 Seiten, 1959*

Die sozialistische Militärwissenschaft

Abramow, W. K.: Mensch und Technik im modernen Krieg (MWA 25), 96 Seiten, 1961
Eyermann, Karl-Heinz: Der XX. Parteitag der KPdSU zu militärischen Fragen (MWA 9),
48 Seiten, 1957*
Hoffmann, Heinz: Das Militärprogramm der sozialistischen Revolution, 80 Seiten, 1962
Hübner, Werner: Über die Rolle der Volksmassen und der Heerführer im Krieg
(MWA 12), 40 Seiten, 1957

Lapacz, Otto: Zur Überlegenheit der sowjetischen über die bürgerliche Militärwissenschaft (MWA 13), 32 Seiten, 1957*

Naumann, Hans: Über die wichtigsten Faktoren und Bedingungen zur Erringung des Sieges im modernen Krieg (MWA 7), 40 Seiten, 1956*

Peter, Gerhard/Hans Einhorn: Die Schwerindustrie – die materielle Grundlage der ökonomischen und politischen Macht des sozialistischen Lagers (MWA 16), 64 Seiten, 1957*

Pokrowski, G. I.: Der moderne Krieg und die Wissenschaft, 116 Seiten, Illustrationen, 1958*

– Die Rolle der Volksmassen und der Heerführer im modernen Krieg (MWA 2), 32 Seiten, 1956*

Scharf, Götz: Über den moralischen Faktor im modernen Krieg (MWA 19), 112 Seiten, 1959*

Schiel, Wolfgang: Der Marxismus-Leninismus über das Entstehen, das Wesen und den Charakter der Kriege und der Armee (MWA 10), 56 Seiten, 1957*

Schiel, Wolfgang: Militärische Probleme des XXII. Parteitages der KPdSU, 64 Seiten, 1962

Wünsche, Wolfgang: Über den Charakter des modernen Krieges (MWA 26), 80 Seiten, 1961

Engmann, Günter: Streitkräfte und Politik, Zur Rolle der Streitkräfte im Kampf für den Frieden und Sozialismus, 96 Seiten, 1962

Smirnow, M. W./I. S. Bas/S. M. Koslow/P. A. Sidorow: Über sowjetische Militärwissenschaft, 304 Seiten, 1961

– Über die sowjetische und die bürgerliche Militärwissenschaft (MWA 3), Über Einheit von Volk und Armee, Über die Militärideologie des Imperialismus, 32 Seiten, 1956*

Skoworodkin, M.: Die Taktik als Bestandteil der Kriegskunst (Die Taktik als wissenschaftliche Theorie), 128 Seiten, 1959

Budowski, I. J.. Erziehung der Offiziere zur Willensstärke, 172 Seiten, 1957*; 2. Auflage, 1959*

Kalinin, M. I.: Über kommunistische Erziehung und militärische Pflicht, Gesammelte Aufsätze und Reden, Zusammengestellt von M. W. Kabanow, 724 Seiten, 1960

Kannewurf, Horst: Inhalt, Formen und Methoden der militärischen Erziehung und Bildung (MEA 6), 168 Seiten, Illustrationen, 1962

– Die Rolle der Parteiorganisationen bei der Entfaltung des sozialistischen Wettbewerbs zur Erhöhung der ständigen Gefechtsbereitschaft, 96 Seiten, 1959*

– Warum werden die Kapitalisten reich und die Proletarier arm? 76 Seiten, 1959*; 2. Auflage, 1959*

– Erfahrungen der Sowjetarmee bei der Erziehung von Offiziersschülern und jungen Offizieren (MEA 3), 48 Seiten, 1960

Jegorow, F. G.: Militärpsychologie, 380 Seiten, Illustrationen, 1957

Lukow, G. D.: Militärpsychologie, Psychologische und pädagogische Fragen bei der militärischen Bildung und Erziehung, 304 Seiten, 1960*

Brauchmann, Ulrich: Immer gefechtsbereit sein, 68 Seiten, Illustrationen, 1957*

Dolling, Herbert: Pflegt Waffen und Geräte, 56 Seiten, Illustrationen, 1957*

Enkelmann, Hans: Sekunden entscheiden das Leben, Der Zeitfaktor im modernen Krieg und in der militärischen Ausbildung, 72 Seiten, Illustrationen, 1957*

Frunse, M. W.: – zu Fragen der militärischen Erziehung (MWA 1), 56 Seiten, 1956*

Kosjukow, A. A.: M. W. Frunse zu militärpädagogischen Problemen, 168 Seiten, 1962

Michalewicz, Georg: Zur Methodik der patriotischen Erziehung, Ein Leitfaden für den Unterrichtsgruppenleiter zur Behandlung der Befreiungskriege 1812/13 im Unterricht, 152 Seiten, Illustrationen, 1956*

Protsch, Hannsgerd: So müssen unsere Soldaten sein, Eine Betrachtung über das politisch-moralische Antlitz der Nationalen Volksarmee der Deutschen Demokratischen Republik, 88 Seiten, Illustrationen, 1957*

Schwabe, Herbert: Wie der Vorgesetzte Belobigung und Strafe anwendet (MEA 2), 56 Seiten, 1958*
– Der Vorgesetzte und der Untergebene (MEA 1), (früher Militärpädagogik), Über einige Fragen der militärischen Erziehung, 44 Seiten, 1957*; 2. Auflage, 1957*
Uckel, Klaus-Dieter: Der militärische Vorgesetzte und die Pädagogik (MEA 5), Eine Einführung in Gegenstand und Aufgaben der Theorie der Erziehung und Bildung in militärischen Einheiten, 80 Seiten, 1962
– Über Selbständigkeit und Initiative (MEA 4), Beispiele aus dem Leben der sowjetischen Seestreitkräfte, 96 Seiten, 1960
Kühlig, Gerhard: Die Strafvorschriften über die Verbrechen gegen die militärische Disziplin, 96 Seiten, 1958*

Die bürgerliche Kriegsideologie, Auseinandersetzung mit ihr

– Die Demagogie der imperialistischen Militärideologen in Westdeutschland (MWA 5), 72 Seiten, 1956*
Heuer, Heinz: Der moderne bürgerliche Kosmopolitismus – Ideologie der Kriegsvorbereitung (MP 17), 220 Seiten, 1960
– Die Kriegsideologie, moderne imperialistische, 596 Seiten, 1960
Kirsanow, A. W.: Die revanchistische Kriegsideologie der westdeutschen Imperialisten (MP 7), 80 Seiten, 1959

Die bürgerliche Militärwissenschaft und Kriegskunst, Auseinandersetzungen mit ihnen

– Die bürgerliche Militärwissenschaft über die Besonderheiten des modernen Krieges und die Arten seiner Führung (MWA 4), 28 Seiten, 1956*
Frankenberg, Egbert von: Die strategischen Pläne der imperialistischen Aggressoren (MWA 14), 88 Seiten, 1957*
Heinz, Ernst: Betrachtungen zu einigen Theorien über die moderne Luftkriegführung (MWA 15), 72 Seiten, 1957

Anwendung anderer gesellschaftswissenschaftlicher Disziplinen auf die Militärtheorie und Militärwissenschaft

Procházka, Z./J. Hanc/V. Styblo: Kriegsökonomik (MWA 20), 64 Seiten, 1959
Standke, Herbert/Lothar Krumbiegel: Der Krieg im Völkerrecht, Völkerrechtliche Dokumente über die Verhinderung von Aggressionsakten, die Regeln der Kriegsführung und die Bestrafung von Kriegsverbrechern, 544 Seiten, 1961

Wörterbücher und Lexika

– Deutsches Militärlexikon, 504 Seiten, 1961*; 2. Auflage, 1962
– Russisch-Deutsches Militärwörterbuch, 816 Seiten, 1962

Militärpolitik

Allgemeine Probleme

Nitz, Jürgen: Mit uns der Sieg, Eine Betrachtung zu einigen Fragen des Kräftepotentials der Staaten des sozialistischen Weltsystems und der imperialistischen Länder, 176 Seiten, Illustrationen, 1962

Nitz, Jürgen: Worin unsere Stärke besteht, Eine Betrachtung über das Kräftepotential der Staaten des Warschauer Vertrages und der NATO, 96 Seiten, Illustrationen, 1959*

Militärpolitische Probleme des sozialistischen Lagers, Warschauer Vertrag

Feige, Gerhard: Der Warschauer Vertrag – Bündnis des Friedens und der Freundschaft (MP 14), 128 Seiten, 1960

– Fünf Jahre Warschauer Vertrag, Dokumente, 200 Seiten, 1960*

– Dokumente zum Warschauer Vertrag (1954 bis 1961), 2., erweiterte und ergänzte Auflage des Titels „Fünf Jahre Warschauer Vertrag", 232 Seiten, 1962

Militärpolitische Probleme der DDR

Hoffmann, Heinz/Waldemar Verner/J. A. Boltin: Abschluß eines Friedensvertrages macht neuen 22. Juni unmöglich (MP 25), 64 Seiten, 1961

Müller, Günter: Der Schwur der Nationalen Volksarmee, 96 Seiten, Illustrationen, 1957*; 2. Auflage, 1957*

– Die Nationale Volksarmee der Deutschen Demokratischen Republik, 48 Seiten, Illustrationen, 1956*; 2. Auflage, 1956*; 3. Auflage, 1957*; 4. Auflage, 1957*; 5. Auflage, 1957*

– Die Nationale Volksarmee der Deutschen Demokratischen Republik, (Eine Dokumentation), 128 Seiten, 1961*

Rogowski, Herrmann: Nationale Front zum Schutz des sozialistischen Vaterlandes (MP 19), 104 Seiten, 1961*

– Die Wehrgesetzgebung in der Deutschen Demokratischen Republik, 80 Seiten, 1962*

Militärpolitische Probleme des antikolonialen Befreiungskampfes, der nationaldemokratischen und neutralen Staaten

Dolgopolow, J. I.: Die nationalen Befreiungskriege in der gegenwärtigen Epoche (MP 27), 112 Seiten, 1962

Egretaud, Marcel: Nation Algerien, 256 Seiten, Illustrationen, 1958*

Guevara, Ernesto Che: Der Partisanenkrieg, 152 Seiten, 1962

Haack, Ernst/Martin Jahr: Tausendundeine Ohrfeige den Imperialisten (MP 9), Eine Betrachtung zur militärpolitischen Lage im Nahen Osten und in Nordafrika, 112 Seiten, 1959*

Kletza, Rudolf: Lateinamerika im Aufbruch; Zu Problemen der nationalen Befreiungsbewegung Lateinamerikas, 156 Seiten, Illustrationen, 1961

Die Kriegspolitik Westdeutschlands

– Atomkriegsmanöver „Winterschild", 40 Seiten, Illustrationen, 1960*

Aumüller, Franz: Kriegsbasis Westdeutschland, 108 Seiten, Illustrationen, 1957*

Barth, Willi/Rudi Bellmann: Militarismus und politischer Klerikalismus (MP 18), 112 Seiten, 1961*

Bergner, Mathias: Auf den Spuren des Misters S, 96 Seiten, Illustrationen, 1961

– Bonner Lügen geplatzt, 24 Seiten, 1959*

Blöcher, Karl: Der Widerstand der westdeutschen Bevölkerung gegen Remilitarisierung und atomare Aufrüstung (MP 8), 108 Seiten, 1959*

– Deutsche Kriegsbrandstifter wieder am Werk, Eine Dokumentation über die Militarisierung Westdeutschlands nach Materialien des Ausschusses für Deutsche Einheit, 488 Seiten, Illustrationen, 1960*

– Deutsche Kriegsbrandstifter wieder am Werk – Band II, Dokumentation 1959, 164 Seiten, Illustrationen, 1960

– Deutsche Kriegsbrandstifter wieder am Werk – Band III, Dokumentation 1960, 360 Seiten, 1961

Dickel, Karl: Zur Militärpolitik der SPD (MP 4), 64 Seiten, 1958*

Gaede, Kurt: Prediger des Atomtodes, 120 Seiten, Illustrationen, 1960*

– Die Gesetzmäßigkeit der Niederlagen des deutschen Militarimus (MP 10), 104 Seiten, 1959*

Gurow, A.: Die kriegsökonomischen Theorien des westdeutschen Militarismus, 188 Seiten, 1961

Herbell, Hajo: Saat des Verderbens (Militärhistorische Studien 2), Zur jüngsten Geschichte der Kriegsideologie des deutschen Militarismus, dargestellt an den „Schicksalsfragen der Gegenwart", 140 Seiten, 1961

Herdegen, Johannes: Waffen für die Bundeswehr, Rüstungsökonomische Maßnahmen des westdeutschen Militarismus zur Verstärkung seiner Aggressionsvorbereitungen, 180 Seiten, 1962

Hölzel, Lothar: Zwei Staaten – Zwei Systeme – Zwei Armeen, 96 Seiten, 1959*

Kühlig, Gerhard/Gert Schwarz: Bundeswehr hinter Paragraphengittern, 136 Seiten, 1957*

Krüger, Joachim/Joachim Schulz: Kriegsverbrecher Heusinger, 45 Jahre im Solde des deutschen Imperialismus, 248 Seiten, Illustrationen, 1960

Lehmann, Karl-Heinz: Revisionismus und Antikommunismus im Dienst der atomaren Aufrüstung (MP 22), Eine notwendige Auseinandersetzung mit der militärpolitischen Konzeption der rechten SPD-Führung, 112 Seiten, 1961

Linder, Heinz: Der Kurs der westdeutschen Militaristen auf die Vorherrschaft in der Nato (MP 26), 92 Seiten, 1962

Mader, Julius: Jagd nach dem Narbengesicht. Ein Dokumentarbericht über Hitlers SS-Geheimdienstchef Otto Skorzeny, 304 Seiten, 1962

Mader, Julius: Die Killer lauern. Ein Dokumentarbericht über die Ausbildung und den Einsatz militärischer Diversions- und Sabotageeinheiten in den USA und in Westdeutschland, 244 Seiten, 1961*

Marbold, Johannes/Gerald W. Horsten: Als die Nachtigallen schlugen, 68 Seiten, Illustrationen, 1960*

– Die Militarisierung der Wirtschaft Westdeutschlands, 192 Seiten, 1960

– Monopole – Militarismus – Massenmord! Eine Auswahl von Beiträgen über die Militarisierung der Westzonen, 248 Seiten, 1959*

Niendorf, Richard: Traditionsverbände im Dienste der Bundeswehr (MP 15), 100 Seiten, Illustrationen, 1960

Raddatz, Karl: Bundeswehr – Armee der Verteidigung? 112 Seiten, Illustrationen, 1957*

Rau, Günter: „Staatsbürger in Uniform" (MP 11), Über die Konzeption Baudissins als Bestandteil der aggressiven Kriegsideologie des deutschen Imperialismus und Militarismus in der Gegenwart, 72 Seiten, 1960

Scheel, Klaus: Zwischen Naziwehrmacht und Bundeswehr, 268 Seiten, Illustrationen, 1960

Siebert, Amandus, Bauernland unterm NATO-Stiefel, 64 Seiten, Illustrationen, 1961
Verner, Waldemar: Probleme der psychologischen Kriegsführung der Bonner Militaristen (MP 16), 48 Seiten, 1960*
– Des Volkes Feind, Über die Rolle des deutschen Militarismus in der neuen und neuesten Zeit, 136 Seiten, Illustrationen, 1961
Werner, Gerd/Lothar Albert: Aktion Galgenkreuz, 48 Seiten, Illustrationen, 1960*
Werner, Gerd: Rattenfänger von Hameln, 52 Seiten, 1960*
Wunderlich, Werner: Marine wider den Frieden (Militärhistorische Studien 1), Zur Entwicklung der militärpolitischen, strategischen und operativen Konzeption des deutschen Militarismus im Ostseeraum, 128 Seiten, 1961
Wünsche, Wolfgang: Strategie der Niederlage (Militärhistorische Studien 4), Zur imperialistischen deutschen Militärwissenchaft zwischen den beiden Weltkriegen, 144 Seiten, 1961
Zazworka, Gerhard: Psychologische Kriegführung, Eine Darlegung ihrer Organisation, ihrer Mittel und Methoden, 504 Seiten, Illustrationen, 1961*; 2., erweiterte und ergänzte Auflage, 520 Seiten, Illustrationen, 1962
Zboralski, Dietrich: Die Westorientierung der deutschen Militaristen und der „begrenzte" Krieg (MP 24), 48 Seiten, 1961

Die Kriegspolitik anderer imperialistischer Staaten, die imperialistischen Kriegspaktsysteme

– Abrüstung und Verteidigung (MWA 23), 156 Seiten, 1960*
Böttcher, Martin: NATO, NATO über alles, 48 Seiten, Illustrationen, 1959*
Engelmann, Horst: Vom Wesen und Mythos des Krieges (MP 3), 108 Seiten, 1958*
Eyermann, Karl-Heinz: Zur gegenwärtigen Situation im militärischen Denken der USA (MWA 11), 84 Seiten, 1957*
Feige, Gerhard: Die NATO und ihre Krise (MP 1), 120 Seiten, Illustrationen, 1957*
Feige, Gerhard: Die Ostsee – Aggressionsbasis der NATO oder Meer des Friedens? (MP 6), 116 Seiten, 1959
Frankenberg, Egbert von: Die Massenvernichtungswaffen, Einige militärpolitische und völkerrechtliche Überlegungen, 376 Seiten, 1957
Hellborn, Rudolf: Das Rüstungsdreieck Bonn – Paris – Rom (MP 12), 100 Seiten, 1960
Jeschonnek, Emil: Taiwan unter USA-Diktat (MP 5), 68 Seiten, 1958
Kleine, Joachim: Zur Krise der Militärpolitik in den USA (MP 23), 64 Seiten, 1961
Marzani, Carl/Viktor Perlo: Dollars und Abrüstung, 224 Seiten, 1962
Peck, Joachim: Das imperialistische Kriegspaktsystem und seine Krise, 76 Seiten, mit Karten, 1956*
Piater, Lilli/Heinz Fratzscher: Gangster in Uniform, 104 Seiten, Illustrationen, 1959*
Rybkin, J.: Krieg und Politik (MWA 27), 160 Seiten, 1961
Tatsachen über Westberlin, Subversion, Wirtschaftskrieg, Revanchismus gegen die sozialistischen Staaten, 184 Seiten, Illustrationen, 1962
Tscheprakow, W. A.: Wer braucht den Krieg? 80 Seiten, Illustrationen, 1958*
– USA-Militärstützpunkte bedrohen den Frieden, 88 Seiten, Karten, 1956*
Werth, Günther: Tagebuch einer Aggression, Chronologische Darstellung der durch die amerikanisch-britische Aggression im Libanon und in Jordanien hervorgerufenen Nahostkrise, 80 Seiten, Illustrationen, 1959*

Militärpolitische Betrachtungen der Armeen der Welt

Dijew, D. W.: Die Rumänische Volksarmee, 64 Seiten, 1962

Erhart, Kurt: Die Tschechoslowakische Volksarmee, 96 Seiten, Illustrationen, 1960
Mazulenko, N. A.: Die Koreanische Volksarmee, 144 Seiten, 1962
Oibrich, J.: Die Polnische Volksarmee, 96 Seiten, 1962
– Die Streitkräfte der UdSSR, 144 Seiten, Illustrationen, 1961
Engmann, Günter: Die Streitkräfte Frankreichs (MP 20), 112 Seiten, 1961

Militärgeschichtswissenschaft

Allgemeine Probleme

Arndt, Ernst Moritz: Kurzer Katechismus für teutsche Soldaten, 72 Seiten, 1956
Fabian, Franz: Clausewitz – Leben und Werk, 320 Seiten, 1957*

Geschichte der Kriege

Clausewitz, Carl von: Vom Kriege, CIV/960 Seiten, 1957

Durdik, Jan: Hussitisches Heerwesen, 298 Seiten, Illustrationen, 1961
Norden, Albert: Das Banner von 1813, 64 Seiten, Illustrationen, 1962

(Erster Weltkrieg)

Stender, Günther: Militärpolitische Lehren der Novemberrevolution 1918 (MP 13), 60
Seiten, 1960
Tscherepanow, A. I.: Bei Pskow und Narwa, 23. Februar 1918, 140 Seiten, Karten, 1918

(Zweiter Weltkrieg)

Bärwald, Horst/Klaus Polkehn: Bis fünf nach zwölf (2. Weltkrieg), 136 Seiten, Illustrationen, 1960*
Bärwald, Horst/Klaus Polkehn: Geheime Kommandosache „Fall Weiß", 116 Seiten, Illustrationen, 1960*
Sawicki, Jerzy: Vor dem polnischen Staatsanwalt, 288 Seiten, 1962
Thorndike, Annelie und Anrew/Karl Raddatz: Unternehmen Teutonenschwert, Die große Karriere eines kleinen Spions, 108 Seiten, Illustrationen, 1959*
– Vorlesungen zu Hauptproblemen der Geschichte des zweiten Weltkrieges, Herausgegeben vom Institut für Deutsche Militärgeschichte, Potsdam, 1961; Heft 1 Entstehung, Charakter und Periodisierung des zweiten Weltkrieges, 80 Seiten; Heft 2 Die erste Periode des zweiten Weltkrieges, 96 Seiten; Heft 3 Der Umschwung im zweiten Weltkrieg, 124 Seiten; Heft 4 Das Ende des zweiten Weltkrieges, 92 Seiten
Watzdorf, B./ A. Charisius/A. Voerster: Getarnt, entdeckt und aufgerieben, Die faschistische Sondereinheit Brandenburg z. b. V. 800, 112 Seiten, Illustrationen, 1961
– Zur Vorgeschichte der Verschwörung vom 20. Juli 1944, 112 Seiten, 1960
Deborin, G. A.: Der zweite Weltkrieg, Militärpolitischer Abriß, 492 Seiten, 1960*; 2. Auflage, 1960
– Geschichte des zweiten Weltkrieges 1939–1945 – Teil 1 und 2, Militärhistorischer Abriß, Redaktion S. P. Platonow/N. G. Pawlenko/I. W. Parotkin, 832 Seiten, mit Kartenmappe, 1961*
– Geschichte des Großen Vaterländischen Krieges der Sowjetunion 1941–1945 – Band 1, 632 Seiten, 1962, (Weitere fünf Bände in Vorbereitung)
Jeremenko, A. I.: Als Fälscher entlarvt, Eine Auseinandersetzung mit Darstellungen ehemaliger Hitlergenerale, 124 Seiten, 1960*

Jeremenko, A. I.: Tage der Bewährung (Erinnerungen), 236 Seiten, 1960*
Markin, I. I.: Die Kursker Schlacht, 240 Seiten, Kartenbeilagen, 1960
Maron, Karl: Von Charkow bis Berlin, Frontberichte aus dem zweiten Weltkrieg, 384 Seiten, Illustrationen, 1960*
Mazulenko, W. A.: Die Zerschlagung der Heeresgruppe Südukraine, August bis September 1944, 116 Seiten, mit Karten, 1959
Morosow, W. P.: Westlich von Woronesh, Kurzer militärhistorischer Abriß der Angriffsoperationen der sowjetischen Truppen in der Zeit von Januar bis Februar 1943, 208 Seiten, mit Karten, 1959
Popjel, N. K.: In schwerer Zeit (Erinnerungen), 392 Seiten, 1962*
Samsonow, A. M.: Die große Schlacht vor Moskau, 1941 bis 1942, 148 Seiten, 1959
Sawjalow, A. S./T. J. Kaljadin: Die Schlacht um den Kaukasus, 1942 bis 1943, 220 Seiten, Karten, 1959
Seydewitz, Max: Goethe und der General Winter, 244 Seiten, Illustrationen, 1962
– Sie kämpften für Deutschland, Zur Geschichte des Kampfes der Bewegung „Freies Deutschland" bei der 1. Ukrainischen Front der Sowjetarmee, 704 Seiten, Illustrationen, Faksimile, 1959
Trawkin, I. W.: Torpedo los (Erinnerungen), 132 Seiten, Halbleinen, 1961*
Tschuikow, W. I.: Stalingrad – Anfang des Weges (Erinnerungen), 400 Seiten, 1961*; 2. Auflage, 1962
– Die wichtigsten Operationen des Großen Vaterländischen Krieges 1941–1945, 708 Seiten, Karten, 1958*

Bergonzini, Luciano: Partisanen am Monte Battaglia (Erinnerungen), 256 Seiten, 1962
Hass, Gerhard: Der komische Krieg in Westeuropa, September 1939 bis Mai 1940, 96 Seiten, 1961
Kraminow, D. F.: Frontberichterstatter im Westen (Erinnerungen), Die Wahrheit über die zweite Front in Westeuropa, 260 Seiten, 1962
– Zur Gechichte der deutschen antifaschistischen Widerstandsbewegung 1933 bis 1945, Eine Auswahl von Materialien, Berichten und Dokumenten, 432 Seiten, Illustrationen, Faksimile, 1957*; 2., verbesserte Auflage, 1958*

Gläser, Horst: Palmen, Söldner, Partisanen (Erinnerungen), 112 Seiten, 1962
Rathmann, Lothar: Araber stehen auf, Über den Befreiungskampf der arabischen Völker bis zum Ausbruch des zweiten Weltkrieges, 184 Seiten, Illustrationen, 1960*

Geschichte der Militärwissenschaft und Kriegskunst

Oeckel, Heinz: Volkswehr gegen Militarismus (Militärhistorische Studien 5), Zur Milizfrage in der proletarischen Militärpolitik in Deutschland von der Mitte des 19. Jahrhunderts bis zum ersten Weltkrieg, 148 Seiten, 1962
Rasin, J. A.: Geschichte der Kriegskunst – Band I; Die Kriegskunst der Sklavenhalterperiode des Krieges, 648 Seiten, Illustrationen, 1959
Rasin, J. A.: Geschichte der Kriegskunst – Band II, Die Kriegskunst der Feudalperiode des Krieges, XII/584 Seiten, Illustrationen, 1960
Ssund-ds': Traktat über die Kriegskunst, 160 Seiten, 1957

Revolutionäre militärische Traditionen

Bluth, Oskar: Uniform und Tradition, 80 Seiten, Illustrationen, 1956*
Döhnert, Wolfgang/Manfred Seifert: Söldner oder Soldat, 72 Seiten, Illustrationen, 1956*

- Fortschrittliche militärische Traditionen des deutschen Volkes, 120 Seiten, Illustrationen, 1957*; 2. Auflage, 1957*
Hennicke, Otto: Clausewitz – Bemerkungen zur Bedeutung seiner Kriegstheorie für seine und für unsere Zeit (MWA 17), 56 Seiten, 1957*
Lehmann, Karl-Heinz/Fritz Wendt: Militaristisch oder militärisch, 80 Seiten, Illustrationen, 1956*
Zazworka, Gerhard: Soldatenehre, 84 Seiten, Illustrationen, 1957*

Beyer, Hans: München 1919 (GiA), Der Kampf der Roten Armee in Bayern 1919, 56 Seiten, Illustrationen, 1956
Dünow, Hermann: Der Rote Frontkämpferbund (MP 2) 104 Seiten, Illustrationen, 1958
Fischer, Kurt: Die Berliner Abwehrkämpfe 1918/19 (GiA), 48 Seiten, Illustrationen, 1956
Hanisch, Wilfried: Die Hundertschaften der Arbeiterwehr (GiA), Die proletarischen Hundertschaften 1923 in Sachsen, 112 Seiten, Illustrationen, 1958
Hennicke, Otto: Die Rote Ruhrarmee (GiA), 120 Seiten, Illustrationen, 1957
Kruppa, Reinhold: Die Niederlausitz griff zur Waffe (GiA); Die Abwehr des Kapp-Putsches in der Niederlausitz, 80 Seiten, Illustrationen, 1957
Rasmuss, Hainer: Die Januarkämpfe 1919 in Berlin (GiA), 56 Seiten, Illustrationen, 1956
Schreiner, Klaus: Die badisch-pfälzische Revolutionsarmee 1849 (GiA), 96 Seiten, Illustrationen, 1956
Schunke, Joachim: Schlacht um Halle (GiA), Die Abwehr des Kapp-Putsches in Halle und Umgebung, 112 Seiten, Illustrationen, 1956*
Wrobel, Kurt: Die Volksmarinedivision (GiA), 144 Seiten, Illustrationen, 1957
Zeisler, Kurt: Aufstand in der deutschen Flotte (GiA), Die revolutionäre Matrosenbewegung im Herbst 1918, 96 Seiten, Illustrationen, 1956*

Fiedler, Franciszek: Für eure und unsere Freiheit, 48 Seiten, 1956*
Linowski, Andrezej: Polen im französischen Widerstandskampf in den Jahren 1940 bis 1944, 40 Seiten, 1956*
Maretzki, Hans: Die Kommunarden von Paris (GiA), 156 Seiten, Illustrationen, broschiert, 1961
Menger, Manfred: Feuer über Suomi (GiA), Finnlands Rote Garde im Kampf gegen Weißgardisten und deutsche Militaristen, 88 Seiten, 1962
Szinda, Gustav: Die XI. Brigade (GiA), 112 Seiten, Illustrationen, 1956
Tjusin, F. S.: Die militärische Tätigkeit der Bolschewiki in den Jahren 1905 bis 1907, 80 Seiten, 1957*
- Tschapajew, – Das Bataillon der 21 Nationen, 480 Seiten, Illustrationen, 1956
Weickert, Eugen: An der Jaramafront (GiA), 80 Seiten, 1962

Geschichte der Streitkräfte

Ring, Friedrich: Zur Geschichte der Militärmedizin in Deutschland, 372 Seiten, Illustrationen, 1961
- Die Streitkräfte – Die Armee (GSE 2), 48 Seiten, 1956*
Martynow, A. A.: Die ruhmreiche Chinesische Volksbefreiungsarmee, 144 Seiten, mit Karten, 1958*
Schatagin, N. I./I. P. Prussanow: Die Sowjetarmee – Armee neuen Typs, 240 Seiten, Illustrationen, 1959*
- Die Volksarmee Vietnams, Beiträge und Dokumente zum Befreiungskampf des vietnamesischen Volkes, 208 Seiten, Illustrationen, 1957*

- Die Artillerie, Folge I (GSE 3), 44 Seiten, Illustrationen, 1956*; 2. Auflage, 1956*
- Die Artillerie, Folge II (GSE 4), 104 Seiten, Illustrationen, 1957*

Kampfführung (MWA 18), 40 Seiten, 1958

Dittmar, Karl: Über den Einfluß der Entwicklung der technischen Kampfmittel auf die

Höhn, Hans: Feuerkraft der Aggressoren (Militärhistorische Studien 3), Zur Entwicklung der Artillerie in den Landstreitkräften des deutschen Militarismus von 1935 bis 1960, 160 Seiten, Illustrationen, 1961

Lugs, Jaroslav: Handfeuerwaffen, Systematischer Überblick über die Handfeuerwaffen und ihre Geschichte; Band I, 216 Text- und 256 Bildseiten; Band II, 316 Text- und 160 Bildseiten, 1962

Müller, Heinrich: Historische Waffen, Kurze Entwicklungsgeschichte der Waffen vom Frühfeudalismus bis zum 17. Jahrhundert, 172 Seiten, Illustrationen, 1957

Militärische Fachliteratur

Allgemeine, zusammenfassende Darstellung angewandter Teile der Kriegskunst

- Die Entwicklung der Taktik der Sowjetarmee im Großen Vaterländischen Krieg, 448/8/70 Seiten, Illustrationen, Karten, 1961
- Die Militärische Strategie und Taktik (GSE) 1), 84 Seiten, 1957*

Lagowski, A. N.: Strategie und Ökonomie, Kurzer Abriß ihrer Wechselbeziehungen, 212 Seiten, Illustrationen, 1959

Prosorow, W. G.: Die taktische Überraschung (MWA 21), 120 Seiten, Karten, 1960

Zusammenfassende, allgemeine Darstellung moderner Militärtechnik und Bewaffnung

Lehmann, Gerd: Einführung in die Hochfrequenzmeßtechnik, 304 Seiten, Illustrationen, 1960

Jewdokinow, B. J.: Panzerabwehrraketen der NATO (AT), 80 Seiten, Illustrationen, 1962

- Moderne Kriegstechnik, 276 Seiten, Illustrationen, 1958*

Landstreitkräfte

Bakanow, N. A.: Lernt Scharfschießen, 96 Seiten, Illustrationen, 1956*

- Exerziervorschrift (DV 10/1), 192 Seiten, Illustrationen, 1958*
- Exerziervorschrift (DV 10/1), 2. Auflage, 240 Seiten, Illustrationen, 1962

Firsow, S. P.: Stähle deinen Körper, 68 Seiten, Illustrationen, 1956*

Fuchs, Siegfried: Grundlagen der Mathematik für Angehörige der Nationalen Volksarmee, Teil I: Arithmetik und Algebra, 424 Seiten, Illustrationen, 1962

Gretschichin, A. F./A. K. Loschtschilow: Ratschläge für die Schießausbildung, 264 Seiten, Illustrationen, 1960*

- Grundlagen des Schießens mit Schützenwaffen (DV 20/12), 246 Seiten, Illustrationen, 1959*
- Tarnung, 176 Seiten, Illustrationen, 1962
- Hygienefibel des Soldaten, 84 Seiten, Illustrationen, 1956*
- Die hygienische Überwachung der Truppenverpflegung (DV), 152 Seiten, Illustrationen, 1958*
- Innendienstvorschrift (DV 10/3), 96 Seiten, 1959*
- Kartenzeichen, Vom Bild zur Karte der Maßstäbe, 1:25 000, 1:50 000, 1:100 000 der DDR, 56 Seiten, Illustrationen, 1961

Král, J.: Nachtschießen mit Schützenwaffen, 112 Seiten, Illustrationen, 1960
- Kriegslist und Findigkeit, 68 Seiten, Illustrationen, 1956*
- Militärtopographie, Lehrbuch für Offiziere, 316/LXIV Seiten, Illustrationen, 1960*; 2., überarbeitete und ergänzte Auflage, 340/LXIV Seiten, Illustrationen, 1962
- Militärtopographie, Lehrbuch für Unteroffiziere, 256 Seiten, Illustrationen, mit Karten, 1957*; 2. Auflage, 1958*, 3. Auflage, 1959*; 4. Auflage, 1961*
- 9-mm-Pistole-M Typ Makarow (DV 20/2a), 72 Seiten, Illustrationen, 1958*; 2. Auflage, 1959*
- Schützengruppe und Schützenzug der USA-Armee im Angriff, 52 Seiten, Illustrationen, 1956*
Schtandel, B. N.: „Handgranaten Wurf!", 108 Seiten, Illustrationen, 1961
Smotrizki, J.: Der Spaten – Freund des Soldaten, 48 Seiten, Illustrationen, 1956*
- Sport- und Kampfspiele, 80 Seiten, Illustrationen, 1958*
- Standortdienst- und Wachvorschrift (DV 10/4), 88 Seiten, 1958; 2. Auflage 1959*
Topp, Hans: Die Nacht – Verbündete des kühnen Soldaten, 48 Seiten, Illustrationen, 1958*
- Urlaubsordnung der Nationalen Volksarmee (DV 10/14), 20 Seiten, 1959*
Warenyschew, B. W.: Einfache Schutzanlagen gegen Kälte und Unwetter, 64 Seiten, Illustrationen, 1956*
Weinstein, Lew: Sportschießen mit Pistole und Revolver, 344 Seiten, Illustrationen, 1960*
Wolf, Karl-Heinz/Lothar Groß: Karten- und Geländekunde, Grundwissen für den Soldaten, 112 Seiten, 1961
Wuttke, Günther: Quell der Gesundheit, Eine Anleitung für die individuelle Gymnastik des Offiziers, 108 Seiten, Illustrationen, 1959*

Bakal, A. A./A. A. Scharipow: Die Handlungen der Schützeneinheiten im Ortskampf, 244 Seiten, 1961
Dukatschew, M. P.: Infanterie im Gefecht, 228 Seiten, Illustrationen, 1962
- Der Durchbruch der Schützenverbände durch eine vorbereitete Verteidigung. Nach Erfahrungen des Großen Vaterländischen Krieges der Sowjetunion 1941–1945, 440 Seiten, Illustrationen, 41 Skizzen, 1959
- Gefechtshandlungen des Schützenbataillons. Eine Sammlung taktischer Beispiele aus dem Großen Vaterländischen Krieg, 200 Seiten, Karten, 1961
- Gefechtshandlungen der Schützeneinheiten. Eine Sammlung taktischer Beispiele aus dem Großen Vaterländischen Krieg, 228 Seiten, Karten, 1959
- Gefechtshandlungen der Schützenkompanie. Eine Sammlung taktischer Beispiele aus dem Großen Vaterländischen Krieg, 232 Seiten, Illustrationen, 1960
Golubowitsch, W. S./M. W. Presnjakow: Kampfhandlungen des Zuges bei Nacht. Eine Sammlung taktischer Beispiele aus dem Großen Vaterländischen Krieg, 180 Seiten, Karten, 1959
- Die Gruppe in der Aufklärung, 172 Seiten, Illustrationen, 1950*
Jeronin, N. B.: Der Nachtkampf (MWA 22). Nach ausländischen Ansichten, 100 Seiten, 1960
Korolew, E. P.: Aufklärung durch Beobachtung, 144 Seiten, Illustrationen, 1961
Marinzew, P. F.: Zusammenwirken – Gesetz des bewaffneten Kampfes, 68 Seiten, Illustrationen, 1959*

Alexejew, I. I.: Das Schießen der Geschütze im direkten Richten, 120 Seiten, Illustrationen, 1958
- Der Artillerieoffizier, Handbuch, 348 Seiten, Illustrationen, 1960
- Aufgabensammlung für den Artillerieausbilder, 384 Seiten, Illustrationen, 1962
- Aufklärung der Artillerie – Teil II (DV 51/1), 160 Seiten, 1959*
- Grundlagen der Artillerievermessung (DV 81/2), 224 Seiten, 1959*

Jurin, J. T.: Aufbau und Nutzung von Artilleriewaffen, 348 Seiten, Illustrationen, 1962

Kreische, Heinz: Die 122-mm-Haubitze, 140 Seiten, Illustrationen, 1961

– Logarithmentafeln (DV), 256 Seiten, 1958*

Mai, Herbert: Die Plan-,. Richt- und optischen Geräte der Artillerie, 216 Seiten, Illustrationen, 1961

Meinert, Manfred: Der 82-mm-Granatwerfer, 208 Seiten, Illustrationen, 1962

Neuber, Erich/J. S. Denissow: Der artillerie-meteorologische Dienst, 176 Seiten, Illustrationen, 1959

Rehak, Vladimir/Miroslaw Veprek: Nachtkampf der Artillerie, 272 Seiten, Illustrationen, 1960

– Schießregeln für die Erdartillerie (DV 21/61), 256 Seiten, Illustrationen, 1961

Skorbin, B. P.: Artillerieaufklärer, 92 Seiten, Illustrationen, 1956*

Wolff, Waldemar: Innere Ballistik, Einführung in die Ballistik – Band II, 160 Seiten, Illustrationen, 1961

Wolff, Waldemar: Wahrscheinlichkeitsrechnung und das Problem der Geschoßstreuung, Einführung in die Ballistik – Band I, 176 Seiten, Illustrationen, 1959

Jewtjuchin, J. E./M. I. Scheremet: Die Wartung des Kraftfahrzeuges zur Ausfahrt, 64 Seiten, Illustrationen, 1962

Korolkow, N.: Panzer im Gefecht, 120 Seiten, Illustrationen, 1962

– Kühlung von Kraftfahrzeug- und Panzermotoren, 88 Seiten, Illustrationen, 1957

Mellenthin, Günther: Fahren in Kolonne, 48 Seiten, Illustrationen, Verkehrszeichen-Anhang, 1956*

Modrach, Siegfried: Panzer der NATO, 252 Seiten, Illustrationen, 1962

Mostowenko, J. M.: Panzer gestern und heute, Abriß der Entstehung und Entwicklung der Panzertechnik, 192 Seiten, Illustrationen, 1961

Nikulin, W. J.: Grundlagen des Schießens aus dem Panzer, Fachbuch, 404 Seiten, Illustrationen, 1961

– Der Panzer, 704 Seiten, Illustrationen, 1959*

– Die Panzertruppen der USA-Armee. Eine Sammlung von Beiträgen aus amerikanischen Militärzeitschriften, 288 Seiten, Illustrationen, 1960*

– Schießen mit Panzer und SFL aus gedeckten Feuerstellungen (DV 23/4), 192 Seiten, Illustrationen, 1959*

– Schießregeln für Panzer und SFL (DV 23/5), 192 Seiten, Illustrationen, 1959*

Wlassow, Ch. W./I. E. Jewtjuchin/J. F. Sserebrjakow: Das Fahren mit Kraftfahrzeugen unter schwierigen Bedingungen, 168 Seiten, Illustrationen, 1961

Zumr, Vladislav: Bergen von Kraftfahrzeugen, 144 Seiten, Illustrationen, 1960*; 2., überarbeitete und erweiterte Auflage, 144 Seiten, Illustrationen, 1962

Conrad, Walter: Radar – kein Geheimnis, 280 Seiten, Illustrationen, 1960

Degodi, N. T.: Echo! – Backbord 30 Grad. Ein Bericht über die Arbeit der Hydroakustiker an Bord, 72 Seiten, Illustrationen, 1961

– Feldkabelbau (DV 14/3), 100 Seiten, Illustrationen, 1959*

– Fernschreibbetriebsdienst (DV 14/16), 88 Seiten, Illustrationen, 1958*

– Fernsprechbetriebsdienst (DV 14/15), 80 Seiten, Illustrationen, 1958*

Kamanin, W. I.: Die Anwendung der Funkmeßtechnik in der Schiffsführung, 168 Seiten, Illustrationen, 1962

Knjasew, A.: cq ... cq ... Wie arbeitet eine Funkstation? 244 Seiten, Illustrationen, 1961

Krüger, Werner/Günther Roßberg/Fritz Höppke: Hören und Geben, 140 Seiten, Illustrationen, 1962*

Lorenz, Ludwig: Aufbau und Wirkungsweise von Sendern, 96 Seiten, Illustrationen,

1958*; 2. Auflage, 1959*; 3., überarbeitete und stark erweiterte Auflage, 168 Seiten,
Illustrationen, 1962
- Der Militärfunker, 60 Seiten, Illustrationen, 1956*
Traskin, K. A.: Die Funkmeßtechnik in der Armee, 188 Seiten, Illustrationen, 1959
- Unsichtbares Licht – Nachtsehen, Infrarot im Militärwesen, 144 Seiten, Illustrationen,
1961

- Das Anlegen und Überwinden von Sperren, 72 Seiten, Illustrationen, 1956*
Busykin, W. I./N. D. Schuwajew: Die Wasserversorgung der Truppen, 120 Seiten,
Illustrationen, 1957*
Mäser, Günter: Einfache militärische Brücken, 84 Seiten, Illustrationen, 1956*
Schüßler. K.-H.: Der Eisenbahnmarsch, 152 Seiten, Illustrationen, 1961
- Das Überwinden von Flüssen, 92 Seiten, Illustrationen, 1958*

Gluschko, A. P./L. K. Markow/L. P. Piljugin: Kernwaffen und Kernwaffenschutz, 360
Seiten, Illustrationen, Tabellen, Anlage: Kernwaffenrechenscheibe, 1960
- Handbuch des Unteroffiziers für die Schutzausbildung (DV 66/6), 252 Seiten, Illu-
strationen, 1958*; 2. Auflage, 240 Seiten, Illustrationen, 1959*; 3. Auflage, 1959*
Langhans, Kurt: Kernstrahlungsmeßgeräte, 144 Seiten, Illustrationen, 1958; 2., völlig
überarbeitete und stark erweiterte Auflage, 328 Seiten, Illustrationen, 1961
Lohs, Karlheinz: Nachweisgeräte für giftige Gase, Dämpfe und Staube, 148 Seiten,
Illustrationen, 1960*; 2., überarbeitete und erweiterte Auflage, 216 Seiten, Illu-
strationen, 1962
Lohs, Karlheinz: Synthetische Gifte, Chemie, Wirkung und militärische Bedeutung.
Ein Überblick, 216 Seiten, 1958
Nejman, M. B./K. M. Sadilenko: Mehrphasenkernwaffen, 272 Seiten, 1961
- Schutz gegen Massenvernichtungswaffen. Der Einsatz der Truppen bei der An-
wendung von atomaren, chemischen und bakteriologischen Waffen. Merkblatt für
Soldaten und Matrosen, 144 Seiten, Illustrationen, 1956*
Stöhr, Ralph: Die chemischen Kampfstoffe, Eigenschaften, Wirkung. Schutzmöglich-
keiten und Entgiftung, 232 Seiten, Illustrationen, 1961

- Anleitung für die Militärfeldtherapie, 352 Seiten, 1958*
- Arzt und Atomschutz, 180 Seiten, Illustrationen, 1957*
Pissarew, D. I.: Neurologische Erfahrungen der Luftfahrtmedizin, 112 Seiten, 1957*
Platonow, K.: Der Mensch im Fluge, 268 Seiten, Illustrationen, 1959*

Luftstreitkräfte und Luftverteidigung

Aronin, G. S./F. W. Nadjoshin: Praktische Aerodynamik, 456 Seiten, Illustrationen, 1960
Krawtschenko, I. W.: Flugmeteorologie, 248 Seiten, Illustrationen, 1961
- Unsere Luftstreitkräfte, 196 Seiten, Illustrationen, 1962
Wassiljew, G. S./N. M. Lyssenko, F. B. Mikirtumow: Aerodynamik und Flugmechanik
bei schallnahen Geschwindigkeiten. Eine kurzgefaßte Darstellung in leichtverständ-
licher Form, 336 Seiten, Illustrationen, 1959

Henkes, Klaus/Helmut Rhein: Handbuch der Flugnavigation, 256 Seiten, Illustrationen,
1961
Nossow, N. A./G. I. Zjupko/W. I. Petljuk: Navigation auf einsitzigen Flugzeugen, 320
Seiten, Illustrationen, 1959
- Theorie der Flugzeugtriebwerke, Band I, Grundlagen der Thermodynamik und Gas-
dynamik, 312 Seiten, Illustrationen, 1961

– Theorie der Flugzeugtriebwerke, Band II, Theorie der Strahltriebwerke, 456 Seiten, Illustrationen, 1962

Krysenko, G. D./P. T. Astaschenkow: Rakete – Flugbahn – Lenksystem, 248 Seiten, Illustrationen, 1961
Mielke, Heinz: Künstliche Satelliten – Raumraketen, 424 Seiten, Illustrationen, 1960*
Zorn, Heinz Bernhard: Kampfraketen, 168 Seiten, Illustrationen, 1961

Seestreitkräfte

Israel, U./G. Kautz: Seefliegerkräfte, 148 Seiten, 1960
– Kernenergie und Flotte, Artikelsammlung, 224 Seiten, Illustrationen, 1961
Krause, Günther/Günter Larisch: Von der U-Boot-Falle zum Jagdhubschrauber, 216 Seiten, Illustrationen, 1961*
Pöschel, Günther; Froschmänner – Torpedoreiter – Zwerg-U-Boote, 304 Seiten, Illustrationen, 1961*
– Schiffe der Meerestiefen, 240 Seiten, Illustrationen, 1958*
– Unsere Volksmarine, 416 Seiten, Illustrationen, 1961

Scharnow, Ulrich: Seekarte, Kompaß, Radarschirm, Navigation leicht verständlich, 400 Seiten, Illustrationen, 1962

Solowjow, D. I.: Die Schiffsartillerie, 176 Seiten, Illustrationen, 1959

Nowak, G. M./B. A. Lapschin: Der Schiffssicherungsdienst, 256 Seiten, Illustrationen, 1960

Ostrzinski, Hans/Werner Dobrig: Die Versorgung von Kampfschiffen in See, 168 Seiten, 1962

Schöne Literatur

Die ständige Erhöhung der Gefechtsbereitschaft der Nationalen Volksarmee und der Armeen der sozialistischen Staaten. Die Verteidigung des sozialistischen Vaterlandes

– Bei unseren Soldaten, 118 Seiten, Illustrationen, 1958*
Berjosko, Georgi: Absprung am Morgen, 384 Seiten, 1962
Göldner, Wilfried und Edith: Schatzsucher am Bellinsee (ER 18), 40 Seiten, Illustrationen, 1958*
Hakenbeck, Herbert: Kurs: West 23° nord (FVuV 13), 64 Seiten, 1954*
– Nimm das Gewehr, Anthologie, 196 Seiten, mit Noten, 1959
Oliva, Hans: Im Sonderauftrag, 168 Seiten, Illustrationen, 1961*
Senkbeil, Heinz: „Drittes Geschütz-Feuer!" (ER 47), 48 Seiten, Illustrationen, 1960*
Senkbeil, Heinz: Die Nacht am Fluß (ER 37), 56 Seiten, Illustrationen, 1959*
Vogt, Klaus: Havarie am Gletscher Sphinx (ER 53), 48 Seiten, Illustrationen, 1961
– Vorwärts, Soldaten! Neue Soldatenerzählungen; herausgegeben von Klaus Kapinos, 316 Seiten, Illustrationen, 1961
– Unsere Nationale Volksarmee, Erzählungen; 160 Seiten, Illustrationen, 1961

(Verbundenheit zwischen Zivilbevölkerung und NVA)

Arden, Johannes: Zwischenfall im D-Zug (FVuV 18), 56 Seiten, Illustrationen, 1955*;
2. Auflage, 1955*
Bonhoff, Otto: Immer wenn das Flugzeug kam... (ZAb 22), 48 Seiten, Illustrationen,
1956*
Brezan, Jurij: Das Haus an der Grenze (ER 3), 48 Seiten, Illustrationen, 1957*
Britsche, Heinz: Alarm (FVuV 11), 64 Seiten, Illustrationen, 1954*
Flegel, Walter: Wenn die Haubitzen schießen, 272 Seiten, 1960*; 2. Auflage, 1961
Flegel, Walter: Wenn die Haubitzen schießen (TB 25), 304 Seiten, 1962
Guddat, Rolf: Mord an der Grenze (ER 34), 56 Seiten, Illustrationen, 1959*
Räppel, Karl-Heinz: Andreas und die Lausbubenkompanie, 168 Seiten, Illustrationen,
1959*; 2. Auflage, 1961*; 3. Auflage, 1962*
Räppel, Karl-Heinz: Hanne, die JAWA und ich, 220 Seiten, Illustrationen, 1957*; 2. Auf-
lage, 1959*; 3. Auflage, 1961*; 4. Auflage, 1962*

(Waffenbrüderschaft zwischen sozialistischen Armeen)

Schmidt, Wolfhard: Die Vier vom Funktrupp Baum (ER 42), 48 Seiten, Illustrationen,
1960*

(Kampf gegen Vorurteile bei Soldaten der NVA)

Radtke, Günter: Gespensterjagd (ER 61), 48 Seiten, Illustrationen, 1961
Strahl, Rudi: Einer schwieg nicht, 180 Seiten, Illustrationen, 1957
Weber, Karl-Heinz: Verbrechen um UR 3 (ER 62), 48 Seiten, Illustrationen, 1962
– Aus der Gula(s)chkanone, 64 Seiten, Illustrationen, 1960*
Strahl, Rudi: Zwischen Zapfenstreich und später, 184 Seiten, Illustrationen, 1956*

*Der Kampf gegen Imperialismus, Militarismus und imperialistischen Krieg in Deutsch-
land*

Ott, Alexander: Parole: „Freies Deutschland" (ER 21), 56 Seiten, Illustrationen, 1958*
Ott, Alexander: Parole: „Freies Deutschland" (ZAb 33), 56 Seiten, Illustrationen, 1956*

Albrecht, Louis/Walter Schell: Das Protokoll kam zu spät (ER 32), 48 Seiten, Illustra-
tionen, 1959*
Bartz, Erwin: Soldat auf Bewährung, 148 Seiten, Illustrationen, 1956*
Basu, Baren: Der Rekrut, 316 Seiten, Illustrationen, 1957*
Brennecke, Bert: Im Schatten des Monte Nevoso (ER 38), 48 Seiten, Illustrationen, 1960*
Burian, E. F.: Die Sieger, 284 Seiten, 1959*
David, Kurt: Befehl ausgeführt (ER 14), 40 Seiten, Illustrationen, 1958*
David, Kurt: Gegenstoß ins Nichts (ER 5), 48 Seiten, Illustrationen, 1957*
Dieckmann, Friedrich-Karl: Frontbewährung, 92 Seiten, Halbleinen, 1956*
Djacenko, Boris: Der Weg in die Wälder (FVuV 20), 48 Seiten, Illustrationen, 1955*;
2. Auflage, 1955*
Djacenko, Boris: Pseudonym: Unteroffizier Bronn (ZAb 27), 48 Seiten, Illustrationen,
1956*
Frei, Bruno: Die Männer von Vernet, 324 Seiten, 1961
Gergely, Sándor: Am Rande des Abgrunds (ZAb 32), 48 Seiten, Illustrationen, 1956*

Hakenbeck, Herbert: Nächte vor Wielbark (FVuV 23), 48 Seiten, Illustrationen, 1955*; 2. Auflage, 1955*

Hauptmann, Helmut: Die Karriere des Hans Dietrich Borssdorf alias Jakow, nach Aufzeichnungen von Walter Jacobi-Budissin, 192 Seiten, 1958*; 2. Auflage, 1959*; 3. Auflage, 1961*

Horn, Herbert: Die große Zeit des Otto Blümel, 452 Seiten, 1958*; 2. Auflage, 1960*

Jabs, Gustav: Auf der richtigen Seite, 292 Seiten, 1960

Kast, Peter: Zwanzig Gewehre, 232 Seiten, 1958*; 2. Auflage, 1960

Körner-Schrader, Paul: Ostlandreiter, 332 Seiten, 1959*; 2. Auflage, 1961*

Kottwitz, Eberhard: Armeepistole 8086 (ER 56), 48 Seiten, Illustrationen, 1961

Kubka, Frantisek: Ein Partisan stirbt nicht (FVuV 39), 56 Seiten, Illustrationen, 1956*

Kubiak, Georg: Die letzte Begegnung (ER 20), 48 Seiten, Illustrationen, 1958*

Laiolo, Davide: Kommandeur Ulisse, 268 Seiten, 1959*; 2. Auflage, 1960

Lanoux, Armand: Der Tote von Volmerange, 404 Seiten, 1960*; 2. Auflage, 1962

Loest, Erich: Der Schnee von Podgonowka (ER 2), 40 Seiten, Illustrationen, 1957*

Loest, Erich: Freiwillige vortreten! (ER 6), 48 Seiten, Illustrationen, 1957*

May, Ferdinand: Die Letzten von U 189, 272 Seiten, 1959*; 2. Auflage (TB 4), 1960; 3. Auflage, 1961*; 4. Auflage, 1962

Milan, Maurizio: Feuer in der Ebene, 224 Seiten, 1958*

Mildner, Heinz: Café de la Paix (ZAb 17), 48 Seiten, Illustrationen, 1956*

Müller, Walter M.: Fahnenflüchtige, 212 Seiten, 1957*; 2. Auflage, 1958*; 3. Auflage (TB 11), 224 Seiten, 1960*

Panitz, Eberhard: Die Feuer sinken, 364 Seiten, 1960*; 2. Auflage, 1961*; 3. Auflage 1962

Poche, Klaus/Hans Oliva: Das OKW gibt nichts mehr bekannt, 132 Seiten, Illustrationen, 1961; Neuauflage, 152 Seiten, Illustrationen, 1962

Schreyer, Wolfgang: Das Attentat (ER 1), 48 Seiten, Illustrationen 1957*; 2. Auflage, 1957*; 3. Auflage, 1957*

Schwarz, J. C.: Revolte in Radom (ER 22), 48 Seiten, Illustrationen, 1958*

Tillard, Paul: Nacht über Paris, 196 Seiten, Illustrationen, 1957*

Weber, Karl-Heinz: Täter oder Opfer? (ER 46), 48 Seiten, Illustrationen, 1960*

Weitbrecht, Wolfgang: Letzte Station: Eppenau (ER 4), 56 Seiten, Illustrationen, 1957*

Weshinow, Pawel: Die 2. Kompanie, 400 Seiten, Illustrationen, 1957*

Zukrowski, Wojciech: Tage der Niederlage, 400 Seiten, 1962

(Kriegsverbrecher)

Barkhoff, Hermann: Die Mörder des Dimitri Kondora (ER 49), 48 Seiten, Illustrationen, 1960

Dietrich, Siegfried: Mr. Henderbill wartet vergebens (ER 54), 48 Seiten, Illustrationen, 1961

Dietrich, Siegfried: Nebel über dem Wasser (ER 67), 48 Seiten, Illustrationen, 1962

Falke, Kurt: Unternehmen „Panther" (ER 55), 48 Seiten, Illustrationen, 1961

Heider, Rolf: Ranger (ER 66), 48 Seiten, Illustrationen, 1962

Hesse, Günter: Der Teufel von Iasi (Tats. 13), 64 Seiten, Illustrationen, 1962

Kron, Peter H.: Der Tod an Bord (ER 50), 40 Seiten, Illustrationen, 1961

Mann, Frank: Auf gefährlichem Kurs (ER 48), 40 Seiten, Illustrationen, 1960

Müller, Hans: 704 auf Ostkurs (ER 52), 40 Seiten, Illustrationen, 1961

Oettingen, Hans von: Die Schwelle (TB 30), 240 Seiten, 1962

Panitz, Eberhard: In drei Teufels Namen, 352 Seiten, 1958*; 2. Auflage, 1959*; 3. Auflage, 1960*

Panitz, Eberhard: Verbrechen am Fluß (ER 10), 40 Seiten, Illustrationen, 1957*

Pröger, Hans-Joachim: Schatten über den Gleisen (ER 40), 48 Seiten, Illustrationen, 1960*
Rahn, Karlheinz/Jens-Peter Proll: Wiedergutmachung (TB 18), 304 Seiten, 1961
Roland, W.: Zehn Konserven Kopfpreis (ER 72), 48 Seiten, Illustrationen, 1962
Schell, Walter: Die Verurteilung des Hauptmanns Mack, 176 Seiten, 1959*; 2. Auflage (TB 2), 136 Seiten, 1960*
Schreyer, Wolfgang: Entscheidung an der Weichsel, Dokumentarbericht über Vorgeschichte und Verlauf des Warschauer Aufstandes, 56 Seiten, 1960
Westendorf, Klaus: Finale W (ER 70), 48 Seiten, Illustrationen, 1962
Ziemer, Erwin: Feindfahrt ohne Torpedos (ER 73), 48 Seiten, Illustrationen, 1962

(Bewaffnete Kämpfe der deutschen Arbeiterbewegung)

Bartus, Jutta/Rudolf Böhm: Geboren unter schwarzen Himmeln, 556 Seiten, 1962
Bredel, Willi: Der Rote General (FVuV 38), 56 Seiten, Illustrationen, 1956*
– Feuilleton der Roten Presse 1918 bis 1933 (KK), „Rote Fahne", „Junge Garde" „Arbeiter-Illustrierte Zeitung", „Eulenspiegel", „Roter Pfeffer"; herausgegeben von Konrad Schmidt, 184 Seiten, 1960
Kast, Peter: Der Rote Admiral von Kiel (ER 27), 48 Seiten, Illustrationen, 1959*
Mann, Frank: Als der Märzwind blies (ER 57), 48 Seiten, Illustrationen, 1961
Marchwitza, Hans: Schlacht vor Kohle (KK), Aus dem Leben der Ruhrkumpels; mit einem Nachwort von Otto Gotsche, 256 Seiten, 1960*
Marchwitza, Hans: Treue, Ein Buch aus dem Arbeiterleben, 340 Seiten, 1961*; 2. Auflage, 1961
Mast, Werner: Rote Patrouille vor München (FVuV 21), 56 Seiten, Illustrationen, 1955*; 2. Auflage, 1955*
Neukrantz, Klaus: Barrikaden am Wedding (KK), 272 Seiten, 1958*; 2. Auflage, 1962
Schlotterbeck, Anna und Friedrich: Seiner Majestät Schiff „Prinzregent Luitpold", 100 Seiten, 1959*
Schlotterbeck, Friedrich: Solidarität (ER 28), 48 Seiten, Illustrationen, 1959*
Seghers, Anna: Die Saboteure (ER 25), 48 Seiten, Illustrationen, 1958*
Wertke, Werner: „Du bist der nächste, Kowalke!" (ER 30), 40 Seiten, 1959*
Wiesner, Otto: An der Kreuzung (FVuV 33), 56 Seiten, Illustrationen, 1956*
Wiesner, Otto: Auch Liebe muß gerade Wege gehen, 152 Seiten, 1959*; 2. Auflage, 1961
Zikelsky, Fritz: Das Gewehr in meiner Hand, Erinnerungen eines Arbeiterveteranen, 200 Seiten, Illustrationen, 1958

(Deutsche Antifaschisten im Kampf gegen Hitler)

Beuchler, Klaus: Es geschah in Paris (Tats. 5), 64 Seiten, Illustrationen, 1962
Boulanger, Jakob/Michael Tschesno-Hell: Eine Ziffer über dem Herzen (KK), 160 Seiten, 1960
David, Kurt: Zwei Uhr am roten Turm (ER 35), 40 Seiten, Illustrationen, 1959*
Friedrich, Herbert: Der Flüchtling (ER 13), 48 Seiten, Illustrationen, 1958*
Grabner, Hasso: Der Streit um die Partisanen (ER 15), 56 Seiten, Illustrationen, 1958*
Hagge, Hans: Panzerkreuzer „A" (ER 71), 48 Seiten, Illustrationen, 1962
Kast, Peter: Das Geschenk, 228 Seiten, 1959; 2. Auflage, 1962
Kühne, Hans J.: Leo schlägt sich durch (ER 17), 48 Seiten, Illustrationen, 1959*
Langhoff, Wolfgang: Die Moorsoldaten (KK), 308 Seiten, 1960
Petersen, Jan: Fahrt nach Paris (ER 12), 56 Seiten, Illustrationen, 1957*
Turek, Ludwig: Die Freunde (TB 1), 248 Seiten, 1960*

Turek, Ludwig: Die Freunde – Die letzte Heuer, 360 Seiten, 1961*
Turek, Ludwig: Die letzte Heuer, 188 Seiten, 1959
Wesolek, Johann: Im Widerstreit, 240 Seiten, 1961
Wolf, Friedrich: Jules (ZAb 21), 48 Seiten, Illustrationen, 1956*
Wolf, Friedrich: Zwei an der Grenze, 404 Seiten, 1959*; 2. Auflage, 1961

(Kampf gegen westdeutschen Militarismus)

Barkhoff, Hermann: Mordprozeß Fischer (ER 43), 48 Seiten, Illustrationen, 1960
Barkhoff, Hermann: Riskante Bekanntschaften (ER 60), 48 Seiten, Illustrationen, 1961
Colditz, Heinz: Und im Hintergrund Katschwara (TB 28), 240 Seiten, 1962
Guljaschki, Andrej: Das Geheimnis des silbernen Bechers (TB 32), 240 Seiten, 1962
Heinz, Lothar: Fehlmeldung vom Objekt Panther (ZAb 14), 52 Seiten, Illustrationen, 1956*
Herking, Werner: Zeta bleib nicht geheim (ER 33), 48 Seiten, Illustrationen, 1959*
Kast, Peter: Der Millionenschatz vom Müggelsee, 296 Seiten, 1959*
Kast, Peter: Der Millionenschatz vom Müggelsee (TB 31), 368 Seiten, 1962
Kruschel, Heinz: Das Kreuz am Wege, 280 Seiten, 1962
Müller, Heinz: Funksprüche in der Nacht (ER 8), 56 Seiten, 1957*
Uhse, Bodo: Die Brücke (ER 39), 56 Seiten, Illustrationen, 1960*
Voss, Stefan: Der Blindgänger (ER 26), 40 Seiten, Illustrationen, 1959*
Voss, Stefan: Einer kehrt nicht zurück (ER 11), 48 Seiten, Illustrationen, 1959*
Weiß, Rudolf: Piraten an Steuerbord (ER 59), 48 Seiten, Illustrationen, 1961

Kampf gegen Imperialismus, Militarismus und imperialistischen Krieg in anderen Ländern

(Spanienkrieg)

Arconada, César M.: Rio Tajo, 432 Seiten, 1962
Bredel, Willi: Here is the „Lincoln" (FVuV 25), 48 Seiten, Illustrationen, 1955*
Frelau, Axel: Guerillas in den Bergen Aragoniens, 360 Seiten, Illustrationen, 1958*; 2. Auflage, 1959; 3. Auflage (TB 26), 336 Seiten, 1962
Gorrish, Walter: Mich dürstet (FVuV 35), 52 Seiten, Illustrationen, 1956*
Griwa, Jan: Jenseits der Pyrenäen, 268 Seiten, 1957*
Kisch, Egon Erwin: Unter Spaniens Himmel (KK); herausgegeben von Gisela Kisch, 124 Seiten, 1961
Kolzow, Michail: Die Rote Schlacht, 620 Seiten, 1960*
Kurella, Alfred: Wo liegt Madrid? 168 Seiten, Illustrationen, 1956*
Maaßen, Alfred: Die Söhne des Tschapajew, 416 Seiten, 1960*
Plura, Franz: Für Spaniens Freiheit (FVuV 15), 44 Seiten, 1955*
Renn, Ludwig: Die Schlacht am Guadalajara (FVuV 27), 56 Seiten, Illustrationen, 1956*
Uhse, Bodo: Die erste Schlacht (ER 64), 48 Seiten, Illustrationen, 1962

(Zweiter Weltkrieg)

Banet, Julian: Parole „Jan-Warszawa" (Tats. 12), 64 Seiten, Illustrationen, 1962
Bek, Alexander: Die Wolokolamsker Chausee, 280 Seiten, 1962
Bekier, Erwin: Festung Brest (Tats. 14), 64 Seiten, Illustrationen, 1962
Belachowa, M. u. a.: Im Hinterland des Feindes und andere Erzählungen (FVuV 12), 64 Seiten, Illustrationen, 1954*

Benes, K. I.: Die Falle (TB 20), 272 Seiten, 1961

Berjosko, Georgi: Die rote Rakete (FVuV), 56 Seiten, Illustrationen, 1956*

Boikow, Vitali u. a.: Hauptmann Saworuchin und andere Erzählungen (FVuV 7), 48 Seiten, Illustrationen, 1954*

Bondarew, Juri/A. Tunitzki: Du oder ich! (FVuV 17), 44 Seiten, Illustrationen, 1955*

Bondarew, Juri: Die letzten Salven, 268 Seiten, 1961*; 2. Auflage, (TB 24), 304 Seiten, 1961

Bragin, Michail: Der Weg des Leutnant (TB 9), 248 Seiten, 1960*;

Brjanzew, Georgi: Das blaue Paket, 228 Seiten, Illustrationen, 1959*; 2. Auflage, 1959*; 3. Auflage (TB 8), 296 Seiten, 1960*; 4. Auflage, 228 Seiten, 1961*

Broniewska, Janina: Zurück nach Wola (Tats. 4), 64 Seiten, Illustrationen, 1962

Bubennow, Michail: Feuer in der Taiga (ZAb 18), 56 Seiten, Illustrationen, 1956*

Chapajew, A.: In einer Sturmnacht, 48 Seiten, Illustrationen, 1956*

Cogniot, Georges: Die Flucht (TB 17), 256 Seiten, 1961

Courtade, Pierre u. a.: Am schwarzen Fluß und andere Erzählungen (FuV 4), 56 Seiten, Illustrationen, 1954*

Djagilew, W.: Arzt, Gardist und Kommandeur, 212 Seiten, Illustrationen, 1955*

Dubrowski, W. G.: Minen vor Sewastopol, 332 Seiten, 1959*; 2. Auflage (TB 3), 288 Seiten, 1960*

Fucik, Julius: Reportage unter dem Strang geschrieben (KK), 172 Seiten, 1961

Grossmann, Wassili: Die unterirdische Festung (FVuV 24), 64 Seiten, Illustrationen, 1955*

Grossmann, Wassili: Im vordersten Graben (TB 12), 256 Seiten, 1960*

Hagge, Hans: Westerplatte (ER 51), 48 Seiten, Illustrationen, 1961

Ignatow, Pjotr: Partisanen Teil I, 348 Seiten, 1957*; 2. Auflage, 1958*

Ignatow, Pjotr: Partisanen Teil II, 360 Seiten, 1956*, 2. Auflage, 1957*; 3. Auflage, 1958*

Ingatow, Pjotr: Partisanen Teil I und II, Neuauflage, 800 Seiten, 1961*; 2. Auflage, 1962

Kasakewitsch, Emmanuil: Das Herz des Freundes, 260 Seiten, 1957*; 2. Auflage, 1958*; 3. Auflage, 1959*; 4. Auflage (TB 13), 336 Seiten, 1961

Koshedub, Iwan: Ich greife an, 272 Seiten, Illustrationen, 1956*; 2. Auflage, 1956*

Koshewnikow, Wadim: Dem Feind entronnen (FVuV 37), 64 Seiten, Illustrationen, 1956*

Lebedenko, Alexander: Von Angesicht zu Angesicht, 720 Seiten, 1960*

Lebedjew, A./B. Polewoi: Heldenmut (FVuV 1), 36 Seiten, Illustrationen, 1954*

Leberecht, Hans: Soldaten aus Tallinn, 480 Seiten, 1961

Linkow, G.: Hinter der Front (Tats. 8), 64 Seiten, Illustrationen, 1962

Nagibin, Juri: Schwer erkämpftes Glück, 256 Seiten, Illustrationen, 1958*; 2. Auflage, 1960

Nassibow, Alexander: Geheimarchiv an der Elbe, 368 Seiten, 1960*; 2. Auflage (TB 21), 336 Seiten, 1961

Nekrassow, Viktor: In den Schützengräben von Stalingrad, 428 Seiten, 1961*

Parenkow, Anatoli u. a.: Über der Schlucht und andere Erzählungen (FVuV 6), 48 Seiten, Illustrationen, 1954*

Perwenzew, Arkadi: Die Stiefel des Kommandanten (FVuV 40), 56 Seiten, Illustrationen, 1956*

Perwenzew, Arkadi: Walka (FVuV 29), 56 Seiten, Illustrationen, 1956*

Peschel, Rudi: Gejagt bis zur letzten Minute (Tats. 11), 64 Seiten, Illustrationen, 1962

Polewoi, Boris/S. Andropow: Das Banner des Regiments und andere Erzählungen (FVuV 8), 56 Seiten, Illustrationen, 1954*

Popjel, N. K.: Das Gelöbnis (Tats. 7), 64 Seiten, Illustrationen, 1962

Saizew, L./G. Skulski: Im fernen Hafen, 532 Seiten, Illustrationen, 1956*

Schejnin, Lew: Der Sonderauftrag (ZAb 28), 48 Seiten, Illustrationen, 1956*

Schejnin, Lew: Spione, 220 Seiten, Illustrationen, 1957*; 2. Auflage, 1958*; 3. Auflage, 1959*; 4. Auflage (TB 7), 272 Seiten, 1960*; 5. Auflage, 1962

Schejnin, Lew: Spione Band II, 324 Seiten, 1962; 2. Auflage (TB 29), 272 Seiten, 1962
Scholochow, Michail: Sie kämpften für die Heimat (KK), 316 Seiten, 1960
– Semaphor und andere Erzählungen (FVuV 5), 56 Seiten, Illustrationen, 1954*
Shurawljow, T.: Der alte Soldat, 184 Seiten, Illustrationen, 1956*
Simonow, Konstantin: Im Kessel (FVuV 3), 64 Seiten, Illustrationen, 1954*
Sobolew, Leonid: Der grüne Strahl, 244 Seiten, Illustrationen, 1956*
Stadnjuk, I.: Maxim Perepeliza, 236 Seiten, Illustrationen, 1955*
Toman, Nikolai: Die Notlandung (ZAb 4), 52 Seiten, Illustrationen, 1956*
Tschen Se Bon/Li Tscha Hwa: Die Kiefer (FVuV 14), 52 Seiten, 1955*
Tschenzow, Nikolai u. a.: Eine wichtige Aufgabe und andere Erzählungen (FVuV 10),
     64 Seiten, Illustrationen, 1955*
Tschernyschew: Das Rätsel der Meerestiefen (FVuV 9), 64 Seiten, Illustrationen, 1954*
– Unterseebootfahrer Gadschiew (FVuV 16), 64 Seiten, Illustrationen, 1955*
Warnenska, M. u. a.: Partisanen und andere Erzählungen (FVuV 2), 48 Seiten, Illu-
     strationen, 1954*

(Widerstand der Kolonialvölker und anderer Bevölkerungen gegen ihre Unterdrücker)

Basan, Walter: Die Entscheidung des Ismael Abu Kef (ER 23), 56 Seiten, Illustrationen,
     1958*
Eggert, Herbert: Unternehmen Wertpaket (ZAb 16), 48 Seiten, Illustrationen, 1956*
Grabner, Hasso: Justizmord in Dedham (Tats. 10), 64 Seiten, Illustrationen, 1962*
Grabner, Hasso: Der Mann mit der gelben Tasche (TB 33), 224 Seiten, 1962
Hagge, Hans: Die Gentlemen von Guam (ER 36), 48 Seiten, Illustrationen, 1959*
Hesse, Günter: Die Schlacht am Waterberg, 64 Seiten, Illustrationen, 1962*
Hils, Fred: Fata Morgana, Ein Erlebnisbericht, 192 Seiten, Illustrationen, 1958*; 2. Auf-
     lage, 1958*
Lux, Leo: Unter Palmen und Reptilien (ZAb 31), 48 Seiten, Illustrationen, 1956*
May, Ferdinand: Filmproduktion Monterose findet nicht statt (TB 19), 256 Seiten, 1961*
Schejnin, Lew: Geheimagenten (ER 63), 48 Seiten, Illustrationen, 1962
Schreyer, Wolfgang: Alaskafüchse, 388 Seiten, Illustrationen, 1959*; 2. Auflage, 1960*;
     3. Auflage, 1961*; 4. Auflage (TB 23), 256 Seiten, 1960*
Schreyer, Wolfgang: Der grüne Papst, 368 Seiten, Illustrationen, 1961*; 2. Auflage, 1962*
Schreyer, Wolfgang: Der Spion von Akrotiri (ER 9), 56 Seiten, Illustrationen, 1957
Thürk, Harry: Das Gechwader der Gangster (Tats. 1), 64 Seiten, Illustrationen, 1961
Zak, Eduard/Hans-Joachim Else: Leuchtfeuer über Kolumbari, 280 Seiten, 1962

(Kampf befreiter Völker gegen imperialistische Invasionen)

Djacenko, Boris: Die Khmer-Kette (ZAb 6), 48 Seiten, Illustrationen, 1956*; 2. Auflage,
     1956*
Frelau, Axel: Friß, Vogel, oder stirb, 196 Seiten, 1961; 2. Auflage (TB 22), 240 Seiten,
     1961
Heindorf, Heiner: Museumsraub in Kairo (ER 58), 48 Seiten, Illustrationen, 1961
Karmen, Roman: Krieg im Dschungel, Erlebnisberichte, 300 Seiten, 1960*
Krüger, Klaus/Horst Sebastian: Befehl zur Exekution (ER 69), 48 Seiten, Illustrationen,
     1962
– Der lange Marsch (FVuV 31), 56 Seiten, Illustrationen, 1956*
Lu Tschu-Kou: Der Mensch ist stärker als Eisen, 148 Seiten, Illustrationen, 1956*
Ma Feng/Hsi Jung: Die Helden vom Ly-Liang-Schan: 516 Seiten, Illustrationen, 1956

Ni Ching: Treibeis auf dem Chan (FVuV 34), 56 Seiten, Illustrationen, 1956*
Pollak, Hans-Heinz: Die Dschungelzitadelle (FVuV 42), 56 Seiten, Illustrationen, 1956*
Scheer, Maximilian: Die Vergeltung des Abdul Salem (Tats. 9), 64 Seiten, Illustrationen, 1962
Thürk, Harry: Die Armee aus dem Dschungel (Tats. 6), 64 Seiten, Illustrationen, 1962
Weill, Pete: Projekt Manhattan (Tats. 2), 64 Seiten, Illustrationen, 1962
Weiß, Rudolf: Waffen für Celebes (ER 68), 48 Seiten, Illustrationen, 1962
Wu Jün-do: Waffen für die Vierte, 284 Seiten, 1961

Sonstige Literatur, Kriminal- und Abenteuerliteratur

Ardamatski, Wassili: Gefährliche Marschrichtung, 180 Seiten, Illustrationen, 1957*; 2. Auflage, 1958*; 3. Auflage, 1959*
Arefjew, S.: Der rätselhafte Schuß (ZAb 8), 40 Seiten, Illustrationen, 1956*; 2. Auflage, 1956*
Awdejenko, Alexander: Der Fall Clark, 216 Seiten, Illustrationen, 1956*; 2. Auflage, 1958*; 3. Auflage, 1959*; 4. Auflage (TB 10), 224 Seiten, 1960*
Awdejenko, Alexander: Ich liebe, 256 Seiten, 1957*
Barbusse, Henri: Tatsachen, 184 Seiten, 1957*
Becher, Johannes R.: Vom Bau des Sozialismus (KK), Ausgewählt und eingeleitet von Eberhard Hilscher, 316 Seiten, 1959
Bonhoff, Otto: Treffpunkt Aimée (ZAb 26), 56 Seiten, Illustrationen, 1956*
Bonhoff, Otto: Alarm im Morgengrauen (ZAb 24), 48 Seiten, 1956*
Bontsch-Brujewitsch, Michail D.: Petrograd, Erinnerungen eines Generals, 412 Seiten, 1959
Braun, Günter und Johanna: Preußen, Lumpen und Rebellen, 200 Seiten, Illustrationen, 1957*
Bredel, Willi: Für Dich – Freiheit! (KK), Kurzgeschichten, Skizzen und Anekdoten 216 Seiten, 1959
Bredel, Willi: Der Kommissar am Rhein (FVuV 30), 64 Seiten, Illustrationen, 1956*
Bredel, Willi: Marcel, der junge Sansculotte (ZAb 9), 48 Seiten, Illustrationen, 1956*
Bredel, Willi: Der Regimentskommandeur (FVuV 36), 56 Seiten, Illustrationen, 1956*
Bredel, Willi: Die Tauben des Paters (ZAb 20), 48 Seiten, Illustrationen 1956*
Bubennow, Michail: Das Galgenschiff (früher unter dem Titel „Unsterblichkeit"), 2. Auflage, 196 Seiten, 1962
Bubennow, Michail: Unsterblichkeit, 176 Seiten, Illustrationen, 1956*
Budjonny, S. M.: Rote Reiter voran, 480 Seiten, 1961
– Chinesische Holzschnitte der Gegenwart (KK), zusammengestellt und erläutert von Gerhard Pommeranz-Liedtke, 156 Seiten, Illustrationen, 1959
Cholopow, Georgi: Das grausame Jahr, 340 Seiten, Illustrationen, 1956*
Dieckmann, Friedrich-Karl: Duell in Böhmen (FVuV 32), 64 Seiten, Illustrationen, 1956*
Djacenko, Boris: Wölfe (ZAb 11), 48 Seiten, Illustrationen, 1956*
Eichhorn-Nelson, Wally: Die Verräterin (FVuV 43), 80 Seiten, Illustrationen, 1956*
Ek, Sándor: Malerei und Grafik (KK), herausgegeben von Alexander Abusch und Gabor Ö. Pogány, 196 Seiten, Illustrationen, 1960
Fabian, Franz: Die Schlacht von Monmouth, 264 Seiten, 1961*
Fiker, Eduard: Die drei Koffer, 440 Seiten, Illustrationen, 1959*
Fiker, Eduard: Die goldene Vier, 280 Seiten, Illustrationen, 1956*; 2. Auflage, 1957*; 3. Auflage, 1957*; 4. Auflage, 1957*; 5. Auflage, 1957*; 6. Auflage, 1959*; 7. Auflage, 1961*
Földes, Peter: Vom jenseitigen Ufer, Gemeinschaftsausgabe mit Corvina-Verlag, Budapest, 410 Seiten, 1962

Frank, Patty: Die Indianerschlacht am Little Big Horn, 204 Seiten, Illustrationen, 1957*; 2. Auflage, 1958*; 3. Auflage, 1959*

Fürnberg, Louis: Echo von links (KK), 320 Seiten, 1959

Gladkow, Fjodor: Zement (KK), 358 Seiten, 1961

Goll, Joachim: Unter dringendem Tatverdacht (ZAb 15), 56 Seiten, Illustrationen, 1956*

Golubow, S.: Festungen, die nicht kapitulieren, 1028 Seiten (2 Bände), 1958*

Gorki, Maxim: Eine Auswahl aus den künstlerischen und publizistischen Werken (KK), herausgegeben von Nadeshda Ludwig, 228 Seiten, 1960

Greulich, E. R.: Woran starb Ölkönig Dellarada? (ZAb 30), 52 Seiten, Illustrationen, 1956*

Grundig, Lea und Hans: Reproduktionen (KK), 160 Seiten, Illustrationen, 1959

Guddat, Rolf: Es begann in Rio (ZAb 25), 48 Seiten, Illustrationen, 1956*

Hauptmann, Helmut: Der Unsichtbare mit dem roten Hut, 168 Seiten, Illustrationen, 1958*; 2. Auflage, 1961

– Ich höre Amerika singen (KK), Amerikanische Volkslieder, Auswahl, Erläuterungen und Nachdichtung von Eva Lippold, Vorwort von G. F. Alexan; 320 Seiten, 1962

Kämpchen, Heinrich: Das Lied des Ruhrkumpels (KK), herausgegeben von Waltraud Seifert und Erhart Scherner, 200 Seiten, 1960

Kaufmann, Walter: Der Fluch von Maralinga, 200 Seiten, Illustrationen, 1961

Kerndl, Rainer: Ein Wiedersehen, 132 Seiten, Illustrationen, 1956*

Kisch, Egon Erwin: Der Fall des Generalstabschefs Redl (ER 7), 40 Seiten, Illustrationen, 1957*

Krymow, Jurij: Tanker Derbent (KK), 356 Seiten, 1960

Kubka, Frantisek/Jiri Kubka: Am Sechserstein (ZAb 19), 56 Seiten, Illustrationen, 1956*

Kurella, Alfred: Die Depesche (ER 16), 40 Seiten, Illustrationen, 1958*

Lask, Berta: Aus ganzem Herzen (KK), 280 Seiten, 1961

Linkow, L./E. Panitz: Grenzstreife (FVuV 22), 40 Seiten, Illustrationen, 1955*; 2. Auflage, 64 Seiten, 1955*

Lukin, A./D. Poljanowski: Die Tscheka greift ein, 352 Seiten, 1961*; 2. Auflage, 1962

Meissner, Janusz: Himmelswege, 312 Seiten, 1957*; 2. Auflage, 1958*; 3. Auflage, 1960*; 4. Auflage, 1961*

Meissner, Janusz: Das grüne Tor, 320 Seiten, 1962*

Meissner, Janusz: Die roten Kreuze, 264 Seiten, 1961*; 2. Auflage, 1962*

Meissner, Janusz: Die schwarze Flagge, 320 Seiten, 1960*; 2. Auflage, 1961*; 3. Auflage, 1962*

Meissner, Janusz: Die Sechs von der Pomorze, 364 Seiten, 1958*; 2. Auflage, 1960*

Michailow, Viktor: Unter falschem Namen (TB 16), 256 Seiten, 1961

Mildner, Heinz: Schlag Deine Trommel — Prohaska! (FuV 41), 60 Seiten, Illustrationen, 1956*

Mildner, Heinz: Der Untergang der „Mary Withe", 288 Seiten, Illustrationen, 1962

Monastryrjow, Wladimir: Es geschah gegen 23 Uhr (ZAb 5), 48 Seiten, Illustrationen, 1956*; 2. Auflage, 1956*

Ochotnikow, Wadim: Die geheimnisvolle Explosion (ZAb 13), 48 Seiten, Illustrationen, 1956*

Panitz, Eberhard: Flucht (ZAb 23), 48 Seiten, Illustrationen, 1956*

Perwenzew, Arkadi: Kotschubej, 284 Seiten, 1962*

Piwowarczyk, Andrzej: Die Königin, 196 Seiten, 1958*; 2. Auflage, 1960*; 3. Auflage (TB 27), 208 Seiten, 1962*

Prodöhl, Günter: Solange die Spur warm ist, 252 Seiten, Illustrationen, 1960*; 2. Auflage, 1960*; 3. Auflage, 1961*; 4. Auflage, 1962

Rank, Heiner: Autodiebe, 160 Seiten, 1959*; 2. Auflage (TB 6), 184 Seiten, 1960*; 3. Auflage, 1960*; 4. Auflage, 1961*

Rank, Heiner/Gerhard Neumann: Falschgeld, 248 Seiten, 1962

Reckefuß, Herbert: Doch Brutus war ein ehrenwerter Mann, 286 Seiten, 1958*

Reimann, Brigitte: Kinder von Hellas, 212 Seiten, Illustrationen, 1956*
Reimann, Brigitte: Der Tod der schönen Helena (ZAb 12), 56 Seiten, Illustrationen, 1956*
Samoilow, Lew/Boris Skorbin: Jaguar – 13 (ZAb 1), 52 Seiten, Illustrationen, 1956*; 2. Auflage, 1956*; 3. Auflage, 1956*
Samoilow, Lew/Boris Skorbin: Operation Gambit (ZAb 3), 48 Seiten, Illustrationen 1956*; 2. Auflage, 1956*
Scheidig, Claus/Horst Rennhack: Rätsel um Pylon 3 (ZAb 29), 44 Seiten, 1956*
Schejnin, Lew: Schatten der Vergangenheit, 264 Seiten, 1959*; 2. Auflage, 1960*; 3. Auflage (TB 5), 336 Seiten, 1960*
Schmidt-Elgers, Paul: Alarm im Hafen (ER 24), 40 Seiten, Illustrationen, 1958*
Schreyer, Wolfgang: Tempel des Satans, 340 Seiten, 1960*; 2. Auflage, 1961*; 3. Auflage (TB 14), 384 Seiten, 1961*; 4. Auflage, 340 Seiten, 1962
Sealsfield, Charles: Tokeah oder Die weiße Rose, 444 Seiten, Illustrationen, 1957*; 2. Auflage, 1957*; 3. Auflage, 1958*; 4. Auflage, 1959*
Seghers, Anna: Der Weg durch den Februar (KK), 336 Seiten, 1959
Sittauer, Hans L.: Um die gerechte Sach' (ER 44), 48 Seiten, Illustrationen, 1960*
Slang: Eine Auswahl Lyrik und Prosa (KK), herausgegeben von Elisabeth Simons/Rudolf Hoffmann, 272 Seiten, 1958
Sondermann, Herbert: Achtung! Täter führt Schußwaffe (ER 19), 48 Seiten, Illustrationen, 1958*
Spranger, Günter: Mord ohne Sühne (ER 45), 48 Seiten, Illustrationen, 1960*
– Sputnik contra Bombe (KK), Lyrik, Prosa, Berichte, herausgegeben von Gerhard Wolf, 124 Seiten, 1959
Strahl, Rudi: Sturm auf Stollberg (FVuV 28), 64 Seiten, Illustrationen, 1956*
Tarassow-Rodionow: Februar, 452 Seiten, 1959
Tersánszky, Jenö J.: Die Geschichte eines Bleistifts, 260 Seiten, Illustrationen, 1957*, 2. Auflage, 1958*
Thürk, Harry: Aufstand am Gelben Meer (ER 41), 48 Seiten, Illustrationen, 1960*
Toman, Nikolai: Pkw M 22–45 (ZAb 7), 48 Seiten, Illustrationen, 1956*; 2. Auflage, 1956*
Tschernoswitow, W.: Der sibirische Wolf (ZAb 10), 40 Seiten, Illustrationen, 1956*
– Unser Leben – schwarz auf weiß (KK), herausgegeben von Gerhard Pommeranz-Liedtke, 184 Seiten, Illustrationen, 1961
– Warum ich dafür bin (KK), Anthologie-Stimmen zu unserer Zeit! Herausgegeben von Eva Lippold/Manfred Häckel, 200 Seiten, Illustrationen, 1960
Weinert, Erich: Vorwärts! Unsere Zeit beginnt (KK); eine Auswahl Gedichte, Erzählungen, Skizzen, Reden, zusammengestellt und eingeleitet von Willi Bredel, 168 Seiten, 1958
Winogradow, Iwan: Die zwei Leben Stscheglows (FVuV 19), 48 Seiten, Illustrationen 1955*
Winter, Carl: Der Troßjunge (ER 31), 48 Seiten, Illustrationen, 1959*
Wischnewski, Wsewolod: Krieg, 400 Seiten, 1959
Wischnewski, Wsewolod: Matrosen (KK), 128 Seiten, 1958
Wokurow, I.: Ein Brief ging verloren (ZAb 2), 48 Seiten, Illustrationen, 1956*; 2. Auflage, 1956*
Wolf, Friedrich: Die lebendige Mauer; Erzählungen, Skizzen, Lebensbilder, Satiren, Dialoge, herausgegeben von Walther Pollatschek, 360 Seiten, Illustrationen, 1957*
Zimmermann, Kurt: Sozialistische Grafik (KK), ausgewählt und erläutert von Cay Brockdorff, 168 Seiten, Illustrationen, 1958

Populärwissenschaftliche Literatur

Allgemeine Gesamtdarstellung des Militärwesens

Lwow, W.: Fakten des Atomzeitalters, 132 Seiten, 1958*

Militärtechnik, Bewaffnung

Andrejew, K. K.: Sprengstoffe (Pop. Bibl. 5), 112 Seiten, Illustrationen, 1957*
Bajew/Merkulow: Raketenflugzeuge (Pop. Bibl. 6), 72 Seiten, Illustrationen, 1957*
Bychowski, I. A.: Atom-U-Boote, 120 Seiten, Illustrationen, 1959*
Frommelt, Horst: Korrosionsschutz in der Armee, 120 Seiten, Illustrationen, 1962
Korotkow, W. I./A. M. Tschermysch: Schiffe der Zukunft, 128 Seiten, Illustrationen, 1962
Naumenko, J. A.: Kernenergie und Kernwaffen (Pop. Bibl. 7), 108 Seiten, Illustrationen, 1957*
Schädel, Horst/Kurt Hutzler: Schneller, höher, weiter (AT), 84 Seiten, Illustrationen, 1962
Smirnow, L. W.: Die Flugzeugpanoramastation (Pop. Bibl. 3), 64 Seiten, Illustrationen, 1956*

Sonstige Verlagserscheinungen

Bildbände und Bildmappen

– Immer gefechtsbereit (Bildband), 192 Seiten, 1961*; 2. ergänzte Auflage, 1962
– Salud Internationale (Bildmappe), 56 Blatt, 1956*
– Die Sowjetarmee – unser Waffenbruder (Bildmappe), 68 Blatt, 1958*
– Zwölf Armeen kämpften in Leipzig, Bildband über die I. Sommerspartakiade der befreundeten Armeen – Leipzig 1958, 212 Seiten, Illustrationen, 1959*

Musikalien

– Liederbuch der Nationalen Volksarmee, Soldaten singen, 128 Seiten, mit Noten, 1956*
– Lieder für Chöre, Heft 1, aus dem Repertoire des Erich-Weinert-Ensembles, 16 Seiten, 1956*
– Lieder für Chöre, Heft 2, Spanienlieder, 20 Seiten, 1956*
– Lieder für Chöre, Heft 3, Solidaritätslieder, 16 Seiten, 1956
– Lieder für Chöre, Heft 4, Neue Soldatenlieder, 16 Seiten, 1956*
– Lieder für Chöre, Heft 5, Soldatenlieder der befreundeten Armeen, 16 Seiten, 1956
– Märsche für Blasorchester, 1. Folge, Hymnen, Fest- und Trauermärsche, 18 bis 24 Stimmen, 1956
– Märsche für Blasorchester, 2. Folge, Sportmärsche, 18 bis 39 Stimmen, 1956

Übrige Erscheinungen

Bujanow, A. F.: Chemie im Dienste des Menschen (Pop. Bibl. 2), 168 Seiten, Illustrationen, 1956*

Gurjew, G. A.: Wissenschaftliche Voraussicht – Religiöses Vorurteil, 96 Seiten, 1956*

Gute, Herbert/Hans Ritter: Glauben oder Wissen, 40 Seiten, 1956*

– Natur, Mensch und Religion, ein Beitrag zur naturwissenschaftlichen-atheistischen Propaganda, 212 Seiten, Illustrationen, 1958*

Sternfeld, A. A.: Der Flug ins Weltall (Pop. Bibl. 1), 56 Seiten, Illustrationen, 1956*

– Taschenkalender der Kasernierten Volkspolizei 1955

– Taschenkalender der Kasernierten Volkspolizei 1956

– Taschenkalender der Nationalen Volksarmee 1957

– Taschenkalender der Nationalen Volksarmee 1958

Wassiljew, M.: Maschinen als Helfer des Menschen (Pop. Bibl. 4), 96 Seiten, Illustrationen, 1957*

– Wochenkalender der Nationalen Volksarmee 1959

Register

IM SELBEN VERLAG:

W. D. Sokolowski
Marschall der Sowjetunion

Militär-Strategie

Ganzleinen, ca. 576 Seiten, DM 29,50

Die MILITÄR-STRATEGIE ist das Resultat jahrelanger militärpolitischer Auseinandersetzungen in der Sowjetunion. Das Autoren-Kollektiv — 15 der namhaftesten sowjetischen Militärtheoretiker unter der Leitung des ehemaligen Generalstabschefs Marschall Sokolowski — geben dem Buch autoritativen Charakter.

Das Werk ist die erste sowjetische Gesamtdarstellung der Strategie seit 1926. Es gibt kein zweites Dokument, das einen so umfassenden Einblick nicht nur in die sowjetischen militärstrategischen Konzeptionen, sondern vor allem auch in die Widersprüche und offenen Probleme im militär-politischen Denken der sowjetischen Führung bietet.

Die MILITÄR-STRATEGIE hat in Ost und West stärkste Beachtung gefunden. Die deutsche Ausgabe ist die erste in der westlichen Welt, die auf Grund der stark veränderten und ergänzten zweiten russischen Auflage herauskommt.

In der Einleitung kommentiert Uwe Nerlich, Forschungsinstitut der Deutschen Gesellschaft für Auswärtige Politik, das Werk sowie die wichtigsten sowjetischen und westlichen Stellungnahmen.

Markus-Verlag GmbH · Köln